Mikrokosmos
ミクロコスモス――映像の小窓

大野一雄「石狩の鼻曲がり」(「ゆいまある」主催)
石狩川河口・来札(らいさつ)・1991年９月15日・筆者撮影

大野一雄「石狩の鼻曲がり」(「ゆいまある」主催)
石狩川河口・来札(らいさつ)・1991年９月15日・筆者撮影

I 〈抗《あらが》いの形象〉――イブ・クライン／ダダ展始末記DATA

『イブ・クライン展』（西武美術館・1986年）

『イブ・クライン展』（西武美術館・1986年）
イブ・クライン『Dimanche』復刻版

フライヤー「SEVEN DADA'S BABY」展
（ギャラリー・ユリイカ・1982年）

I 〈抗《あらが》いの形象〉——ダダ展始末記DATA

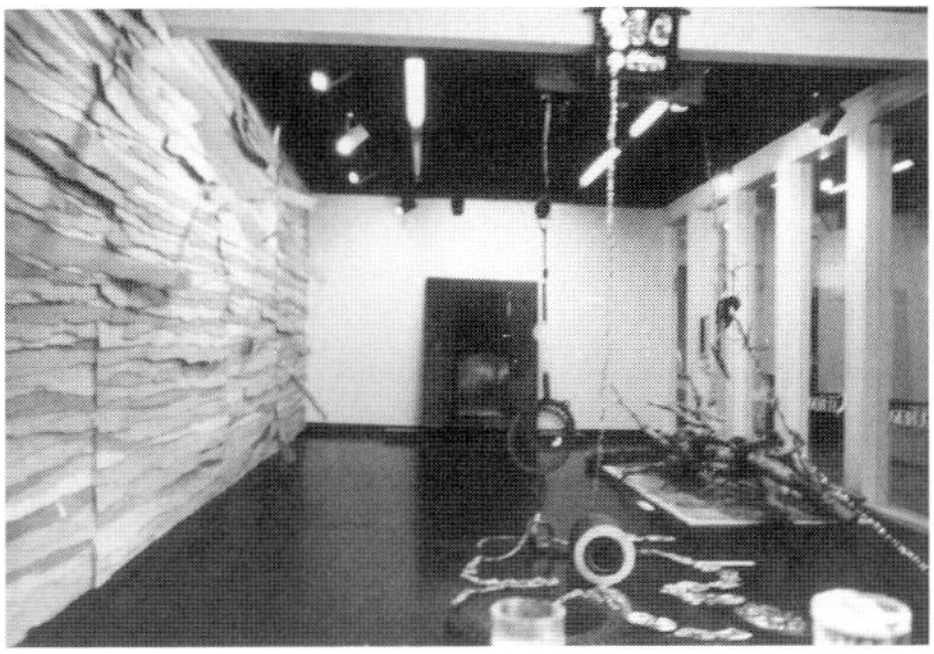

左：「SEVEN DADA'S BABY」展（ギャラリー・ユリイカ・1982年）撮影・筆者
右：ギャラリー・ユリイカがあった和田ビル全景　撮影・筆者

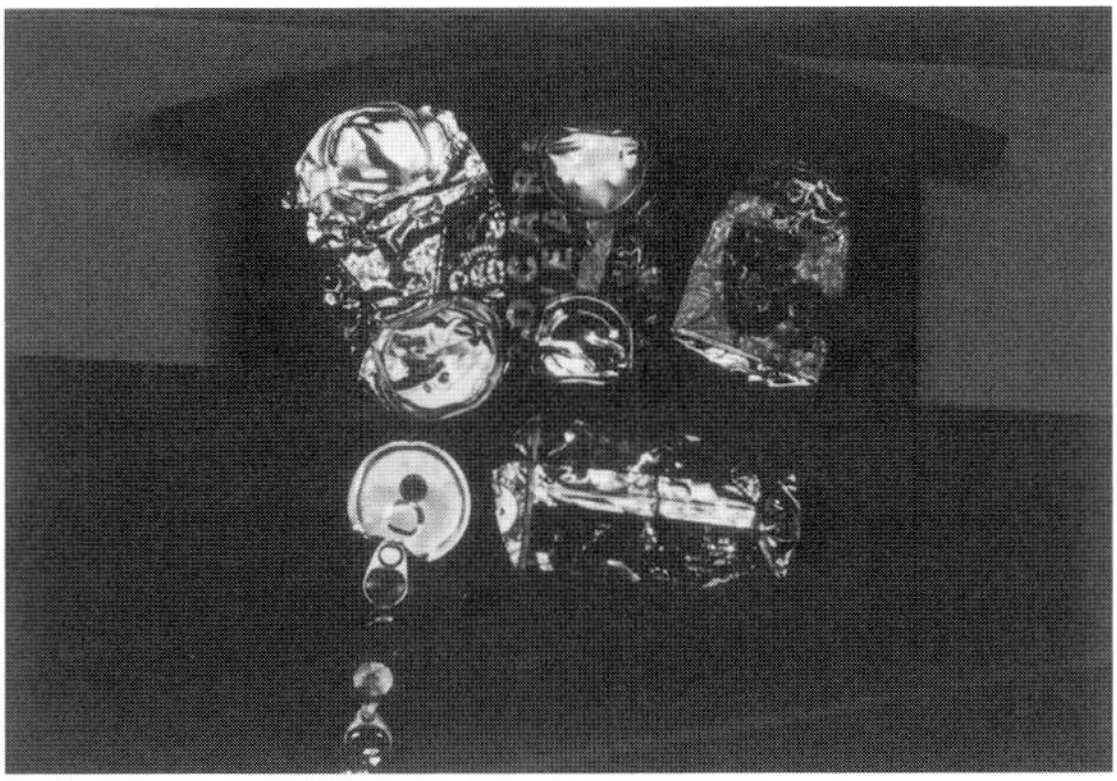

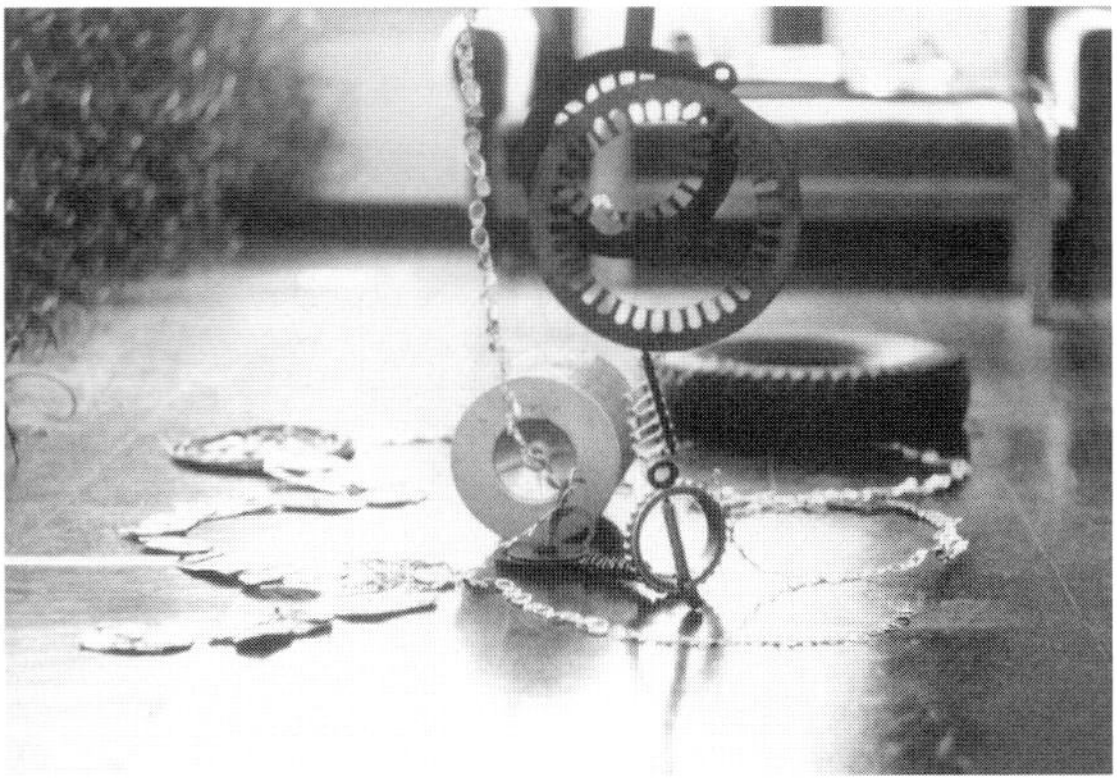

一原有徳　アサンブラージュ「奉納・伊邪那美命　伊邪那岐命—あるいはピテカントロプス・エレクトス」（部分・ギャラリー・ユリイカ・1982年）（上下）撮影・筆者

I 〈抗《あらが》いの形象〉――ダダ展始末記DATA

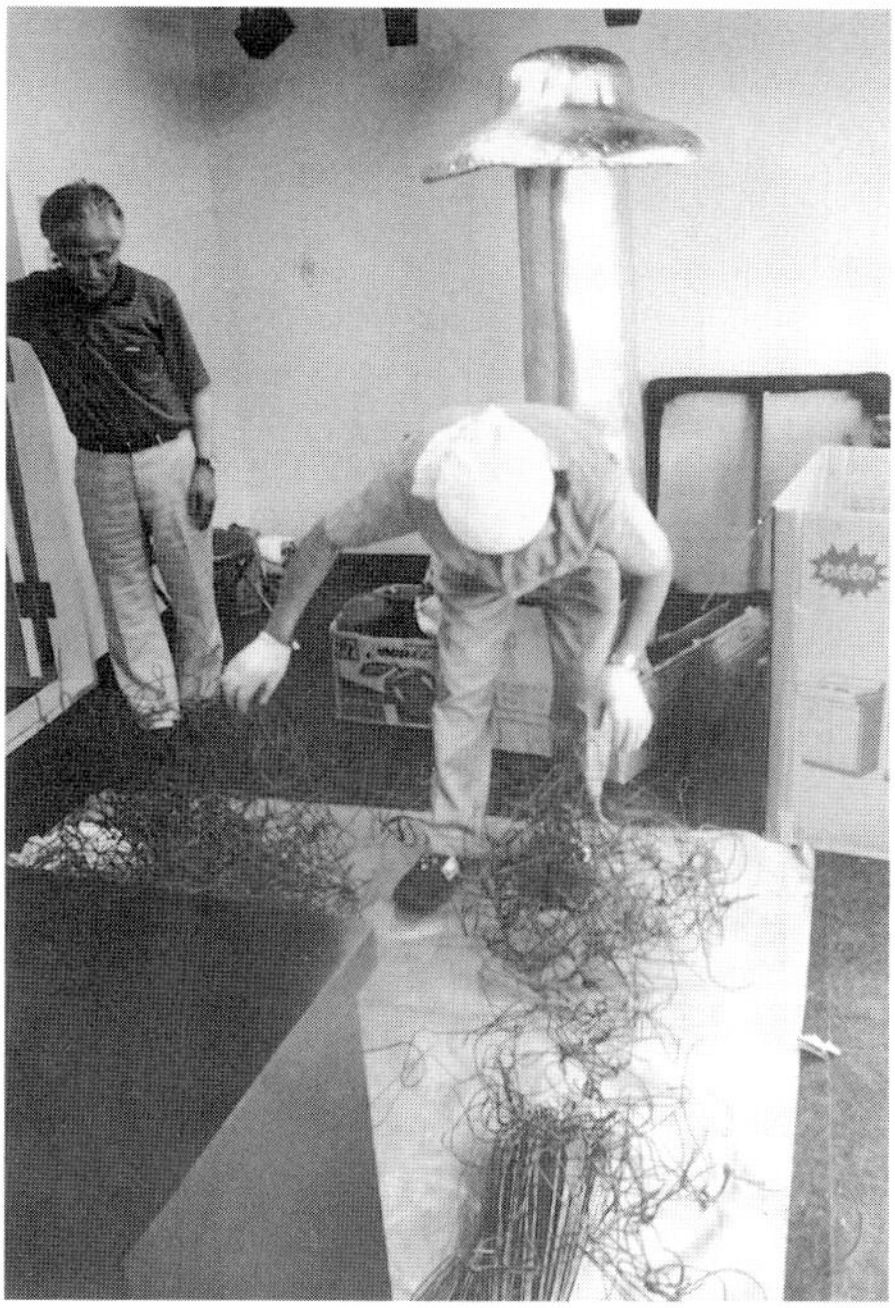

藤木正則の「AとSの関係」　　左・一原有徳　右・制作中の山内孝夫

「SEVEN DADA'S BABY」展（ギャラリー・ユリイカ・1982年）撮影・筆者

中央の作品／山内孝夫

I 〈抗《あらが》いの形象〉——ダダ展始末記DATA

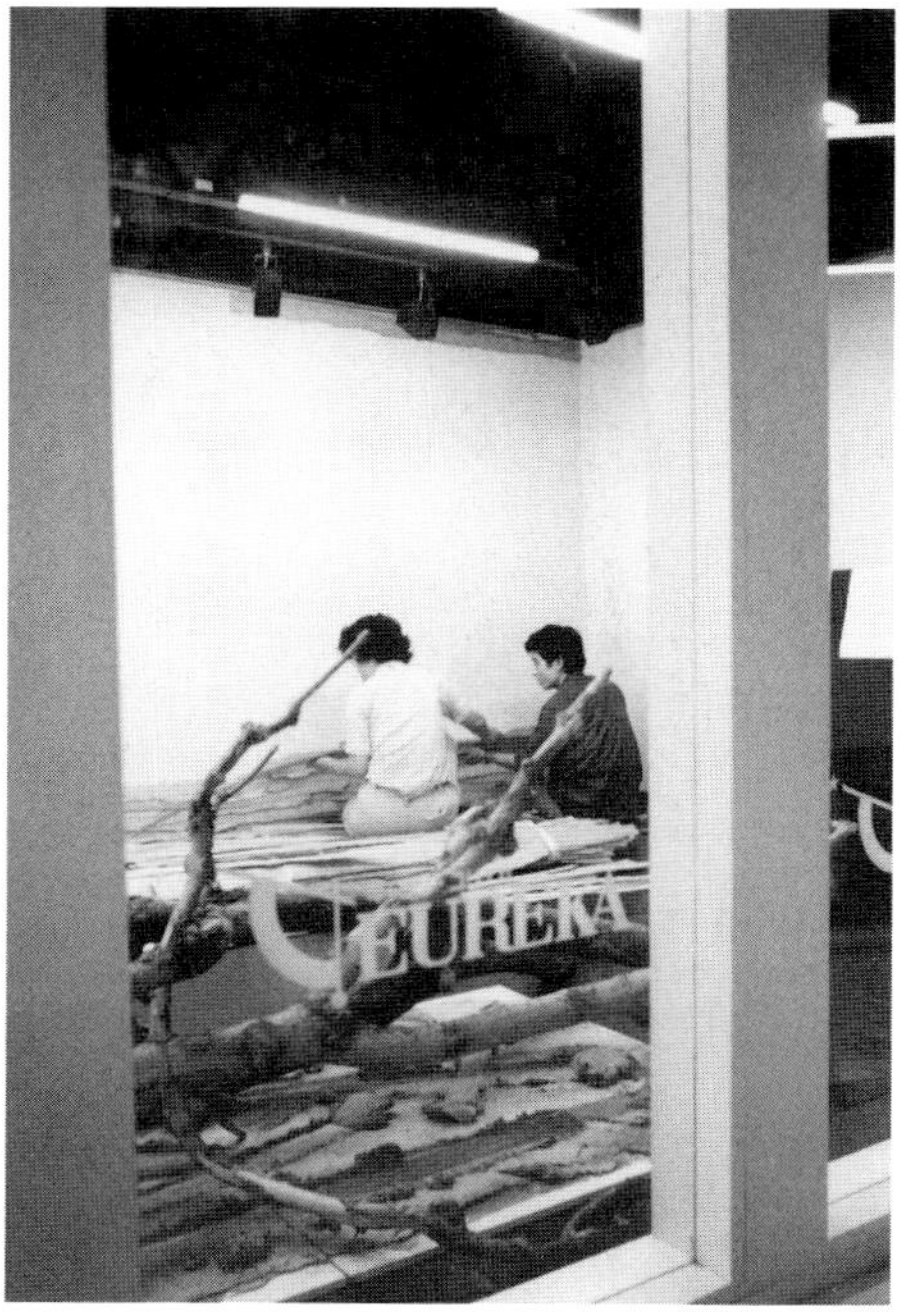

制作中の藤原瞬

阿部典英の作品

「SEVEN DADA'S BABY」展（ギャラリー・ユリイカ・1982年）撮影・筆者

「SEVEN DADA'S BABY」展オープニング
中央・柴橋伴夫・一人おいて藤原瞬

I 〈抗《あらが》いの形象〉——ダダ展始末記 DATA

藤木正則「ホワイトライン」(札幌4丁目スクランブル交差点　1982年) 撮影・筆者

I 〈抗《あらが》いの形象〉——ダダ展始末記DATA

藤木正則「ホワイトライン」（札幌４丁目スクランブル交差点　1982年）
ホワイトラインを消失する「行為」　撮影・筆者

I 〈抗《あらが》いの形象〉――ダダ展始末記 DATA

藤木正則の旭川での「行為」・「SEVEN DADA'S BABY」展にFAXで送られてきた作品の一部

I 〈抗《あらが》いの形象〉——ダダ展始末記DATA

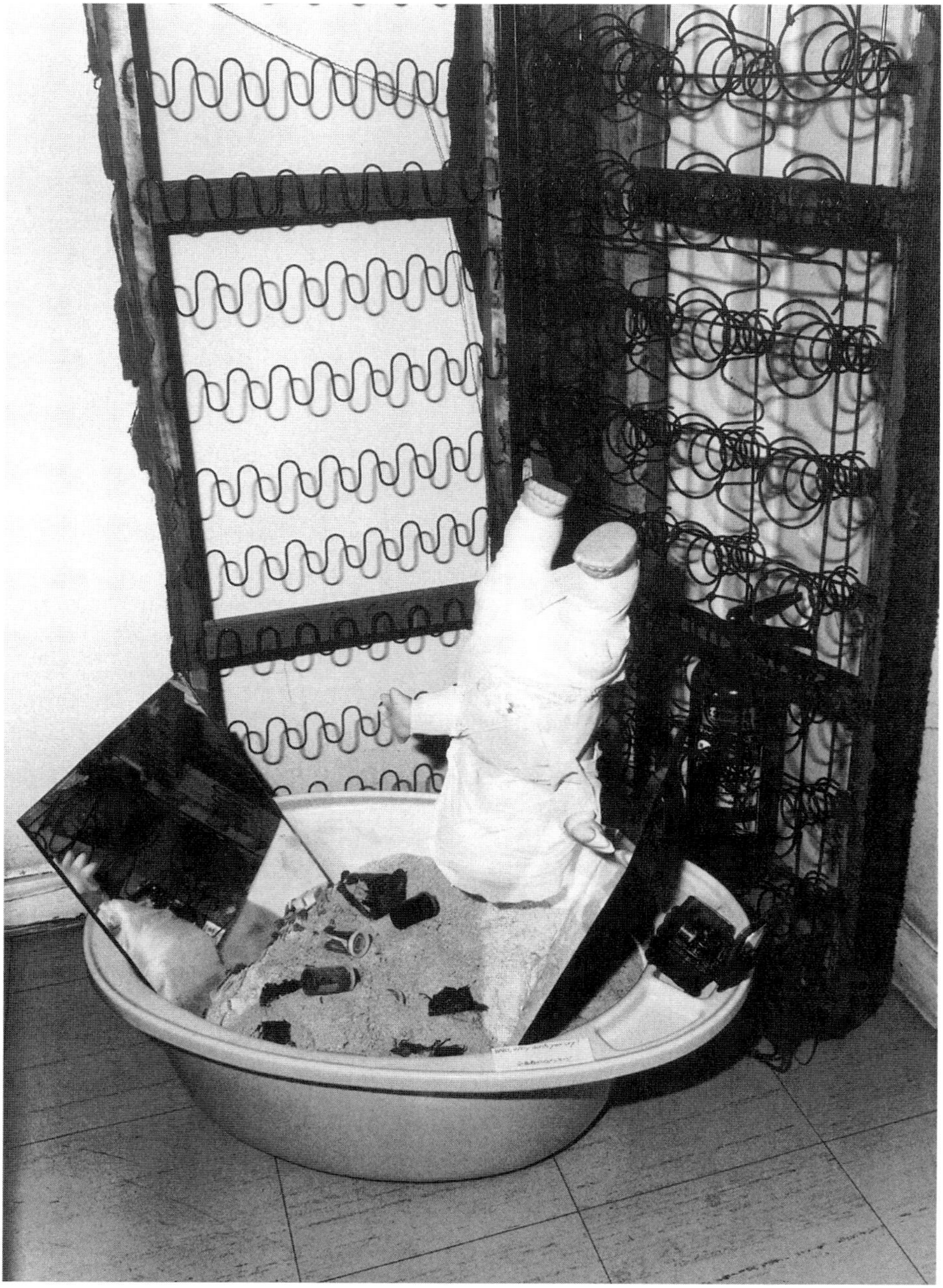

柴橋伴夫　アサンブラージュ「BABY why don't you cry」(ギャラリー・ユリイカ・1982年)

I 〈抗《あらが》いの形象〉――ダダ展始末記 DATA

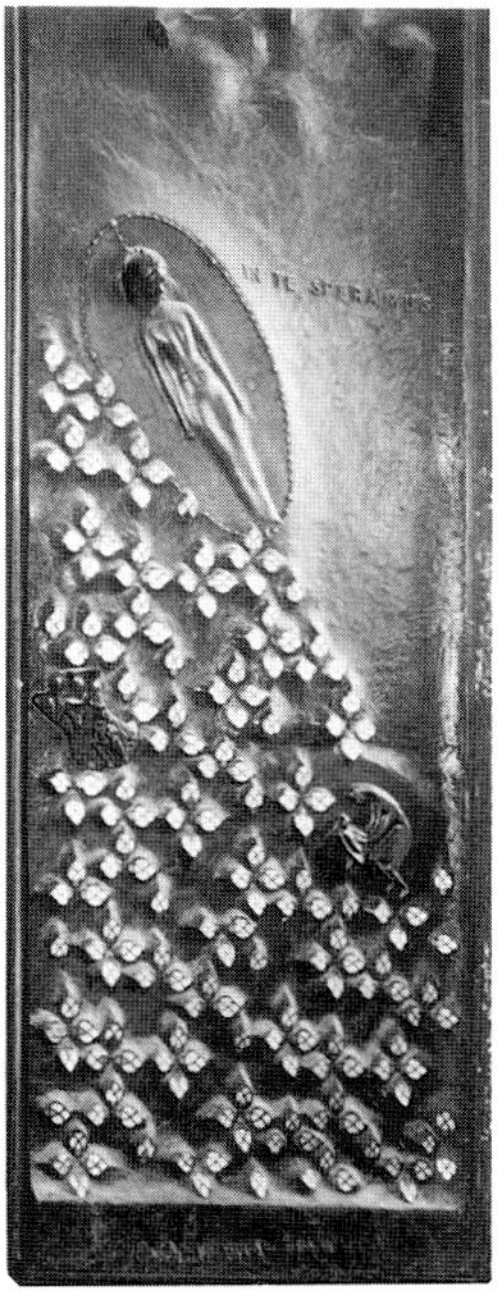

オーストリア・ザルツブルクの「大聖堂」の扉に描かれたヒロシマへのレクイエム（写真・著者）

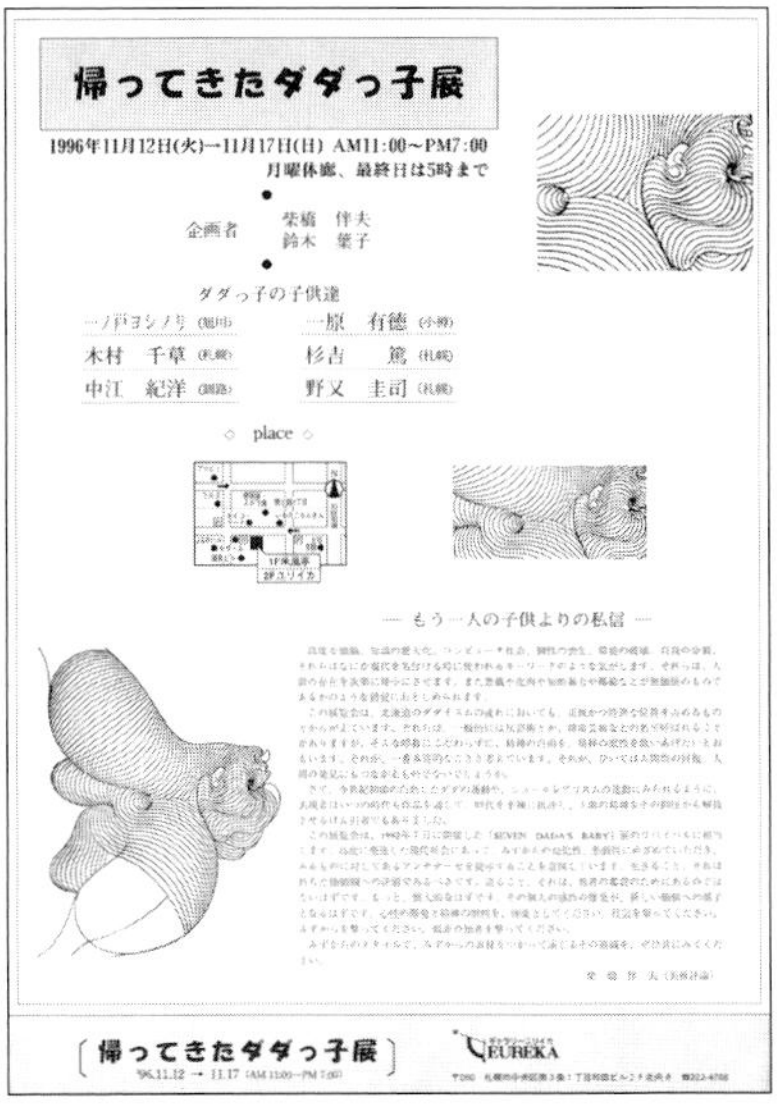

「帰って来たダダっ子」展（ギャラリー・ユリイカ・1992年）

III〈タナトスの図像〉——ロヒールの哀歌DATA

ロヒール・ファン・デル・ウェイデン「七つの秘蹟の祭壇画」(ベルギー・アントウェルペン王立美術館)

ベルギー・アントウェルペン王立美術館図録

III 〈タナトスの図像〉——アンドレア・マンテーニャ DATA

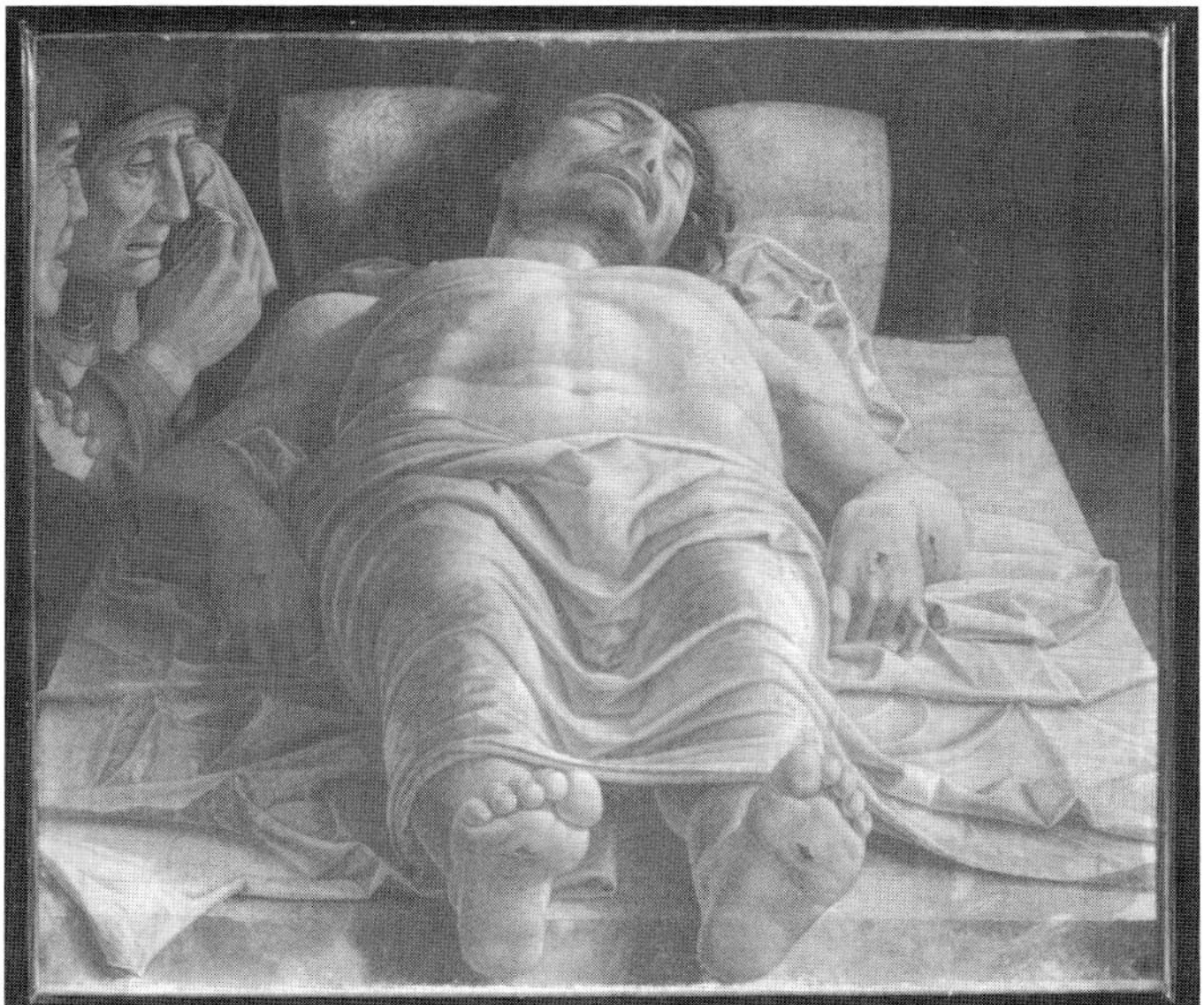

アンドレア・マンテーニャ「死せるキリスト」(ミラノ・ブレラ美術館蔵)

Ⅲ〈タナトスの図像〉——エゴン・シーレ／アンゼルム・キーファー DATA

左：『エゴーン・シーレとウィーン世紀末展』(神奈川県立近代美術館・1986年)

上下：ウィーン市内での「シーレ展」のポスターなど(写真・筆者)

左：「アンゼルム・キーファー　メランコリア—知の翼」展(京都国立近代美術館・1993年)(写真・筆者)
右：「キーファー展」会場風景(写真・筆者)

Ⅳ〈眼の胎動〉——批評事始め／「ゆいまある」あれこれ

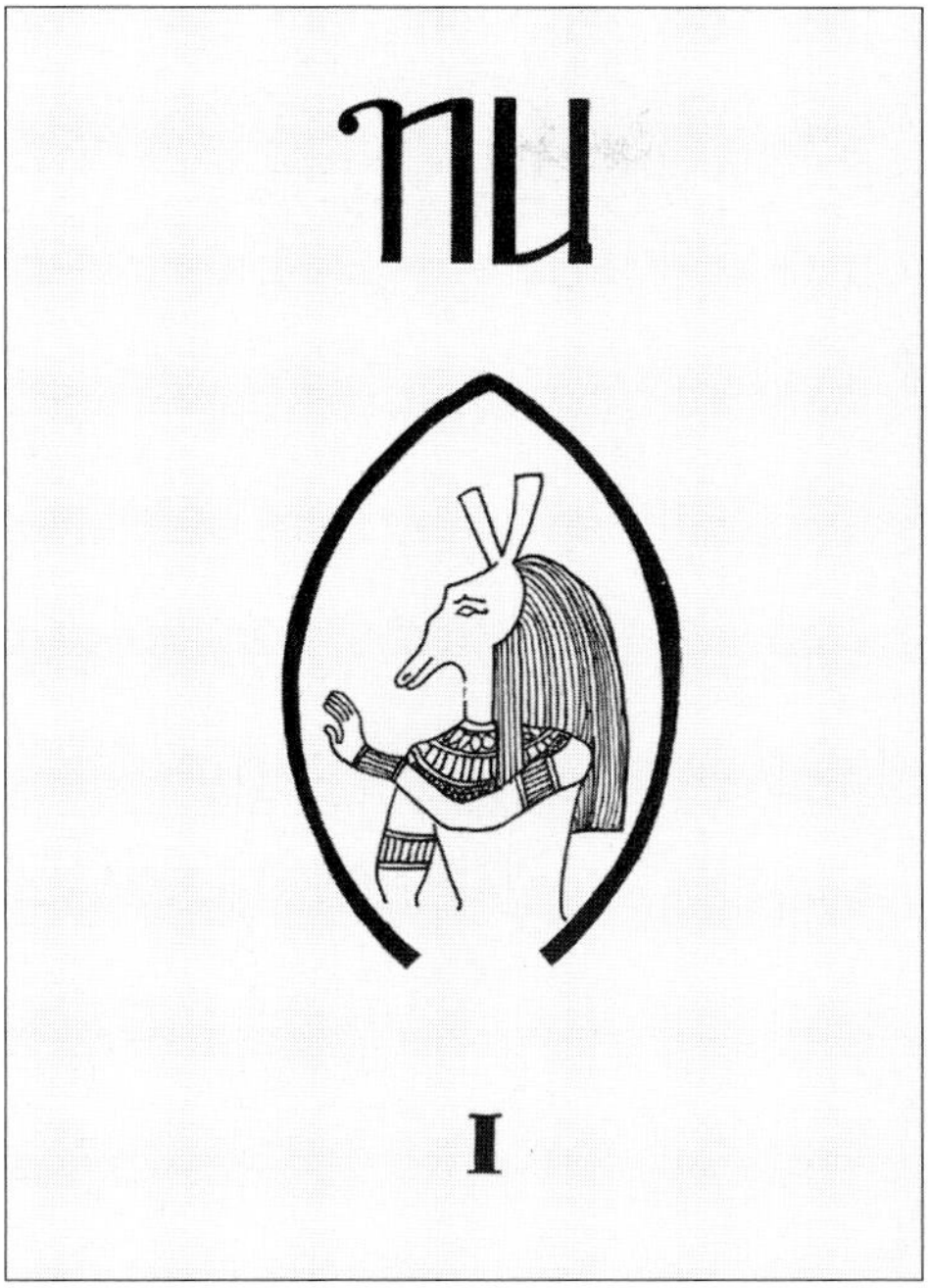

個人詩誌『nu』創刊号（nu工房・1979年）

『熱月（テルミドール）』（1974年春）創刊号

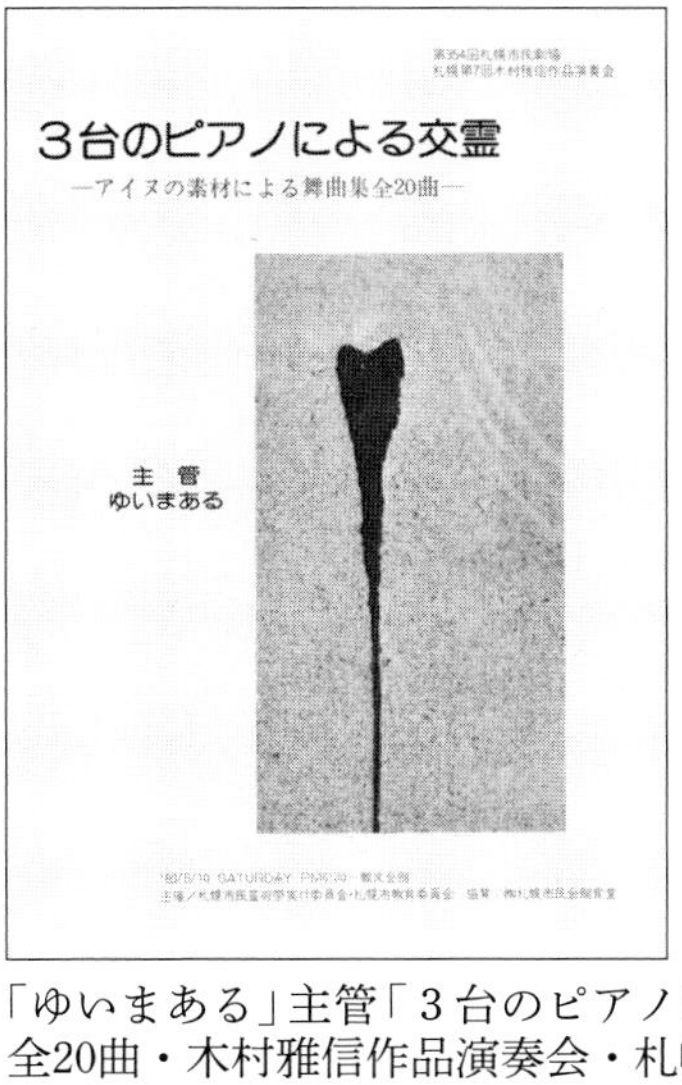

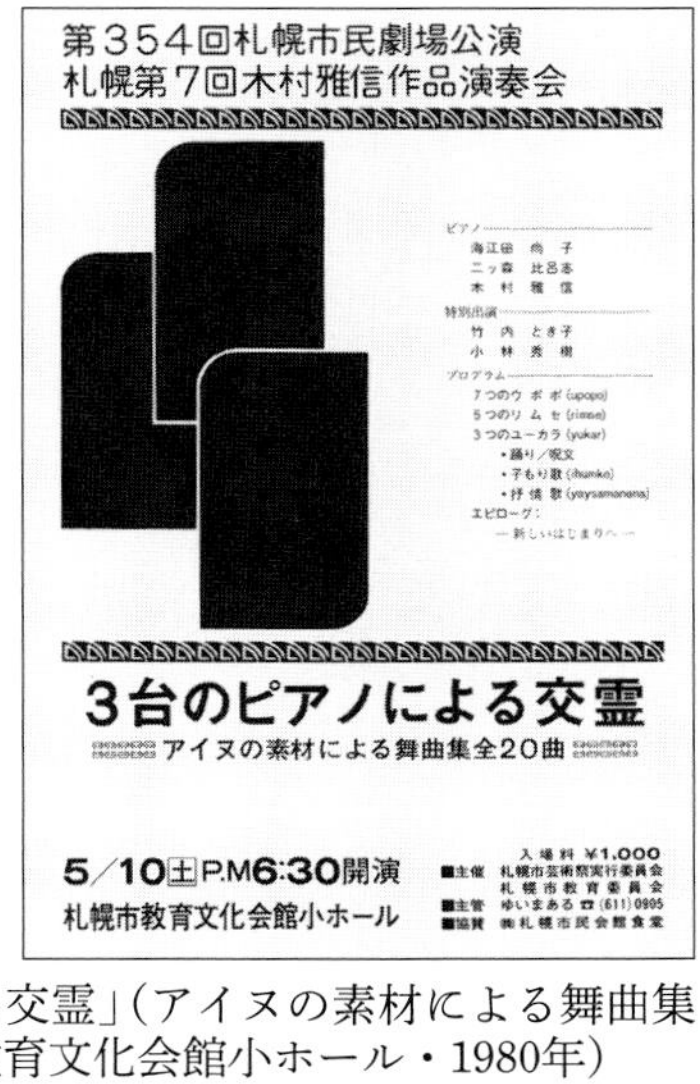

「ゆいまある」主管「３台のピアノによる交霊」（アイヌの素材による舞曲集全20曲・木村雅信作品演奏会・札幌市教育文化会館小ホール・1980年）

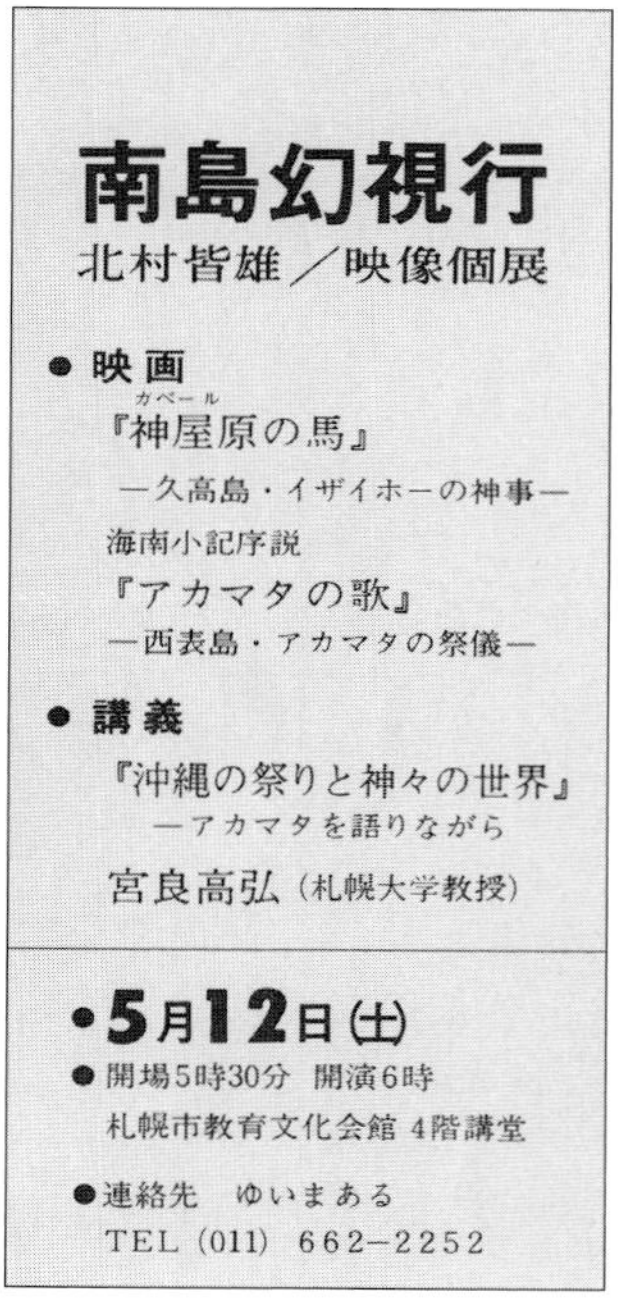

「南島幻視行」（北村皆雄／映像個展）・1979年　主催「ゆいまある」・札幌市教育文化会館

Ⅳ〈眼の胎動〉——大野一雄舞踏「石狩の鼻曲がり」

大野一雄「石狩の鼻曲がり」(「ゆいまある」主催)
石狩川河口・来札(らいさつ)・1991年9月15日・筆者撮影

Ⅳ〈眼の胎動〉——大野一雄舞踏「石狩の鼻曲がり」

大野一雄「石狩の鼻曲がり」(「ゆいまある」主催)
石狩川河口・来札(らいさつ)・1991年９月15日・筆者撮影

柴橋伴夫

ミクロコスモスI――「美のオディッセイ」／目次

II

藤原瞬——身体気象の彼方へ

III

タナトスの図像

IV　眼の胎動

はじめに——精神の飢餓へ

人生の余白を測ってみた。光陰矢の如しである。時は、流星として私の前を瞬時に過ぎていった。のんびりと無為のままではいけないと、気づかされた。意を新たにして、これまで書き散らしてきた詩業や評論などを見直すことにした。またできれば未発表や書き下ろしの論も収録しておきたいと考えた。

はじめ名称に悩んだ。著作集にするか、それともコレクションにするか思案した。ただこれらは、すぐに自分には不釣り合いであると思った。閃いたことがある。振り返ってみれば、私が美術評論に携わる嚆矢となった現代美術家（主として北の作家）を論じた詩と批評誌『熱月（テルミドール）』での連載タイトルも「小宇宙」だった。また私はウイリアム・ブレイクの詩を『狼火——北海道新鋭詩人作品集』（北海道編集センター・一九七三年）に、自分の分身としてプロフィールの中で選んでいた。その詩は、「一粒の砂に世界を見、一輪の野の花に天を見る　汝の掌に無限を捉え、一時の中に永遠を見よ」。〈一粒の砂〉に世界を透視し、一番小さなものの中に、大きな宇宙が存すると。

以来、みずからの〈掌に無限を捉え〉ることを目指しながら知見を広げつつ、現代詩を編み、また美術作品を評してきた。こんなこともした。かなりの展覧会を自主企画し、状況の活性化を目指してきた。まさに一言でいえば〈一粒の砂に世界〉を見出すことを目指してきたわけだ。とすれば私がここで編む本を「ミクロコスモス」（Mikrokosmos）と名付けてもいいと考えた。いうまでもなく、「ミクロコスモス」とは、小宇宙を指す。こうして全体を「柴橋伴夫ミクロコスモス」と括ることにとした。

第一冊を『美のオディッセイ』とし、その中にI章を「異形の抗《あらが》い」とした。前著『アウラの方へ　美の断章』（未知谷）の「あとがき」で、「次作では、表現者にとって、〈飢餓〉とは何であったのか、そしてその飢餓が、作品を通じてどう〈充足〉してきているのか、眼を凝らしてみていかねばならない」と書いた。

少し補足する。飢餓とは、表現者にとって大切な〈精神の飢餓〉のこと。短歌評論家菱川善夫は、〈表現者の中から鮮明な飢餓感が消え〉、それにより〈無抵抗の調べ〉に堕してきていると断じた。表現者の端くれではあるが、私なりにこの〈表現者の中から鮮明な飢餓感が消え〉という危機的状況を受け止めてみた。〈精神の飢餓〉を抱きながら血を吐くようにして作品を創出した作家に注目した。ヴォルス、イブ・クライン、工藤哲巳などに関する批評は、私が一九七〇年初頭に書いたもの。少々手を加えて集録した。私の批評の原点となっている作品でもある。

時代への抗いを意識して企画したダダ展についても、書き下ろしでここに載せた。そこから私がどう時代と抗いながら、いかに自分の「存在理由」(レゾン・デートル)をまさぐっていたか読み取ってほしい。

この〈抗《あらが》いの〉意識は、Ⅱ章の「藤原瞬――身体気象の彼方へ」、Ⅲ章に収めた香月泰男の「シベリア」シリーズや丸木位里、丸木俊の「沖縄戦の図」にも脈動している。Ⅳ章では、これまでほとんど振り返ってこなかった批評のはじまりや文化核として立ち上げた「ゆいまある」の文化活動についてまとめてみた。

今後〈掌に無限を捉え〉ながら、〈抗いの〉意識を持ち続けながら数冊を編んでいきたいと願っている。その中には映画論(ゴダール、タルコフスキーなど)、古寺巡礼や「美の器」巡礼、ヨーロッパの旅の記録(イタリア、ベルギー、オランダ、スペイン、オーストリア、南仏・プロヴァンス、チェコなど)、評伝(イサム・ノグチ、安田侃、砂澤ビッキ、勅使河原蒼風、勅使河原宏、岡本太郎、難波田龍起、中野北溟、伊福部昭など)、日本美術論、現代美術論、詩業の集成、講演・講話やエッセイ・アートコラムなども含むことになる。

一年に一冊を編んでいきたいと思案しているのだが……。そこまで余白を保っているかどうか全く不明であるが……。航海の鐘はなった。荒波をのりこえ終着の港までオールを漕いでいきたい。ぜひとも一冊ずつ手にとって読んでほしいと願っている。(二〇二一年晩秋)

I. 抗《あらが》いの形象

ヴォルスのパリ

1. 放浪の雑草

ヴォルス(WOLS)のパリ。それはどこにもないパリの息吹がかんじられる。日常の卑俗さを象徴する物たち、路上に横たわるやっかいな都市の影、つまり乞食や流浪者たち、そこにただ佇むだけの路上の石や壁。それらのひとつひとつが表情をもち、彼の写真の中に生きつづける。永遠のパリ。いや石のように時が停止していながら、何の誇張もなく、そっと静かに言葉を語り出す人物《ひと》、そして事物《もの》たち。異邦人として、パリを訪れた者は、この都市のきっぱりと他者を拒絶する姿勢におどろきながら、しだいに深い疎外感を味わいつつ、孤独につつまれてゆく。

パリは生き、パリは死ぬ。パリは語り、パリは沈黙する。

ヴォルスのパリ。それは不安と憧憬をかかえ、袋小路を逃げまどう哀れな異邦人にとって、やっとみつけた神経の安らぎの地であった。貧困と泥酔の日々をおくる中、精神という糸は切断され、みるかたなくボロボロになってゆく。その痙攣する魂、それは異様な破滅の姿を示した。

ヴォルス、本名はウォルフガング・オットー・アルフレート・シュルツェという。頭文字をとってWOLSとした。父は、なかなかの人だった。ザクセンの内閣官房長官であり、厳格なプロテスタントだった。だからかなり裕福な生活をしていた。ヴォルスは、八歳でヴァイオリンを習い、技を磨いた。こんなこともあった。名門ドレスデン・オペラの学長フリッツ・ブッシュよりコンサートマスターの「資格あり」といわれた。音楽の才能はずば抜けていたようだ。

十六歳で父をなくした青年ヴォルス。自我の確証を求めた。多感な才能は光輝を放ったが、苦の棘が刺さった。自分を掴みとることができなかった。「自省の哲学」は、彼にはもっとも似つかわしくないもの。未知なるものに挑み、新天地としてパリを選んだ。自我が欲する方位へ舳先《へさき》を向けた。

ヴォルスに、最初パリ行きをすすめたのはバウハウス時代の友人、あのモホリ・ナギであった。レジェ、オザンファン、アルプ、ツァラらへの紹介状をたずさえ、フランスへ旅立った。

一九歳のヴォルスは、その時すでにゲンヤ・ヨナスのアトリエに入って修行をつみ、フーゴー・エアフルトの教えをうけていた。が、すでに彼をして何も教えることはないとさえ言わしめた程の写真術を自分のものにしていた。また父ゆずりの音楽的素養を開花させていた。プロテスタント教会でヴァイオリンのソリストとして活躍していた。

さらに天性ともいえる知性の煌めきがあった。人類学にも興味をもち、フランクフルトにある「アフリカ研究所」にも顔をみせ、レオ・フロベニウス博士とアフリカ行きまで計画した。それは現地人の音楽を調査しそれを採譜することだった。

音楽、写真、帆船術、絵画など多岐にわたり、人なみはずれた感性の持ち主だった。それぞれにおいて特筆すべき技量を保っていた。

フォーブール・サン・ジャック通り二八番地。そこがヴォルスのパリの住まいとなった。そのメディカル・ホテルは、バスチーユの近くにあった。はじめ生計は母からの仕送りに依った。その後ドイツ語の個人教授、肖像写真の仕事、ヴァイオリン伴奏で僅かばかりの金をえて日々の糧とした。

ただ永遠のパリは、孤独なパリであった。異邦人に酷《つら》くあたった。言語の壁は厚かった。多感なそして感情の激しいヴォルス。ヴォルスの国籍が災いした。寄る辺のないまま、投企すべき対象をもてずにいた。

祖国ドイツでは、ワイマール体制を根こそぎくつがえす悪しき方向へ。ドイツ国民の足枷となり、経済的政治的自由を奪い隷属の地位に貶めていたベルサイユ体制への反発は激化した。露骨な国家主義の台頭がおこった。愛国主義は突進する盲目の馬のように暴れた。

政治の反動は、ヴォルスの精神を蝕み始めていた。早くに政治からの逃避を決めていた。ただ非政治的に生きることは、すなわち国籍をもたないボヘミアンとして生きることを選ぶことだった。

ファシズム国家となったドイツは、牙をむいて執拗に、全てのドイツ国民に対してみずからの戦列に加わることを強いた。国内にも必死にそれに抵抗する者もいた。国外にいるドイツ人たちは、それぞれの国において「悪魔の手先」としてみられ迫害された。

ヴォルスをみつめるフランスの人々の眼差しは冷たかった。メディカル・ホテルでも監視の目が包囲した。宿の女管理者は、彼の言動一つ一つを好ましくおもわず、警察に通報した。のちのことになるが、妻となったグレティ・ダビジャ（Gréty Dabija）と共にスペインに滞在した時も、好ましくない者としてパリへ送還された。グレティは、ルーマニアの将軍の娘だった。シュルレアリスムの詩人ジャック・バロンの前妻だった。パりでは服装・帽子のデザイナーだった。ヴォルスより一五歳年上という。

パリに戻っても敵意の眼差しに晒された。ヴォルスが愛するグレティのアパート、それはヴァレンヌ通り八番地にあったが、そこの女管理者にも監視された。警察に通報され、あわや国外退去させられる寸前であった。

ドイツ国家もまた、彼らにドイツ国民である証《あかし》を示せと強要した。一九三九年九月三日、全てのドイツ国民に「パリのコロンブ（Colombes）の競技場に集合せよ」と命じた。ヴォルスはそれに従い一週間、この競技場の階段で野宿生活した。その後、家畜貨車にのせられ収容所へ移送された。一四ヶ月にわたる収容所生活が始まった。グレティも筆と絵の具をもってヴォルスの後を追った。一九四〇年一一月にヴォルスはグレティと結婚する。無国籍状態となり収容所生活を解《と》かれることになる。収容所生活については後にくわしくのべることにする。

少し当時の政治情勢をみてみる。一九三九年の八月二三日には、独ソ不可侵条約が成立。この出来事は、西欧州の各国、特にフランスに衝撃を与えた。スターリンはフランスを裏切り、ここから世にいう「奇妙な戦争」が開始された。ヒトラーは、一九四〇年にはノルウェー、デンマーク、そしてオランダ、ベルギーへと侵略。ついにフランスへ牙をむけた。

フランス国内では、ブルム人民戦線に参加していた左翼に怒りを、多くの人々には失望を与えた。右翼は狂ったように共産党の壊滅、解体を叫んだ。

かつてフランス共産党員で、今や極右のメンバーとなったジャック・ドリオは、こう叫び声をあげた。「スターリンはフランスを裏切った。彼に応えるには、共産主義を絶滅し、この裏切り者の党を解散し、そのすべての指導者を投獄しなければならない」。亀裂は、共産党の内部にも波及し、ほぼその党員の三分の一が離党した。その中には作家ポール・ニザンの名もあった。

一九三九年九月三日、事実上のドイツとの開戦となった。対独協力政権のペタン政府（ヴィシー政権）が成立した。フランス人民の抵抗は、〈内なる敵〉たるペタン政府をうち倒すという二重の戦いを強いられた。地下の抵抗運動は長く、一九四四年のパリ解放までつづいた。この時ヴォルスは、すでに三一歳になっていた。

ヴォルスは、一九五一年に三八歳で、パリの病院で死去する。人は、夭折という。あまりに悲惨に満ち溢れた短い人生の旅だった。どうみても戦争の被害者だ。

パリ解放後、自由を得た時はほんの僅かであった。それでも戦後、画商の勧めで油彩画を描いた。またサルトルやアントナン・アルトーの著作の挿絵（銅版画）を手掛けている。

その死は腐った馬肉を食べたことによるもの。なんという悲劇。なんという人生の終わり方か。

こうしてヴォルスの人生、ほとんどの刻《とき》を、異国で異邦人として生きつづけなければならなかった。戦争という暗雲下、過酷な状況に身をおいた。運命を呪っても、誰も救いの路をつくってくれなかった。

ヴォルスは、スペインのカシスやパリでも、みずから撮った路上に横たわるホームレスのごとく、悲劇の生を無言で演じ切らねばならなかった。このホームレスの如く抵抗することもできない程に疲れた姿。

まさにゴミのように路上に投げ捨てられていた。いやこうもいえないか。世界から見捨てられていたと……。絶望の淵に立つヴォルス。一体何ができたであろうか。世界の暗部を切り裂き、叫びをあげたかった。自分という存在を、カメラを通じて確証あるものにしたかった。ただその「場」も奪われてしまった。あとは安酒をのみ、絶望をのみ込むしか方法はなかった。

そして後にも先にも、何も写すものがなくなった。食卓にあるもの、わずかばかりのものを、ひたすら即物的に置いてそれを被写体とした。即物的な眼ではある。たとえば〈Tête de lapin〉(兎の頭)、〈Lapin avec peigne et harmonica〉(兎、櫛とハーモニカと共に)、〈Champignons〉(シャンピニオン)、〈haricots〉(豆)、〈saucisses〉(ソーセージ)など全てとるに足らない物たち。それにカメラを向けることしかできない。

ただカメラ眼には、悲劇を堪えつつ、それを見詰めるある種のやさしさが宿っている。神経はいらだっていた。その苛立ちの発熱を少しでも静めるように物たちと向かいあったようだ。

この即物的な視線は、マルセル・デュシャンと類似する部分もある。ただデュシャンがそれらの物たちをそこに置くことには、かなり醒めた観念と意図的な意識が作動しているのだ。それに対して、あくまでヴォルスはあるがまま、即物的であることで完結しているようだ。

テーブルの上におき、それを上から見下ろして写す、この距離のとり方は、ヴォルス特有のものである。画家が静物画として描く、あの空間のとり方とはかなり違う。〈Ail〉(にんにく)〈Rognons〉(腎臓)などの直截なショット。〈Rognons〉などは異様な表情をみせる。胎児の像《イマージュ》をもみるものにひきおこしてゆく。

胃袋をみたすべき代物たち。このあと料理されてヴォルスの血肉の一部と、きっとなったのであろう。しかしながら、この胃袋をみたすべき役割を担っている物たちは、あのいわゆる野菜類や肉類とちがう位置を与えられている。私にはこうみえる。彼の視線《まなざし》は、それらを聖別し世俗の位置からひき上げ、崇高なおもむきをもった存在へと変貌させてしまうと。

観念性の薄いストイックな聖別にさえみえる。ヴォルスと物たちの距離と関係、絶対的である。ヴォルスの眼差しは、微小な事物たちを世界の断片としてとらえ、同時にその微少なるものにいつしか愛着を感じていくのだ。

直截な眼で拡大された引き裂かれたニワトリの姿。内臓をさらけ出し、眼球はとび出し、手足は切断。欠けたクシやハーモニカといっしょに、コラージュの方法でテーブルにならべられた肉塊。眼球には、ヴォルスのものとおもわれるボタンがはめられている。

視線は、直截さにおいて絶対的なモノローグとなる。一気に断片を崇高な地位へたかめる。ストレートな空間処理は味気がなく、そして装飾性が足りないとも感じる。

しかしながらよく省察してみるならば、暴力的なまでに直截な視線、そのたしかさと距離の深さは、みずからの生そのものが破片であることを示し、ある種の諦念にひきずられていることに気づくことになる。

意を強くして、世界と拮抗しようとする。みずからの眼を生起させるが、情況の悪化が進行し、異邦人であるという立場に逆戻りしてくる。リアルにはっきりしてくることがある。自分は世界の隅で、投げ捨てられた、無価値なものとしてここにひそんでいるのだと。引き裂かれた兎のような実在。切断された実存。言葉を奪われた詩人。ただパリの片隅でうずくまるしかできないヴォルス。

2．異邦人《エトランジェ》として

一九四〇年五月一〇日。その日「奇妙な戦争」が終わりを告げた。イギリス・フランスはおそまきながらドイツと戦闘状態へ突入。ヴォルスは他国人、つまり異邦人としてフランスに身をおくことがもはやできなくなった。それは捕囚への転落を意味した。

最初の捕囚地、コロンブ（Colombes）へ送られた。

そこは首都パリの北西五キロの郊外地区にあり、オードゥ・セーヌ県に属する町だった。人口約八万。そのイーヴ・デュ・マノアール（Yves-du-Manoir）競技場。ヴォルスらが捕囚された場であった。

ヴォルスらは点々と敵性国人収容所へ移送されつづけた。それは果てなき旅となった。クリスマスには、ヌーヴィ－シュル－バロージョン（Neuvy-sur-Baranjon）の収容キャンプにいた。この時のグループ写真がある。五七人のメンバーの中に、後列の左から二番目にヴォルスがいる。その頭部はすでに額が広く、とても二六歳の青年にはみえない。このあと、エクス－アン－プロヴァンス（Aix-en-Provence）、サン－ニコラ（Saint-Nicolas）へと送られた。

ヌーヴィ－シュル－バロージョンの寝室をとった写真がある。不潔にみち、身を横たえるだけの空間。それでも粗末な寝具類は、ささやかな私有財産であった。

身体だけでなく精神を拘束された。いや絶望の強要となった。誰も呪《のろ》うことは出来ない。戦争は、敵と味方とを厳しく区別し、どこにいってもお前は何者であるか、どこの国籍をもつか迫った。それは選別の烙《らく》印だった。ドイツ人であること。それは憎悪の視線と迫害のはざまに投げ出されることを意味した。

ヴォルスのボヘミアン的気質は、このあとから彼に重病のようにとりついたものであろう。長く続いた収容と監禁の日々。苦の連続。激烈に彼の精神を汚染した。それをアルコールで紛らわした。ゆっくりとそして確実に精神は傷つき、みじめな頭陀袋となった。

一九四〇年一一月三〇日にグレティと結婚することで無国籍状態となるが、自由を得るまで、救いようのない闇に幽閉された。暗くいつ消えるともわからない暗雲は、濃いガスとなった。

一番悲惨なことは眼と精神が監禁されたこと。出口をふさがれた兎となった。だから自死さえ待望せねばならなかった。

収容所という場は、精神の有り様をすっかりかえてしまった。収容所から解放され、マルセイユ近郊のカシスで二年間生活した。この時、こんなこともあったという。アメリカの女流作家ケイ・ボイルに約一〇〇点の作品を渡し、アメリカでの展覧会を依頼した。ボイルはアメリカに戻ってニューヨーク近代美術館のアルフレッド・H・バーにそれを見せた。その結果、一九四二年にニューヨークのベティ・パーソンズ画廊で水彩の個展が開かれた。さらにアメリカへの移住も考えたという。

不安と絶望の糸で織られた現実。人間としての自覚と世界を透視する想像力をも不能にさせた。外界との関係を結ぶという生への能動性は窒息させられた。では精神が監禁されているとき、いったい何がおこるか。内面での危機を少しでも鎮静化させようとする意志であろうか。そうはならない。いやそれよりも、この悲惨さが少しでも減少することではないか。

ヴォルスの精神は無残に二重に引き裂かれた。

第一の亀裂は、創造からの敗退であり、希望の喪失としてあらわれた。彼の写真も、グワッシュ・デッサンも、創造的行為とならなかった。なぜなら創造的意志は干からびた紐になっていたからだ。たとえわずかばかりの創造の発芽があったとしても、それも日々の絶望の壺に呑まれていった。敗残の意識だけがリアルになった。

第二の亀裂は、自我の分極である。心理学者エリクソンのことばでいうならば、自我同一性の喪失である。彼は自らを符合させ、みずからの生を投影するものを、つまり〈同一性〉となる対象像をもてなくなり、その意志さえもなくしていった。それは譬えるなら、焦点ボケしたカメラであった。

「ナチは彼を追放したし、ファランへ党は彼を投獄し、国外に追放した。フランス共和国は彼を監禁した。」(J・P・サルトル『指と指ならざるもの』)

サルトルがこのようにのべているようにヴォルスは追放と監禁を反復した。救済の手をさしのべてくれたのは一部の賛同者のみだった。

では二重の亀裂は、ヴォルスの全存在にどんな傷跡を残したか。私はこの問いを抱えたまま、この論をかきつつその悲惨さを見詰めて幾度も立ちつくした。よく狂気に侵されなかったとも感じた。なぜ自分を保てたのか、考えてみた。

ようやく一つ見出したことがある。それはヴォルスの私性の強さであった。私性と他性との両極にひっぱられながら、辛うじて自己の存在(実存)をつかみえたのは、私性の特異性にこそある、と見た。

ヴォルスは、私性の特異性という鏡を通して、現代の歴史の闇を、その悲愴な構造を見詰めた。一個の小さな毒虫となったヴォルスは、幾層にもかさなりあった疎外という衣につつみこまれながら、アルコールを愛しながら、必死にもがいた。分泌する敗残の糸によってもう一個のみずからをつくり出す私性。だから、この私性は、ぎりぎりのところで自分を保とうとする絶望的な意識だった。決して確固としたものではない。かなり歪んだ私性でもあった。

ただ残されていたのは、この歪んだ私性のみ。できることはもう何もなかった。

いま残されているグワッシュやデッサンは、事物そのものの肖像を描いていない。なぜそんな奇妙な事態となるのか。理由は簡単だ。なぜなら敗残の糸で、グワッシュやデッサンに私性の残骸を投げすてるようにして刻んでいるからだ。まさに汚れたシミ。病んだ私性、その激越さは精神の腐敗と痙攣を伴うため、いつも悲哀にみちたヴィジョンと化した。

しかしである。ここから作品が、途方もない深い淵をもちはじめるのだ。震える線。それは苦の線となる。僅かな色は、微かな絶望の息となる。紙の上の小さな形象は、一見して弱くみえるが、なかなかしっかりとした意志をもっている。

ただただここに現存するのは、私性の残骸を投げすてるようにして刻んでいったものだ。

「私は一九四五年にヴォルスと相識った。頭は禿げ、持ち物といえば酒びんに頭陀袋だった。その頭陀袋には、世界すなわち彼の関心が入っており、びんの中には彼の死が詰めこまれていた。彼は以前は美しかったのだが、もうその頃はかつての面影はなかった。当時三十三歳だったが、そのまなざしに輝く若々しい悲し

みのかげがなければ五十歳と思われたことだろう」（サルトル・前掲書）

同時代の、そして同じく精神の漂流状態をくぐり抜けてきた哲学者サルトルをしてこのように語らせる程に、ヴォルスの精神、つまり創造力の原点となる私性は死んでいたのだ。

こんなこともあった。サルトルは彼のため、サン・ベール・ホテルに一部屋を借りてあげたという。このホテルでの生活について、ボーヴォワール女史は家主の証言を記している。それによると、彼は夜中廊下に長々とのびて寝ていたとか、朝明け方に友達を入れてしまうと苦情をいったという。

ヴォルスの自我は、冷厳なる社会的意識をベースにしていなかった。いや、それさえ保持できなかったというべきだ。あくまで写真の中に、さらに生の断片のような小さなグワッシュやデッサンに、自分の微かな声を刻もうとした。

病んだ眼は、最後には卑猥で雑然とした事物の肖像を愛した。この野卑さ、俗性への固執こそヴォルスの私性の基底を形成しており、ひるがえってみるとき、最後に残されたエネルギーともなっているように見える。

この私性の裏側には深い断念が張り付いていた。何度か、みずからの意識に亀裂を生じさせて現実世界をひっくり返し、のりこえようとした。だがすぐにそれが不可能に近いことを知り、煩悶と絶望の岸辺に立ち、降伏の旗をかかげたのだ。

戦いにならぬ戦いは、別な重い亀裂を刻みこんだ。敗北の反復が、もう一人のヴォルスをねり上げていった。それこそが彼を彼たらしめた、悲劇性をもった「負性《マイナス》の私性」であった。

野卑な私性と「負性《マイナス》の私性」の二重性、これこそヴォルスの私性の実体である。そこに包囲された意識の塊が形成されていった。これが、私が識りえた全てである。

＊

ここで別な視座で、考察してみたい。

パウル・クレーが描いた抽象絵画は、どうにもヴォルスにはなじまないようだ。ヴォルスにも抽象化への祈念はあったかもしれないが、いまのべた現実の塊がそれに抑制《ブレーキ》をかけた。傷をさらしながらうめき、生身の動物《けだもの》であろうとした意志の力、いやそれはもはや意志というべきものではなく、自暴自棄の気持ちというべきであろうが、それにゆり動かされつつ、現実世界の捕虜でありつづけた。

詩人ロートレアモンという見者《ボワイヤン》は、貴族という特権的地位の地平から言語の破壊者として降臨してきたが、ヴォルスは終生、無名のとるにたらない投げすてられる石や喰いちぎられる肉の立場で、絵画とその美の有様を全く別なものにしてしまった。

ロートレアモンとヴォルス、二人を結びつけることは突飛な思いつきとおもわれるかもしれないが、そうではない。よく彼は、ロートレアモンの詩句をそらんじていたという。「人の話では、おれは男と女から生まれた息子だそうだ、おどろき入ったことである」。この詩句は、ヴォルスの常套句であったというのだ。亀裂の深淵にマルドロールの詩句が降り立ったとき、では一体ヴォルスの内部で何がおこったか。野卑の私性は、新たな方位を付与された。それは一言でいえば、自己放棄の生き方を教唆されたことにある。

ロートレアモンの異貌の詩句のルフラン。その氾濫するイメージ。飛躍する自意識。それらがいかなる効果をもったかうかがい知る方法をもたないが、次の事だけははっきりいえるようだ。〈老いたわだつみ〉のようなヴォルスは、〈おお絹の眼差しをした蛸よ！〉と語るロートレアモンの鋭利なメスをもった悪の想像力の、至高の宝石のような輝きはきっとまぶしかったにちがいないし、〈おお尊敬すべき虱よ！〉のような詩句は激しく突き刺さったにちがいない。〈虱〉がロートレアモンの自意識への揶揄《やゆ》をもこめられていることを知ったとき、大地震がおこったはずである。

破滅を身に曳き込みながら、決して敗退しない爆発する自意識、つまりロートレアモンの野生は能動的であり続ける。不条理を詩《ポエジー》で撃ち砕く、この私性こそ陽性のものであり、なんとヴォルスとは対極にあることか。

こういえるだろう。ヴォルスは事物の具体的現実を直視し、それに捕囚されながら悲惨な〈見者〉たらんとしたと……。カメラをのぞくこと。それは、つねにみずからの私性に巣くう幻想の城を打ちくだき、現実の悲惨な大海のただなかに裸の生をさらけ出すことだった。その時、伴奏者として寄り添ったのは、大好きな酒とバンジョーのみであった。

現実の切断された仮象の精神は、もちろん彼の脳裏にガン細胞のごとく繁殖していた。むしろ幻想の地平へみずからの現実を救いとってもらいたいと願ったかもしれない。だが、あまりに過酷な現実の非情さは、ぎりぎりの境界をこえ、意識そのものを立ち上げることができない程に侵食し、耐えるに酷な灼熱の火の氾濫となり押し寄せてきた。

こうした特異な私性の孤独と、強度な現実へのいらだちは、比べようのない苦悶の城の住人とさせていった。元をただせば、破滅型の人格的特質は、決して生粋のものではなかった。歪んだ私性は、まさに狂った世界からプレゼントされたもの。

それを私は、〈私性の淋疾病症〉と名づけておく。まさに世界の片隅で人知れず、ゆっくりと全身を腐敗させてゆく。それが〈私性の淋疾病症〉の症状だ。

3. 狂った花

さて〈狂った花〉ヴォルス。その肖像を簡単に紹介しておこう。フランスの先鋭的批評家アラン・ジュフロワは『視覚の革命』(晶文社)の中で、「三十人の道標」と題して、現代美術の扇動的役割をはたした芸術家を三十人あげ、伝記風に短く解説をくわえている。この「三十人の道標」は、ジュフロワなりの視点で文字通り「視覚の革命」をなしとげんとした作家をとりあげたものである。ヴォルスは、ハンス・アルトゥング、ジャン・アルプに続いて次のように紹介されている。

ヴォルス(一九一三年、ベルリンに生まれ、一九五一年パリで死亡)

まず写真家になるが、それを職業とせずバウハウスで4ヶ月間過す。一九三三年、ドイツを去り、パリに住む。本名はウォルフガング・シュルツェといったが、デッサンを始める少し前に、このペンネームを選んだ。彼が「職業」画家になったのは強制収容所に入っているあいだのことである。一九四二年、カシス、ついでディ

ユルフィ、そして一九四四年パリに行く。死ぬまでそこに住む。それは、腐った肉片にあたった中毒死であった。（西永良成訳）

＊

想い出してみる。私が最初にヴォルスを知ったのは、数枚のグワッシュからであり、写真家であるとはおもいもしなかった。今私の手元に、『WOLS Photographe』（Centre Georges Pompidou・一九七八年）がある。これは Lazlo Glozer（ラズロ・グローザー）が序文を書いている。タイトルが示す通り、写真家としてのヴォルスに焦点をあてた本だ。

もう一つある。東京の日本橋にあった写真専門のギャラリー「Zeito-Foto（ツァイト・フォト）」で買い求めポスターである。

そこには詩人ジャック・プレベールとジャックリン・ローランの二人が写し出されていた。「ツァイト・フォト」での写真展は、「WOLS Photograph」となっていた。貴重なプリント写真が並んだ。

そこには「職業写真家」とはちがう別な顔があった。影をうまくつかい、事物や人物の肖像を写した作品から、無言の語りかけがあった。事物と人物の肖像だった。ネガの傷が点在していた。それは、私になぜかヴォルスの精神、その亀裂の深さをおもいおこさせた。バケツに汚れたセーターらしきものを映しているただそれだけの写真。日常の隅に、投げすてられた事物、いかにもぶっきらぼうだ。

ヴォルスは数多くのセルフポートレートをのこした。最晩年の一九五一年、つまり死の年に撮られた Champigny-sur-Marne（シャンピニー－シュル－マルヌ）での一枚の写真がある。このシャンピニー－シュルーマルヌはパリの西郊外にあり、グレティがそこに家をみつけてくれた。私はいつも、この写真の前に引き戻されてしまう。ヴォルスにはさまざまな写真がある。かなりの数となる。ただこの一枚の写真が、何よりも一番ヴォルスの人生を象徴しているように見える。悲惨な時代に翻弄されたヴォルス。その眼はうつろだ。頭の毛がすっかり薄くなり、サルトルのいうところの〈頭陀袋〉となったヴォルス。つまり、一個のみじめな〈頭陀袋〉となった男が、そこにいる。

この時、ヴォルスは妻グレティと共に、ここで、アルコール中毒の治療をかねながら生活していた。少しずつ体調は以前より快方へ向かっていたという。しかしだ。このポートレートは、無残な「生きる屍体」状態にみえる。死がすぐそばに近づいていたのだった。

*

ヴォルスの光の時期を覗いてみる。時間を遡ってみる。パリ万博における「優雅館、衣装館」の公式カメラマンになっていた。抜擢に応えて、いい仕事をした。この成功を足がかりにして個展を行った。最初の写真展は一九三七年の七月だった。パリのプレイヤード書店にある画廊で行った。この企画展は成功を収めた。『ヴォーグ』や『ハーパー』などが作品を買い上げてくれた。パリでの職業写真家としてのデビューはなかなか華やかだった

実はこの写真家デビューには、影の功労者がいた。妻グレティは、すでにデザイナーとして名をなしていた。LANVIN（ランバン）の衣裳デザイナーとして働いていた。それもありランバンの支配人が、彼をパリ万博で公式カメラマンとして採用してくれたのだった。ヴォルスにとって短いが、幸福な時を過ごした。

この時期、パリは美しかった。ヴォルスの指はしなやかにシャッターを押した。写真は生き生きと輝いた。モデルや舞台俳優の肖像を撮った。彼らは、パリの華と呼ばれる人たちだった。彼らの視線は太陽のごとく輝き、それをみつめるヴォルスの眼も光っていた。ヴォルスは、昇る太陽となっていた。夢のような日々をすごした。あらゆるものを喜悦の視線でみることを可能にしたのだ。

写真家としてモデルの雰囲気をしっかりつかみとり、眺められる立場の被写体の人格と内面の翳《かげ》りさえもつかみとった。ファッションモデルというやや動的な対象は、ヴォルスに独自のカメラ眼を得ることを助けた。

当時、写真の方法論には、マン・レイの視座がつよく影響していた。グレティの唇を拡大した「La Douche de Gréty」(一九三三)は、マン・レイの「A l'heure de l'observatoire - Les Amoureux」(天文台の時に——恋人たち)に類似する。また「Torse（トルソ）」などは、女体をひとつのオブジェとしてみるシュールの方法をもっており、同時代の斬新な手法を自分なりにつかみ、応用していたことがわかる。

フォトモンタージュもしかり。そして先にのべた「優雅館」のマヌカンの立ちならぶ情景にもオブジェ思考が反映している。いうまでもなくマヌカンは、いわば「生きた人形」であり、雑多で新奇なオブジェをつくるためと実験の格好な素材として多用された。

一九三八年のパリ。ボザール画廊での「国際シュルレアリスム展」が開かれた。ブルトン、エリュアールらが組織し、マン・レイが会場の照明を担当した。その中に「シュルレアリスト通り」が設けられた。そこにエルンスト、アルプ、タンギー、マン・レイ、ダリらが造ったマヌカンが立ち並んだ。

マン・レイ(そのままでいえば「光線男」となる)は、この頃「レイヨグラフ」と名づけることになる新技法を使いはじめていた。明暗のグラデーションによりこれまでにない一つの写真術を提示した。それは「もう一つの現実」の開示でもあった。

さて一方のヴォルスのマヌカンはどうであったか。異様なオブジェ性をみせた。幻想を帯びた華麗さもあったが、異様である。というのも取りつけられるはずの腕だけを上から撮っていたからだ。

かなり誇張された細長いマヌカンの立像は、ギリシャの大理石像にも似ており、画家デ・キリコの風景にたたずむ像のようでもある。このマヌカンたちの美の彫刻像は、のちにヴォルスの脳裏に残像となり、アクリルやデッサンの作品の中で不気味なイマージュとして化生してくる。

シュルレアリスムとヴォルス。そこから時代の前衛思潮たるシュルレアリスムの影響下にあるヴォルスがうかび上がってくる。ただそれはあくまで一時的なことで終わった。全面的にはならなかった。

冬の海はすぐヴォルスの脇に横たわってきた。冷たい潮風はヒューヒューと音をたてて、彼を喜悦の地所から悲愴の荒地へとおいやることになる。

いずれにしても、ファッション写真家という肩書は、一時期のもので終わってしまった。華やかなファッション界からはずされていった。いわばヴォルス自身が、生きる場を奪われ、〈傷ついたマヌカン〉となってゆくのであった。

*

写真というメディアは、生計の一助となったが、ファッション界から離れることで、ヴォルスの写真は、その後はきわめて私性を帯びたものになっていった。

そしてヴォルスは、紙の上にインクとグワッシュを用いてみずからの内心に沈殿したものを線としてあらわすことになる。

その歪んだ線。不定形のもの。つねに痙攣をつづける線。そこにヴォルスその人を発見する。たしかに美術史の上では、こうした自動筆記のような、自我からとき放たれた線の流動美は、アンフォルメル絵画やタシスムの先駆という位置を占めているといわれる。このタシスム(Tachisme)、フランス語で「染み、汚れ」を意味するタッシュによる。このタシスムの画家には、ジョルジュ・マチューやアンリ・ミショーらがいる。ただアンフォルメル絵画やタシスムの先駆とは、後づけである。ヴォルスの意図や心性とは全く無縁なことだ。

私は、この痙攣する線こそヴォルスであり、そこに苦悩と現代性が宿っているとみている。そのことを明らかにするためというのが、この論を書いている理由の一つである。

痙攣するもの。みる者の内奥にまで深く侵犯してくるもの。それは私からみて、エゴン・シーレのそれに等しいものだ。誤解を恐れずにいえば、いまの世ではこうした痙攣する線を描く画家が少ない。あえていえば不在。不在の理由はどこにあるのか。まちがいなく、画家の精神が痙攣していないためであろう。痙攣とは、病んだ心がひそかにそして血を吐くようにした語り出す言葉でもある。血の叫びといいかえてもいいかも知れない。いかに腐敗した悪しき時代であっても、いやそれだからこそ線は痙攣せざるをえない。画家は、みずからの魂を裏切ることなく、キャンバスや紙に内心の風景を刻まねばならない。その意志を強くすればする程、線は痙攣せざるをえないのだ。

そんな病んだ私性の「証」としての線。だから自画像としてのヴォルスの線は、アンフォルメルという範疇《はんちゅう》をこえてゆくのだ。こんないい方もできるかも知れない。ファン・ゴッホが数多くの自画像を描くことで、いまここに生きていることを必死につかみとろうとしたように、ヴォルスは、線の中に自己が生きていることを示そうともがいたのだと……。

ヴォルスは、画家クレーのように「彼岸こそ完全な世界なのだ」と吐くことはなかった。クレーは、彼岸の世界というもう一つの世界があると思考できた。その別な世界がある、そこへの通路があると信じることで、心情はおちつくことができた。

実に興味ふかいことに、サルトルはこんな言説をのこしている。


「クレーは天使であるが、ヴォルスは悪魔である」


このアフォリズムの如き短いコトバ。クレーの線には、たしかに祈りがあり、宇宙への賛美と神的なものへの敬虔な信仰心、別ないい方をすれば宗教心がひそんでいた。そうした彼岸の世界と出会うことができなかったヴォルス。当然の事として、敬虔な宗教心の代わりに、私のいうところの精神の亀裂と私性の歪みをかかえた「呪詛《じゅそ》」を持ち歩いたのだった。

これはクレーの言葉。「われは彼なり、わが身のうちには、神に似たもの数多くあれば、死ぬことも叶わぬなり。わが頭は、灼熱し跳び立たんとす。かくれた一つの世界、いま生まれ出んとす。されど時みつるまで、余は苦悩せざるを得ず」(『クレーの日記』より)

〈神に似たもの数多くあれば、死ぬことも叶わぬなり〉と高らかに独白する。

ヴォルスはクレーのように〈神に似たもの数多くあれば、死ぬことも叶わぬ〉とはいえなかった。対岸にいたヴォルスには〈かくれた一つの世界〉はなかったからだ。

それでも〈余は苦悩する〉というクレーの心情に留まってみる。ヴォルスとは無縁ではないところがあるからだ。なぜならクレーもまた、受難の人であり、さらに難病をかかえていたからだ。一九三三年のナチス政権の成立後、前衛芸術は弾圧された。クレーにもそれはおよんできた。デュッセルドルフの美術学校から休職をいいわたされ、やむなく祖国スイスに亡命する。

その二年後に、原因不明の皮膚硬化症を発症する。晩年は、その病と共に生活することを強いられた。のちにクレーは、病も回復し短期間にすぐれた作品を残すことになる。

いずれにしても、ヴォルスは〈かくれた一つの世界〉を想像することはできなかった。苦悩だけがリアルであった。時はみつることなく、苦悩が、精神の亀裂にさらに傷を与えつづけた。カオスとしての日常に悪魔に似たものを感じていたのだった。

*

さて視座を少し変換してみたい。一九二〇年代の写真をめぐる動きを一瞥してみたい。またこの時代に活躍した写真家との比較をしてみたい。そうすることで、ヴォルスの特異性がより明白になるはずだ。この時代の写真家たちは、風景や人物だけでなく、いわば美しくない物やとるに足らない物、たとえば路地や舗道などを被写体としている。

そうした背景には、それらのとるに足らない物や汚い物にも、これまでに無い〈新しい美〉を見出した感覚が存在する。この感覚の作動にはダダ的志向が関与する。

一八九〇年、フィラデルフィア生まれのマン・レイ、生粋のアメリカ人である。彼は、ピカビアやデュシャンなどと共に、ニューヨーク・ダダのメンバーとして参加した。マン・レイとデュシャンとの繋がりから不思議な作品が生まれた。「ほこりの堆積」(一九二〇年)という。

これはマルセル・デュシャンの有名な「大ガラス」にたまったゴミを拡大して撮ったもの。価値のない、美のシンボルにもならないゴミそのもの。まさにダダ意識が反映している。

もう一つ、こんな作品もある。「トランスアトランティック」だ。それはパリまでの航海において、船内にあったゴミを撮ったもの。タバコの吸いガラ、マッチ、灰などが即物的にとらえられている。

マン・レイは一九二一年七月、デュシャンが戻っていたパリに到着する。同年十二月には、パリのシス書店の画廊で「ダダ：マン・レイ」展を開いた。

マン・レイには二つの顔がある。一つは、先にも紹介した「レイヨグラフ」などにみられる実験的手法の開拓者として。他方はヴォルスと同じくファッション写真家としての顔である。ファッション写真家マン・レイについて、批評家ローランド・ペンローズはこう語る。マン・レイは、ファッション界の帝王ポール・ポワレとの出会いによって新しい道に入ったと。そのことに触れてこんな風につづける。彼はすぐに、自分がまったく別種の二頭の馬を御しているのに気づいたと。「一頭は背高く、白くて、宝石の飾り具をつけ、もう一頭は悪く、反抗的で、馬具のない裸馬だが、同じくらい気位が高い」と。この二重の側面を「二頭の馬」と譬《たと》えたのである。この男の実像を的確にあらわしている。

このように異なる顔をうまく使いわけた。それは、いかにも根は楽天的な性格の持ち主であることを示している。ブルジョア文化の典型としてのファッションを愛し、女たちの肖像を、さらに裸の女体をひとつのオブジェのようにとるカメラ・アイ。明るく屈託《くったく》がない。やはりアメリカ的である。

マン・レイがパリに来た一九二一年、ヴォルスはわずか八歳だった。ヴォルス自身がパリに来たのが一九三二年。この十一年というタイム・ラグはかなり大きい。三二年という年。すでに一九二〇年代の、あの過激でスキャンダラスでありつつもどこか至福と高揚感にあふれていたパリは姿を消していた。自由の帝国は崩れ落ち、それと共に美のうねりも変動していった。ダダからシュルレアリスムが主潮となっていった。

マン・レイとヴォルスを比してみるとき、もちろん時代の差もあるが、それ以上に、マン・レイがラッキーマンであったことが大きいようだ。マン・レイは、下層の労働者として職業を転々としていた。石炭商、チューインガム販売業などをした。またバンジョーが大好きな人間だった。転機となったのはデュシャンとの出会いだった。デュシャンはアーモリー・ショーでデビューを飾った。そのデビューのことを、カルヴィン・トムキンズは『花嫁と独身者たち』の中でくわしく語っている。たしかにデュシャンのデビューは、「ナポレオンとサラ・ベルナール」に匹敵するとまでいわれた程だった。そのラッキーマンの恩恵をマン・レイはうけていった。

ここでマン・レイのパリとヴォルスのパリを別な方向から探ってみたい。

マン・レイのパリ。それはウジェーヌ・アジェのパリであった。それに対し、ヴォルスのパリは、ブラッサイのパリであった。それ程までに差異が存在した。アジェのパリ風景では、時間が停止していた。写真は影が浅く、やや明るい。それに反してブラッサイのパリは、ひたすら「夜のパリ」であった。

＊

ブラッサイは、一九三〇年代のパリ、その内臓部分をもぎとった。ブラッサイの言葉を引いてみる。

「一九二四年にはじまった私の最初のパリ時代を通して、私は夜遊びの生活というものを経験した。日が昇ると眠りにつき、日が沈む頃起き出すのだった。そしてモンパルナスからモンマルトルにかけての一帯を徘徊した」。

ブラッサイは、このアートワークでは、夜のパリの全てを写真に撮ろうという強い願望を抱いた。こうして「私は写真家になった」という。これは『Le Paris Secret des années 30』（『未知のパリ――三〇年代』）の序文、その抜粋である。

ブラッサイの写真は、ドキュメント風のまさにリアルな「夜のパリ」を捉えた。「夜のパリ」とは、何か。旅芝居の小屋、コンシッタの踊り、汲み取り人たちの労働、夜の街角に立つ売春婦が主人公のパリ。人工光線の下、フォリー・ベルジェールでくりひろげられた狂乱のドラマ。つまり夜にうごめく群像であった。

その中でも一番の魔窟が「阿片窟」だった。そこの中毒者の悲惨な、「官能」にうちひしがれる姿をとらえた。そこにあるのは、世紀末に戻ったかと錯覚させる程の幻視の風景。異様な、そして阿片がにおう一九三〇年代のパリ。

そこには、すでに第一次世界大戦というさらなる、破滅的な「阿片」がひそんでいた。予想してみる。きっと写真家ヴォルスは、一九二〇年代のダダ、それにつづくシュルレアリスムの波を浴びつつ、と同時にアジェがとらえた〈凍った都市像〉にも感化をうけていたのであろう。

もう一人の写真家の影もありそうだ。アンドレ・ケルテス（André Kertész）の作品をみておきたい。特に都市の表層部分、そのディテールに視線を送るヴォルスの眼は、ケルテスと同質のものがある。

ケルテスもまた異邦人だった。一九二五年にパリに来たハンガリー人。ハンガリーの首都ブタペストで生まれた。彼は現在、同時代のアーティストの肖像を撮っていることでも知られている。

調べてみると、この時代に活躍した写真家は、異邦人がほとんどだった。ハンガリーだけでもこんなにいる。ヴォルスのバウハウスでの教師でもあり、様々な写真術をあみだしたモホリ＝ナギ・ラースロー。モホリ＝ナギは、のちにナチスの進出に伴いロンドン経由でアメリカへ亡命した。一九二四年以来、パリに定住したブラッサイもハンガリー人だった。

もっとも有名なハンガリー人といえば、本名アンドレ・フリードマン、つまりロバート・キャパであろう。「写真の中の写真」とまでいわれた、スペイン内戦（市民戦争）に取材した「共和国軍兵士の死」を撮ったあのキャパだ。

知られているようにキャパは、インドシナ戦争を取材する中で地雷を踏んで死んでいる。一枚の写真「共和国軍兵士の死」は、単なる一人の兵士ではない。世界のいたるところでおこる「無残な死」を予告しているのだ。死は、すぐそばにいる身近な隣人であることを、この写真は語っている。

キャパは、報道カメラマンのはしりだ。〈キャパ以後にキャパはいない〉とまでいわれる。これまで、これほどまで戦場という現場に身をおきつづけた写真家はいなかったのだ。

もう一人のハンガリー人がいる。M・ムンカッチである。キャパが「マグナム・フォト」の創始者であるとすれば、ムンカッチは『ハーパーズ・バザー』でファッション写真を撮りまくり、その動的な方法はアヴェドンにつながっている。

ムンカッチは、スポーツとファッションという、人間の身体が一番美しく咲きほこる瞬間を撮った。その瞬間を撮るため、現場にこだわった。このスタイルは、キャパとも一脈通じるものがある。

さてこうしてハンガリー出身者の追跡を行ったのはほかでもない。前にのべてきたケルテス。ケルテスがパリに来ることがなかったら、あのブラッサイの『夜のパリ』もキャパの「共和国軍兵士の死」も生まれなかったといわれているからだ。それ程の写真家だった。つまりケルテスは、二人の連結車となったのだ。

ところでケルテスの写真の位置はどこにあるのか。事物との距離のとり方がユニークだった。また時間を停止させるような手法は魅力を放った。そこにケルテスらしい純粋な眼の輝きがあった。さらに「構成主義」的な空間の処理もまた特有のものがあった。「モンドリアンのチューリップ」(La tulipe de Mondrian　一九二六年)という作品がある。ゆるやかな階段の曲線美。ドアのストライプのおりなす分割の均整。それらは机上の花や花瓶と配合して、一枚の絵画となっている。

ケルテスのこうした「静止」という手法は、さらに風景や路上の活写においても継がれていった。のちにフランスの雑誌の中でもひときわ国際的レベルにあった『ヴュ』(VU)で活躍する。

ここでヴォルスへの影響について絞ってみたい。数枚の写真についてみてみる。

一九二七年に撮られたケルテスの「Rive de la Seine」がある。かなり上から(つまりセーヌの河岸、その堤防の上から)撮られた、横たわる乞食の群れの写真。これはヴォルスの、一九三三年にセーヌ河畔で撮られた同じ乞食の群れの写真と見まちがう程だ。

さらにケルテスの「Cassis」(カシス　一九二九年)という作品をみてみる。丸いイスが横に並列され、そのイス全体がシルエットとなっている。画像では、右からの光により左側に影がおちている。ヴォルスの同名の「Chaises」は一九三三年に撮られている。どうみても同一人物の作品とみえる。錯覚する程に酷似する。

もう一つある。一九二九年のケルテスの「le ruisseau」(溝《みぞ》)は、ヴォルスの、舗道の上に投げ出された人形(コインより少し大きいくらい)を撮った「Ruisseau avec poupée」や、舗道だけを撮ったものと見まちがう程に酷似する。

このようにみてみると、ケルテスのみならず同時代の写真家たちの視線は、ひたすら都市の属性、それも無言のオブジェというべき舗道、路上、壁、看板などに注がれていたことがよみとれる。

はたしてこれが時代の一つのスタイルであったのか。あるいは写真文体というものだったのか。それだけではあるまい。内面の闇(異邦人としての)をかかえ、それを抑える一方で、それらにカメラを向ける彼ら。それらの無名の投げ出されたオブジェに自分の感情をより添わせていこうとしているのだ。

もう一つのことを指摘する。そこで主位を占めているディテール主義は、意識そのものを外化するというものとは対極にあるものから生まれているのではないか。それは何か。私は、そこに彼らに共通するスタイルを発見する。私はこんな言辞を使いたい。それは「事物へのストイズム」だと。異邦人としての疎外感が、そこに潜んでいたことはまちがいないことだ。むろんそれだけではない。生々しい苦悩や葛藤を、その事物たちはやさしくうけ入れてくれたからではないか。「事物へのストイズム」は、精神の亀裂をつなぎあわせてくれたのだった。

セーヌ河岸やカシスでの乞食の群像は、うなだれ気力を喪失している。都市の暗部のような無残な敗北者にみえる。が、ひとつまちがえれば異邦人たる自分がそうなったかも知れない。だからこそ異邦人のようにうずくまる彼らにより添うように、カメラをそっと向けたのであろう。華やかなパリから放逐された彼らは、異邦人の写真家たち（ヴォルスら）にとって親密な存在、〈もう一人の自己〉でもあった。

こうもいえるのかも知れない。ヴォルスのヴォルスとしての存在理由は、この乞食たちの連作にあると。むろん、看板、ポスターがはがれた壁や板のシリーズも忘れてはならない。シュルレアリスムが求めた「不意の美」「偶然の美」がそこにあるからだ。また廃れたもの、俗なるものに美の形象を見いだすのは、ダダ的といえなくもない。

それはそれとしてもやはり共感の度合いは、一段と乞食に対して高いのだ。

少しアジェのことを想い出してみたい。パリが生み出す光景、その瞬間を凝縮させた写真。その永遠に停止した時間。アジェにあって人物は、あくまで都市風景の一要素にとどまっていた。

アジェは、旧式の大型カメラを使った。一八センチ×二四センチの木製の暗箱を駆使した。さらにレンズが今から比べると開放絞りが暗く、そのため目いっぱいに絞りこんだ。つまり長時間の露出が必要となった。シャッターがおりるまで人物は静止しつづけなければならなかった。

アジェはだいたい早朝のパリを選んだという。つまり、ブラッサイは「夜のパリ」にこだわったが、アジェは「早朝のパリ」を愛したのだった。そしてアジェの写真の人物は、マヌカンと等しいくらいに表情は硬い。いうまでもなくそれは長時間の露出のせいでもある。筋肉は静止が強いられたのだから……。

ブラッサイの人物たちは、私からみて都市に生きる影にみえてしようがないのだ。影絵のようなシルエットをみせる。生気よりも退廃美を宿している。

四十歳をすぎてから写真というメディアに参入したアジェ。三八歳で写真とおさらばしたヴォルス。二人の境遇はあまりに対照的だ。写真に対しての感情のよせ方が本質的にちがった。私の言葉でいえば、ヴォルスの感情をのせた私性の表出の荒々しさ。それがアジェともちがい、ブラッサイとも一線を画した。

ヴォルスにとりついた放逐された乞食たちへの共感。皮肉なことに生きることが全く無味乾燥となった彼にとっては、自己への嫌悪とからみあった憐憫の情に支えられていたのだ。しかしそれはあまりに切ない、明日や未来へと結びついていかない閉じた自分への逃亡となった。そのことを一番知っていたのはヴォルス自身のはずにちがいない。

4. 病んだ〈私性〉

これまでヴォルスは、水彩やグワッシュの作品がアンフォルメルやタシスムの先駆としてみなされてきた。水彩やグワッシュには、浮遊する船や街並みなどが幻影のように立ち現れていた。幻影の光景、その夢を託したのであろうか。

一部では、二十世紀の大きなうねりとなった抽象表現主義にも影響を与えてきたとみられている。

私はこの「ヴォルスのパリ」では、かなり意識して写真家ヴォルスに焦点をあわせてきた。どうしてそうしたか。いうまでもなくヴォルスは写真家であったからだ。手から離すことができなかった酒(特にラム酒)とカメラ。ヴォルスを深く知るためには、写真家としての仕事を欠かすことはできないと考えたからだ。

亡命・敵性外国人としての収容所生活を送り、先にもふれたように、アーティストとしての本格的な出発点は一九四五年のこと。繰り返すが一時は、サルトル、アントナン・アルトー、さらに作家ジャン・ポーランの作品の挿絵を描いた。たしかに少しは、名が知られるようになった。その後、光(それも微光である)が射した活動期間は一九五一年に亡くなるまでのわずか六年間に過ぎない。

再び問いたい。ヴォルスとは、何者かと。

一人の異邦人が苦悩しつつ、ひたすら悪しき時代の情況と向かいあいながら、カメラと絵筆をにぎりつづけた男。最後に、こともあろうに腐った肉をたべてみじめに死んでいった男。そんな頭陀袋のような人生を送った男。

もう少し、死までのことを探ってみる。種村季弘に「ヴォルス　開かれた迷路」（『みづゑ　現代美術の巨匠』・美術出版社）がある。ちなみにこの『みづゑ　現代美術の巨匠』では、九人の芸術家の一人としてヴォルスが取り上げられた。デュシャン、ポロック、ジャコメッティ、コールダー、ウォーホルらと肩を並べた。私には〈現代美術の巨匠〉という括りは違和がある。少しではない、ありすぎる。ただ中原佑介がこの本の序で〈現代美術の巨匠〉という看板を批判している。よりふさわしくは「現代美術の放蕩者」とすべきという。これには、ある程度理解できる。なぜなら中原がいうように彼らは、自ら〈放蕩者〉であることを選んでいるからだ。みんなアウトサイダーであり、余計者であった。足掻きと苦悩。反抗と実験。自己嫌悪と傲慢さ。そんなものが混じりあった不屈の放蕩者。だから巨匠というレッテルは合わないのだ。

さて種村の文によれば、ヴォルスは一九四八（九）年に不慮の事故で脚を骨折する。悪いことは続くもの。さらにエッチング制作の最中、眼を痛め、失明寸前となる。アルコール中毒で網膜の斑点異常をきたしていたことも分かった。一九五一年には、宿痾のアルコール中毒を治すため禁断療法を行った。少し療養の効果もあった。数枚の油絵が売れた。が、運命の日、一九五一年九月一日がくる。朝になり、空腹のあまり二日前に買ってあった馬肉を食べて腹痛に襲われる。一応その馬肉を焙って口にしたというのだが。妻グレティはパリのモンタランベール病院へ連れていった。夏のヴァカンスのため救急医が不在。わずか数時間の後、一一時四五分に亡くなった。戦後になり、ようやく生活が安定し始めたばかりだったが、いのちの細い糸はあっけなく切れてしまった。九月四日、ヴォルスはペール・ラシェーズ墓地に埋葬された。

種村は、この論でフランツ・カフカとパヴェーゼの言葉を基にしながら、ヴォルスについてこういう。「その肉体の深部に象嵌されたレンズの透明を通してふたたび見出される外界、もはや迫害や戦争も存在しない、完全な愛と合一した不壊の純粋結晶体である」。種村にしてはあまり使わない〈愛と合一した〉の言葉ではある。むしろこういうべきかもしれない。一時も休むことのない激痛を伴う傷口を開けたままの人生だったと。

私は、その男のことをこれまで語ってきた。かなりの長い間、忘れさられていた美術家である。その足跡を少しでも残しておきたいと筆を動かしてきた。

さらに問いたい。ヴォルスが、ヴォルスになったのはいつかと。それはこの男に、「私性の淋疾病症」という症状が立ちあらわれてきた以後である。表現者としての最大の武器とは何か。異論もあろうが、こう考えている。まちがいなく私性の躍動であろう。心性の核《コア》となり、みずからを至高点へと能動的に押し出してゆくパワーとなるもの。情念の母となり、誰でもなく自分であることを叫ぶ自我の嵐。

この私性というコトバは、よく短歌表現につかわれている。作品の背後に、たった一人の人がいる。つまりいい方をかえてみれば、表現者たる私が、そのたった一人の私が宿ったものが作品であるということだ。つまり私こそ表現の核《コア》であり、その私があざやかに屹立する場こそが作品となるというわけだ。

極めて不幸なことに、この大切な、表現へとせり上がってゆくための発動機としての私性が病んでしまった男。いやいいかえたい。戦争により、才能、可能性を奪われ、傷口を開けたまま、死と握手した男と。それがヴォルスなのだ。その状態を、その絶望の淵で味わった心的現象を、私は「私性の淋疾病症」と呼んだわけだ。

この症状をもつ男は、はたしてヴォルスだけであろうか。私たちの私性は病んでいないないであろうか。廃れた発動機と化していないであろうか。

ヴォルスの写真。その一点一点がそのことを私に鋭くつきつけてくるのだ。脳内はいつも不幸な意識でいっぱいであった。短い夏のごとき、パリでの仕事、仲間たちとの交流、芸術という一つの高貴な生の充溢ははかなく崩れていった。

人が自分の意志をもてず、生きることが不確定なゲームのように取り扱われてしまったら、いったいあとは何を能動的にできるであろうか。

時代への悪意がのこるか。それとも、生への憎悪であろうか。それでも生きる意志がひそかにあったとしたら、まだ幸せである。つねに自分が他者からやっかいな存在としてみられていたとしたら、あとは超人への帰依か、超自然的存在への合体しかない。

だが、そうは単一にはいかない。感覚はしだいに暗澹《あんたん》を偏愛することになり、迷路の中を彷徨する内に、自意識は摩耗してゆく。ヴォルスは、ニーチェのように超人にはなれなかったし、もしもヴォルスが愛読していた老子のように「無為自然」に生きていたとしても、それは偽善の模倣にすぎなかった。あとは、傷口を見つめながらみずからの意識の底に沈殿するものを震える線としてあらわすこと。それだけが残されているのだ。疎外された生が写真とその線と滲みに噴き出ているのだ。

あらためて思索してみたい。一体ヴォルスの何が私をとりこにしているのだろうかと。ある美術評論家はこうみた。「クレーは絵画の始まりから、ヴォルスはその死の終わりから歩もうとしたのである」（「ヴォルス、あるいはひとつの絵画の終わり」『ヴォルス』・ギャラリー・ヴォザール・一九七七年)。

私はヴォルスがはたして〈ひとつの絵画の終わり〉から歩もうとしていたから、筆を走らせていたのであろうか。それも完全には否定しないが、それにとどまらないことがあるのも事実だ。すでにのべてきたようにこの文では充分に論じてこなかった水彩画やデザインにはたしかに〈これまでの絵画〉そのものの終焉を宣する歩みがあったことはまちがいないようだ。くり返すまでもなく私はより絵画作品よりも写真に偏って語ってきたし、彼の中で絵画と写真の相関性があるのか、それについても論じてこなかった。その理由のひとつが日本においてすぐれたヴォルス論を書いてきた先人たち、たとえば中原佑介、千葉成夫、瀧口修造らはほぼ絵画の方に重心をおいて論を展開していたからだ。それに私はかなりいらだった。ヴォルスを半分もみていないと思った。調べてみると日本での展覧会でも同様の現象があった。

ヴォルスが最初に紹介されたのが「世界現代芸術展」(元ブリジストン美術館・一九五七年)だった。油彩が一点出品された。これはヴォルスの死の六年後のことだ。

個展は「ヴォルス」(東京・南画廊・一九六四年)が最初。この時はグワッシュ二六点、素描一点、版画集で構成された。

この後も日本でのヴォルス作品の紹介は油彩・グワッシュが主体だった。

ここで視点をかえてみておきたい。ヴォルスはかなり早くに、つまり一九三二年から三三年頃には水彩画を描いていた。写真よりも絵画の方が身近にあったことになる。その作品について針生一郎はこう書いている。〈夢うつつの即興性によって生み出された〉もので〈甘美な色彩にいろどられた広闊な空間に、パウル・

クレーが描いたおとぎの庭から飛んできたような、小さな大気の精や奇妙な翼のある種子たちが飛びかっている光景〉が広がっていたと。針生はつづける。このクレーのような光景に〈悪質なヴィジョン〉が生じ〈空中の花が悪の花〉になり、人間も〈ねじれた蛇のようなさまよう群れ〉に化していると……。とすればヴォルスは水彩画をはじめた頃からすでにクレーとは異なるもの、〈悪質なヴィジョン〉をみていたことになる。どうも私はこのヴォルスの胎内に宿った〈悪の花〉のイメージの正体を見分けようとしたのかも知れない。たしかに収容所などで描いたふるえるようなドローイングにも〈悪の花〉が隠れていることを思い出してみれば、ヴォルスの内心世界は大きくは変貌していなかったことになる。この異邦人の胎内に宿った言葉がある。そこにも〈悪の花〉の香が漂っている。それを引いてみたい。

わたしの（バンジョーとかデッサンとかいった）
ささやかな工場が動き出すには
半病
半酔
半分の悲しみ
狂気と半分の賢明さ（あるいは魅せられた半狂気）
というゼロ（中性、無、空）の状態に
わたしは絶えずなければならない

この均衡が少しでも乱されると
わたしは乱されあるいは（さまたげられる）

なんと死の水が漂う詩の断片なことか。〈絵画の終わり〉とか様式がどうのとかいうそんなことを全て無化させる言葉ではないか。〈半病、半酔、半分の悲しみ〉という。これこそがまさに私がのべてきた〈私性の淋疾病症〉の実体からうみ出されたものではないか。ヴォルスはどこまでも半分だというのだが……。実際はちがった。全部の病、酔、悲しみだった。バランスはいつも崩れた。人生そのものが戦争そのもののようでズタズタに切りさかれることで、病、酔、悲しみが洪水のようにおそってきた。この詩句の中にあるバンジョーにこだわってみたい。ヴォルスはバルセロナのモン・デ・ピエテで写真機材・カメラ・映写機と共に大切なヴァイオリンを失っていた。質《しち》に入れていたのだ。このヴァイオリンはかなり高価だったようだ。それを失い、かろうじて手元においたのがこのバンジョーだった。ヴォルスは亡くなる直前頃には、多い時で一日に二リットルのラム酒をあおっていたという。だから半酔どころではない。れっきとしたアルコール中毒者だった。何度も入院してその治療につとめなければならなかった。

　そもそも〈半狂気〉という状況とはどういう状態のことをいうのか。私には分からない。それを感応してみようと試みるが、私の精神の方がバランスを崩してしまうのだ。極東のはずれにいる私のような無名の論者の腹わたをえぐるヴォルスの生。その悲惨さ。そのゼロの光景。それは私の全てを押しつぶすパワーがあった。はたしてヴォルスの死の水に少しでも触れることができたのであろうか？

混沌としたあがき――ヴォルスの写真

ヴォルスは呪われた画家である。ドイツ人であったが大きな夢を描きつつパリへ出た。ナチスが台頭し隣国を侵略し、二度と故郷の土をふむことはなかった。彼は時代によって呪われたのであった。第二次世界大戦の激動と抑圧を全身でうけとめた一本の弱い葦《あし》であった彼は、時代の嵐にふりまわされながら放浪した。それは自由を求めての放浪であり、表現とは何か、つまりその時代において表現するとは何かを実存的につきとめた。いや放浪というよりも異邦人として放逐されたのだ。パリ、南仏、スペインへと移動しながら魂の安息はなかなかえられないで苦悩だけは次第に深まっていった。一九四〇年魔手は彼をとらえ闇の世界へ、つまり収容所へ彼をおいやった。

ヴォルス、その名には受難のドラマが宿っている。そして異端の芸術家でありながら、悲哀が漂う人物。サン・ジェルマン・デ・プレの狂い花。さらに私にはまだ未知のベールにつつまれた深い森である。

人はヴォルスが写真家であることを知らないようだ。美術史の枠をこえて、彼の絵画が屹立するように、彼の写真もまた異彩を放っている。作品はひと言でいうならば、物に対して鋭い感性を生かし、日常のなにげない人物や風景を、光と影の微妙なコントラストで彩りながらハードななかに暖かさがある映像をつくり出している。

初期のファッション写真や肖像写真などは、光にみちあふれていた。しかし精神が閉塞状態に陥りさらに病が激しくなるなか写真もまた、光を失い病んでいった。時代の暗鬱さは絶望以外のものを付与することになかった。まさに時代と人間へ不信をつのらせ、さらにみずからの「生」そのものを呪うことになっていった。だから彼にとって、現実とは灰色の世界であった。そのカオス的な世界からどうにかして離脱しようとした。そのためみずからを呪う前に、現実を生きていることを呪わねばならなかった。すなわち現実は廃棄すべき対象であった。収容所は彼の身体にいばらの冠をかぶせたが、魂はそれに対して血を流して反旗をひるがえした。そして精神の自由を叫んだ。しかし極度の貧困はその以降も彼を激しくおそった。

酒は知らぬ間に、奇妙な友人となっていた。そして徐々にではあるが外との窓は閉じられ、精神の窓まで閉じられてしまった。太陽の光よりは影をおい求め、都市の街路に即自的な視線を放った。

そこにはてらいや過度のおごりがない。

パリの街路が人間のように一つの生き物のように生きづいている。

鉱物質への関心と影への興味は、彼をたぐいまれな写真家としてなさしめている。たとえば〈街路〉〈石〉〈パリ〉の作品などは、あくまで裏側の部分、光より夜を好んだアジェやブレッソンより徹底していて人物よりは事物の方に視線がより動いているのが分かる。

それは〈茎《くき》の束《たば》〉と題された小さなグワッシュの作品にも通じており、よくいわれるようなアンフォルメル絵画の先駆という指摘よりも、むしろ植物・自然へのつきせぬ愛着がまさっており、それが作品に宿っているようだ。そんな即物性が彼の作品の生命《いのち》だと私は思っている。ここにこそ彼の生命が在ると思う。そしてそこには純粋な彼の心、その分身としてすがたをみせているようだ。

私は未完のまま、すなわち計画で終わってしまった彼の写真集『突飛なパリ—— Paris insolite』のことをひとりおもいうかべている。この頃、ヴォルスは赤外線写真を使って実験し、さらに汚らしい路地、「癩病に罹った壁」、ホームレスなどをカメラに収めていた。それを「突飛なパリ」とネーミングしたわけだ。光輝に満ちた写真はきっと時間という距離をこえて私達の視線をひきつけ奪うにちがいない。破れた夢、未完の生の断片だけが彼の身体にはつきまとっている。それらの現実の生が被った悲惨さが、きっとその写真に宿っているにちがいない。

しかし無名こそ実体である石や街路、そしてそれらと同じ位、歴史の片隅で無名であった人々、ホームレス達は現在を生きている。まさに彼らは「癩病に罹った壁」のように現存していたのだ。その写真をみた者の心にいつまでも生きつづけるのだ。すなわち一枚の写真によってかろうじて姿をとどめているにすぎないとしてもである。

パリという都市、それこそが彼にとって魂が息をする場であった。なぜならパリもまた時代の暗雲の中で傷つきながら破れ、無名の身体をもつ〈一つの有機体〉だったのだから……。いやむしろこういうべきかも知れない。ヴォルスと同じ位にパリもまた〈混沌としたあがき〉を生きていたと……。

初誌：『プロヴォ』（第-7号・一九七九年一二月・編集／熱月編集委員会）
なお再録にあたって文を一部加筆してある。

〈青〉の捕囚民──イブ・クラインの肖像

1．クラインの〈前衛性〉

美術家イブ・クライン（Yves Klein）の夭折《ようせつ》は、なぜか哲学的意味あいと神秘的なにおいを含んでいる。青白き炎が、天使の一撃により吹き消されてしまった。それは一九六二年六月六日のこと。突然の心臓発作による死だった。日本で学んだ講道館柔道四段のたくましい身体をもっていたクライン。そうした肉体と精神の研磨の一方で、あらゆるものの根源を問うという独自の世界観を保有していた。つまり世界の現象、その有と無（非有）について思索していた。それは薔薇十字会への入信という形であらわれている。このことについては、のち程触れてゆくことにするが、先に一言だけ触れておくならば、クラインという美術家は、世界の実体を自分の身体にとりこみ、そこからみずからの生を聖別し救済せんとしたのだった。その途方もなく遠大なプランが、みずからの故障（心臓発作）で未完のまま放置されたのだ。

クラインは、クラインであった。クライン以外の何者でもない。そう断言してもいい。一条の青白き炎が燃えつきた時、彼の肉体は無の欠片となったが、その精神は天へと駆け登った。天とは、青いイデアが住む、クラインの魂の故郷だった。

さて現代美術史の文脈でクラインを位置づけてみたい。一応ヌーヴェル・レアリスムの系譜に属する。新しいダダ（ネオ・ダダ）のフランス的形態とでもいうべきこの運動は、ダダのねり直しと反復をめざしつつも、かなり今風にいえばコンセプチュアルな側面を強くみせた。クラインは絵画や彫刻の境界《ボーダー》をのりこえるような身体パフォーマンスへと拡張していった。つまりこれまでの美術のシステムから脱しつつ、なかなかの概念のこわしも行っていった。

　クラインは、このヌーヴェル・レアリスムの中でも、とび抜けて純粋性とストイックさをもっていた作家だ。これからクラインの芸術とは何であったか、その現代的価値をふくめて論じてゆくわけだが、その前にいっておくことがある。クラインが思索し、実践しようとしたテーマは、かなり多面性を帯び、さらに他のアート・ムーブメントの先取りをしているため、しっかりみつめていかないと、その真の価値が薄められてしまうきらいがあるのだ。たとえばミニマル・アートと混合されることもある。「Less is more」（アド・ラインハートの言葉）は、ミニマル・アートの代名詞ともいわれている。「少ないことは多いこと」を指す。絵画などから、その成立する要素（構造）をとり除いてゆくことで、最後に残るモノ、つまり最小限のフォルムと線などを追究した。そんな禁欲的でコンセプチュアルな美が最高のものとなった。

　アド・ラインハートは、色彩というものを魔物として捉え、それからみずからを解き放ったために、色彩を消していった。就中《なかんずく》、黒色を高位なものとした。

　このラインハートの新しい価値づけについて、アクション・ペインティングの命名者でもある評論家ハロルド・ローゼンバーグは「ミニマル・アートの定義づけ」（『美術手帖』・一九六九年十二月号・美術出版社）でこう記している。

「現代においては、あらゆる前衛派は、芸術の地平線を拡大してゆくなかで、究極のところ、芸術との関係を完全にたち切ってしまいかねない希釈のきざしをもたらす。これは、その拡散が、芸術を工業デザイン、心霊作用、あるいは喜劇映画のほうへかえていくようなかたちをとったとしても、同じことである。ある者にとっては、それは希釈であって、拡散ではない。これが問題である。すなわちそれは、精神的堕落とほとんど同義語の、基準の堕落をあらわしているように思われるのである」。

このあとローゼンバーグは、わずかの間に名声を得て、様式《スタイル》を加速度的にかえていく情況を憂いつつ、こういうのだ。「この無節操ともいえる状況に対して、ミニマル・アートは〈ひとつの解毒剤〉になっている」と。それゆえミニマル・アートは還元的絵画の性格を帯びてくるというわけだ。その指摘の通り、ラインハートは、正方形の平面をほとんど黒一色で塗った。こうしてラインハートは、新しい芸術至上主義の先駆者としての資格を得ていった。このようにミニマル・アートは、芸術とは自然の再現や自己表現でもなく、これまでとは全くちがうものであることを推し進めていった。

ローゼンバーグは、ミニマル・アートの誕生する情況をふまえつつ、「芸術ならざるものを定義づけなければならない」という課題を背負っていたのだ。それゆえに、純粋芸術を帯同するミニマル・アートの擁護を懸命にしているのだ。

このあと、ローゼンバーグはこんなことをのべている。「他の何もののためでもなく、ひたすら芸術に貢献する。その意味でミニマリズムは、前衛後《ポスト・アヴァンガード》である」と。

たしかにローゼンバーグが批評するように、このミニマル・アートは「その物質的要素の裸の骨組みだけにしてしまう試み」となった。そのためそこに残るのは次の三つだ。思惟の雄弁さと単調な形態と単色主義。ただローゼンバーグのこの視座には、ある種の限界があることを指摘しておかねばならない。何よりも、このミニマル・アートをダダの落とし子とみているからだ。その見方からローゼンバーグは、ラインハートの黒につづいて、クラインの青もまた同質のものがあると論を広げていった。

ここでローゼンバーグのクライン評価を聞いてみたい。「五年前、三十四歳で死んだクラインは、儀式的前衛主義と呼んでいいものの、ひとつの見ごとな典型である。かれは、美術界に対して、ちょうど人が王様と対比してタバコ屋のことをいうような意味での芸術家であった」。

このようにラインハートへの好意にみちた言質はすっかり姿を消し、クラインはタバコ屋程度の芸術家と卑下されている。さらに言はつづく。〈すぐれて独創的なショウマン〉であると、辛辣《しんらつ》である。どうもローゼンバーグは、「人体測定《アントロポメトリー》プリント」(Anthropométrie) のようなやや大仰な儀礼的パフォーマンスは気に召さなかったようだ。

クラインは、コレット・アランディ画廊でこんなことを行っていた。タイトルを「純粋顔料」展とした。会場には青のタペストリー、青の金属棒を吊した。それを「青い雨」とした。なんと一つの部屋をまったく空《から》にした。画廊の庭にはベンガル花火による「一分間の火の絵画」を展示した。また、一九五八年にはパリの「イリス・クレール画廊」でも「空虚」展を開いた。この画廊では、それをみせるためにわざわざ大量の観客を動員した。こうしたハプニングめいた儀礼は、保守的な批評家には、いまわしい行為にしか映らなかった。

つまりローゼンバーグは、クラインのアートワークの一番大切なものを完全に否定してしまったのだ。クラインは、画廊空間という場の機能をゼロにした。なぜか。お上品に着飾って画廊という場を訪れ、良質な絵画などをみてそれなりの愉楽を感じる。そうしたシステム、その画廊制度に根底から「否」をつきつけた。クラインは、この作品を「空虚の部屋」と名づけた。とすればローゼンバーグは、この空虚というコンセプトを読解できなかったことになる。

2. クラインの〈空虚〉

ではクラインのいう空虚とは一体何か。なかなか一言でいいあらわすことは難しい。まずいえることは、クラインのアートワークは、ダダのあの騒然《そうぜん》としたアナーキーな仕草とは異質であることだ。さわがしい攪乱《かくらん》よりも知的であり、より観念的である。冷厳に計画され、観客がどう反応するかよりも、みずからの観念（概念）が成就することをめざした。日本人からみると、この空虚とは無の哲学に近いものを内包しているので、自然と理解できるかも知れない。

この空虚の意味を解き明かしてゆくためには、クラインの「非物質的絵画的感性領域《ゾーン》の譲渡」（一九六二年）（注1）という作品を考察することが一番いいかも知れない。この長々とした名前がつけられた作品をセーヌ川の岸辺で行った。こんな芝居がかった儀式だった。

クラインの観念《コンセプト》の所有を願う者はあくまで決められた一定量の金《きん》を彼に渡し、その領収書を受領する。この交換（契約）が終了した時、その金のいくらかがセーヌ川に流される。と同時に、その契約を交わしたしるしの領収書は燃やされていった。

このどこか悪ふざけのような、それでいてしっかりと計算された儀式は、実はあるわれわれの大切な経済原則の第一義である等価交換のシステムをしっかり踏んでいる。

クラインの観念、つまりアートコンセプトが価値をもつものかどうか、それは買い手の値づけによってなされてゆく。その値づけが行われた時、支払われる代物は、物神化がこめられている金《きん》でなければならなかった。ここには、世界経済の大原則である金本位制がまさに生きて働いている。

そしてここで注視すべきことがある。クラインの観念は、買い手から得た金を川へ投げ捨てることにより、非物質化してゆくのだ。これが先の長々しいタイトルの真の企図であった。

私はここであることに気付いた。クラインの観念、その本体であるクライン自身が無化、つまり空虚と化したことに……。金という最高の使用価値（つまり信用価値）を投げ捨てることで、みずからの存在全体を空虚へと還元させているわけだ。

この儀礼的パフォーマンスは、これまでのアート的行為そのものを「白痴化」させる程の暴虐さをもっている。クラインは、司祭として全てをとりしきり、最後には何もなかったことのように終った。カトリックのミサのように、全てはクライン司祭が提示する規程に従っておこなわれるのだった。

クラインはこんな言葉を残している。

「私の作品は私の芸術の灰である」

この短いアフォリズムのような言葉は、実に静かに、そして劇的にクラインの観念《コンセプト》の全てを示している。「私」は「作品」をつくり、そこから生まれる「芸術」は灰となる。こうして、「私」は「灰」となるという命題を導き出している。この「非物質的絵画的感性領域……」の儀式は、なんという根源性をはらんだ作品であることか。これまでの他のアーティストによる身体ハプニングともちがう。ほとんど偶有性が入りこむ余地はない。さりとて激しい煽動がおこるわけでもない。あくまで秘教的に、そして何げなく日常の片隅でなされている。

私がクラインのこの「非物質的絵画的感性帯としての観念の儀式」に注目するのは、実はそれと同質の儀式が札幌の地でもなされているからだ。もちろんその表現のスタイル、行為の仕方は異なっているが、クラインが金の物神性を鋭く衝《つ》いたように、札幌のグループは国家が管理する通貨制度を衝いた。

このグループは「無理性芸術株式会社」と名のった。そして「今日の正常位展」なるものをある画廊空間で開催した。オルガナイザーであった美術家菊地日出夫（実業家でもあった）は、みずからの作品を壁に架け、その前に通貨（硬貨など）をランダムに置いた。作品を観る時に、この通貨を踏みながら鑑賞することを指示した。もしも観客が踏んだりしたら通貨冒涜《とく》罪となる。それを知った警察は、その場で踏むかどうか監視したという。またこんな事件もあった。一九六三年に、美術家赤瀬川原平は、千円札を「模造」して作品化した。この時も「通貨及証券模造取締法」にひっかかり、裁判にまで発展した。結果として有罪判決を受けた。この時、「芸術とは何か」、その定義と政治とのかかわりが論議された。

このようにクラインの後継者はいた。菊地と赤瀬川の「行為」は、共に前衛芸術家としての社会的役割を果たした。事件の大小にあるのではない。観念が一段階ヒートアップしてアート行為となって現実化することで、クラインのいう「私」は、時と場をこえて複数の「私」へと大増殖したわけだ。

＊

もう少しクラインの観念の原型となった空虚《ヴィッド》について語っておきたい。クラインは一九六〇年に、カンパーニュ＝プルミエール街一四番地にあるアパートの二階から地上へ向けてダイビングした。

この時の「現場写真」がある。みずからが編集した『Dimanche』（ディマンシュ）にのせた。この新聞の第二面のタイトルは「空虚の劇場」（THEATRE DŪ VIDE）という。そこには、いましも空中へ向かって発射された クラインの姿をとらえていた。クラインは上体をそらし、できる限り上へのび上がろうとしていた。しかし当然の理として、空間への突入、つまり飛翔は重力の働きにより、一瞬に終わりをむかえた。クラインの身体は地面に落下した。

これはリンゴの落下ではない。クライン自身の身体が落下したのだ。いや観念そのものが成就したのだ。いうまでもなくかなりの傷を負った。ではこの「行為」の真意はどこにあるのか。それを読みとるために写真の上のキャプションをみてみる。

「UN HOMME DANS L'ESPACE !」

「空間の人」とか「空間へ入りこむ人」の意であろうか。それ以上に大切なことがある。このかなり危険な行為は、クラインが大構想する「空虚の劇場」を構成しているのだ。いわばその「出し物」としてのせられているのだ。

　私はこの行為を「空虚的パフォーマンス」と呼んでいる。空虚という観念にとりつかれたクラインは、みずからの身体を実験体として使い、空間つまり空虚への突入を図ったのだ。クラインは、〈空虚の捕捉〉という。だから、〈クライン空を飛ぶ〉という筋のものではなかった。

　クラインにとって空虚とはカラでなく、あらゆるものが完全に存する十全の「空間」であった。この空虚論のバックにあるものは、まちがいなく古代のカバラ思想であり、一方で東洋的な無の哲理であろうか。それを問いつめてゆくとさらに別な地平へふみ込むことになるので、ここで足を止めておきたい。機会があれば別なところで探ってみたい。

　さて、この「空虚の劇場」の内容《コンテンツ》の一つとして、演劇についての論がのせられている。それはロシア・アヴァンギャルドの演劇や奇才アントナン・アルトーの残酷劇についてであった。そして至るところで劇的空間が生起してゆくべきとのべている。

　少し冷静に、再びこの空虚について思索してみたい。なかなかやっかいな概念だ。その実態をつかんだとおもえば、スルリと抜けてしまう。分析哲学者ヴィトゲンシュタインは、「語りえぬものについては、沈黙しなければならない」という。沈黙の重さを測れというのだ。それに従うならば、まさに空虚は「語りえぬもの」そのものかも知れない。ただそういい切ることはできない。ヴィトゲンシュタインはこうもいうからだ。「いい表せぬものが存在することは確かである。それはおのずと現れ出る。それは神秘である」(『論理哲学論考』より)とのべるように、クライン自身も予期せぬところから立ち現れてくるものであるかも知れない。

私はヴィトゲンシュタインの「それは神秘である」が、クラインの空虚をとき明かすカギであると考えている。何よりクライン自身が、神秘主義思想の一つである薔薇十字会のメンバーでもあったからだ。その入会はかなり早い。一九四六年というから十八歳の時だ。

クラインという美術家は、若い時から独自な感性の持ち主だったようだ。こんなエピソードが残されている。仲間の美術家クロード・パスカル、アルマン・フェルナンデスらと、いかに世界を互いに分割所有するかを話し合った。アルマンは動物界を、クロードは植物界を選んだ。一方のクラインは迷わずに空の青を選んだ。その場合、空の青というのは生地ニースの青い空と限定できない。

何より宇宙という壮大な空間としての青でもあったからだ。この青は非物質なものであった。先に空虚とは東洋の無に近いという言い方をしたが、それを修正してゆく必要がありそうだ。完全に修正ということではないが、かなりの部分に触れてくるので、丁寧に修正と補強をしておきたい。

クラインという美術家は、生得的に存在の根源について関心をもつという、純度の高い感性をもっていた。その純度の高い感性をバネにして、人間を超えた至高なものを憧憬し、それを所有しようとした。先の空の青の所有はそれを如実にあらわしているではないか。

つまり、青が神秘的な物質となった。そのため絵具の青、つまりこの地上に存在する物質としての青という色彩は破棄すべきものとなった。ついにはみずからの手で青を造り出した。それをインターナショナル・クライン・ブルー（IKB）と命名した。そしてみずからをイブ・ル・モノクローム（イブ単色氏）と名のった。

全宇宙そのものとしての青。物質をこえた聖なるものとしての青。この青を使ってこんなこともした。先のパリでの「空虚」展の一環として、パリ・コンコルド広場に建つオベリスクを「青いオベリスク」にする計画であった。これは当局の許可をうけることができずに中止された。

またこんなこともした。ギリシャ彫刻の名品たる「サモトラケのニケ」像を青に塗った。スポンジをブルーにした。そのスポンジは「惑星」と化した。「人体測定プリント」でも主たる色は青であった。こうして「青の司祭」となった。今、こうした青などを使った絵画をモノクローム（単色絵画）と呼ぶようになるが、私は、それは正しくないとみる。こういうべきであろう。「聖なる青」による絵画《タブロー》であると……。

3．ニースという〈磁場〉

ここでは別な角度から、クラインの、私がいうところの純度の高い感性が育まれた精神の背景《バックグランド》をのぞいてみたい。

他の芸術家と比しても、クラインの感度の高さは群を抜いている。苦悩派や貧をかかえた芸術家とは別なところにいる。たしかにこれほどまでに、既成の保守派と悪戦苦闘しながらも、苦悶の表情をみせない作家も少ない。誰もが立ち入ったことのない地点に立ちながらも、それにたじろぐことはなかった。つねに自己を省察している、もう一人のクラインがそこにいた。

それにしてもあの感度の高い感性の原核（コア）とは何か。地中海的光にねざした知性であろうか。それともあくまでたぐいまれな個人的素質からであろうか。たしかに地中海に面したニースという場は、事物を対比しながら本質をつかみとることを得させた。まちがいなく先にのべたように青い空は、絶対的な単性という思考を育んだことはまちがいない。空虚を指向しつつ、神秘的な陽性の色である青への優先を生み出していった。

若者特有の自意識の高揚、そして自分は世界の中心にいるというある種のうぬぼれは、このニースという場が関与している。クラインの「知の体系」において、陽性の原核(コア)を形成した。この陽性のエネルギーを帯びた知性は、大きな揚力、さらに表現の羊水となっていった。ニースにあっては、石の沈黙はあるが、湿った灰色はない。ニースには、ニヒリズムや苦悩さえも陽性のベールをかぶっていた。

ニースは、こうして「陽性の知性」と、さらに神秘的とでもいえるような物質観を付与していった。この特有の物質観といえば、私はすぐに、同じくニース生まれの小説家ル・クレジオ(本名、ジャン＝マリ・ギュスターヴ・ル・クレジオ)のことを思い出す。ルノードー賞作家であり(一九六三年)、すぐれた文体に裏打ちされた存在論を描き出したル・クレジオ。

現在は、メキシコや中南米に関心を移してゆくことで、小説家より文化人類学の方へシフトしている。いずれにしてもフランス現代文学を語る上では、欠かすことのできない作家だ。ヨーロッパ文明への批判的言説や詩的表現が評価され、二〇〇八年にノーベル文学賞を受けている。

『調書』によるデビューは、当時カミュの再来ともいわれた程だ。初期の連作ともいうべき『発熱』『大洪水』『物質的恍惚』。それらのテキストからは、これまでの文学空間にはなかった何か不思議な物質感が迸り出ていた。テクスチャーが全く違った。

たしか私は、これらの作品をフランス文学者豊崎光一の訳で読んだ。テキストが恍惚とした物質感をもちはじめて、読む者の感性にこれまでにない光を与えていったのだった。

たとえば『大洪水』の主人公は、こんな幻惑的体験をする。ある日、一人の若い娘がバイクの騒音と共に現れ、そして家並みの中に消えてゆく。その瞬間から全てが腐敗し、至るところに死をみてしまう。さらにこの街中を彷徨したのち、その十三日目にみずからの意識の亀裂にはまり込み、太陽に自らの眼を焼き尽くすのであった。

この主人公の行為とクラインの「空中ダイビング」は同一の質を帯びていないか。一見すれば全く無関係にみえるかも知れないが……。というのも、十三日間の彷徨も瞬間へのダイビングも、みずからの自意識（それは過剰な観念の洪水でもあるが）を内にかかえつつ空虚をつかみ取ろうと必死にもがくことにおいて同質であるからだ。

アパートの二階から飛び出し、したたかに路上に身体を打ち付けるまでの瞬間の長さは、十三日間に匹敵するのだ。ル・クレジオにとっての生とは、そしてなによりも数々の儀式（行為）は、まさに「感覚の束の間の儀式」なのだ。

先の『物質的恍惚』では、空虚な世界への投入と離脱が描かれ、「存在しないものの存在」「時間のない時間」への一体化が希求されてゆく。ここがカミュの実存主義文学とは異なるところだ。すでに「神は死んで」おり、全ては自由でありつつも、不思議な恍惚感だけが妙にリアルとなるのだ。

もちろんル・クレジオの空虚とは、哲学的物質感と等価であり、一つの世界観でもある。『物質的恍惚』の最初はこうはじまる。

「ぼくが生まれていなかったとき、ぼくがまだぼくの生命の円環を閉じ終えていず、やがて消しえなくなるものがまだ刻印されはじめていなかったとき、ぼくが存在するいかなるものにも属していなかったとき、ぼくが孕《エンシュ》まれてさえいず、考えうる（コンスヴァーブル）ものでもなかったとき、限りなく微少な精確さの数々から成るあの偶然が作用を開始さえしていなかったとき……」。

このやや執拗ともいえるルフランは、すべて〈ぼく〉という世界の中心軸をぐるぐると巡って反復されてゆくのだった。この〈ぼく〉が生まれる前（思考する以前）、つまり〈世界〉が光をもつ以前には、その原初の光景がここでは、あたかも深海の闇の中を、必死にうごめく形象をつかもうとするものに似ていた。しかしそこは実際には、脳内でも深海でもなかった。ただひたすら炸裂する、そしてめまいさえ喚起する壮大なカオスの世界であった。

こんな風にル・クレジオのエクリチュールはつづく。

「ゆっくりと伸び伸びと、力強く、無縁の生命はその凸部を膨らませて、空間を満たしていた。まるで烈火の尖端で燃える焔のように、だがそれは決して同じ焔であることがなく、在るべきところのものは即座に、かつ完全無欠に在るのだった。存在の数々は生まれ、そして消えていった。絶えず分割され、空虚を満たし、味わい、そして味わわれていた。何百万もの眼、何百万もの口、何百万もの神経、触感、大顎、触手、偽足、眉毛、吸盤、触知管が世界じゅうにひらかれて、物質の甘美な発散物の入ってくるにまかせていた。いたるところにあるのはただ、光、叫び、薫り、寒さと暑さ、厳しさ、食物などの数々だけ。いたるところにあるのはただ、戦慄、波動、震動の数々だけ」と。

少し長く情景《シーン》を引用した。気づかれるようにこの情景《シーン》はもはや〈ぼく〉だけのドラマでなく、「無縁の生命」の誕生劇となる。そこでは無残にもただ何百万もの眼、口、神経、触手などが異様な姿でうごめいているのだ。この情景《シーン》の活写はどこか詩人ロートレアモンの語法に酷似していないか。きっと彼はロートレアモン愛好者なのであろう。

さてもう一つ気づくべきことがある。それは無限につづく円環的時間の屹立であり、この体系は「ぼくが生きているとき、世界は見すてられている」と結論づけることにある。だがしかし、突然に〈ぼく〉の生誕が告知されてゆく。なんとその懐胎は空虚という肉によってなされるというのだ。

「告知」のコトバに耳をかたむけてみよう。「顔のないこの時、この場所からこそ、ぼくはやってきたのだ。この混沌の中、この静寂で完全な混沌の中に、ぼくは数限りない幾世紀というもの、浸ってきた。この空虚、それはどんなものも充溢しており、ぼくを養い支えてきた」。

そして先にも引用した「この空虚はぼくの肉だった」「この空虚がぼくを創ったのだ」のコトバがあり、さらに「この空虚はぼくの躰とぼくの精神を現出させたのだ」と締めるのだった。

無といわず空虚とのべるところに、ル・クレジオの空間志向と特自な物質観がふくまれている。まさにこの空虚とは、単なる修辞的な眩暈の深淵でもなく、さりとて白昼の明証でもない。もちろん生の記号としての物質の欠落でもない。むしろ物質の充溢した世界であり、還元できない完全なる存在体の原形質であった。そのゾーンの中で炸裂するぼくの粒子がうごき回る空間を指してもいる。

このように『物質的恍惚』というテキスト自体が、空虚へのオマージュとなっている。こうもいえるかも知れない。〈物質的恍惚〉とは空虚という神秘的空間（ある種の磁場）でひきおこる映像のことであると！それほどまでに視覚的だ。

ここで物質についても少しのべておきたい。空虚という肉をもった〈ぼく〉の身体は、火の現存をもち、〈ぼくの物質の破片〉であるというひとつの宣言が可能となるのだ。

そのため〈ぼく〉の内側では、絶対的な火が燃え上がるのだった。つまりル・クレジオが指向した物質観のひとつの帰結は、最終的に絶対的な火というべき〈焔の哲学〉へとたどりついてゆくことになる。

くわしくみていくと、さらに新しい発見も生まれてきた。空虚と同義語を付着されているのが大地、青白い空、数々の天体、数々の太陽、数々の星であり、さらに根源として同一と化してゆくのは「無限の向こう側にある」もので、それはたぶんと条件をつけているが、存在しないものであるという。

ル・クレジオが空虚と同義語としたいくつかのもの。考えてみれば、それは全てニースでみたものではないか。遠大なる自然が開示し、宇宙というものの広大さを感受させたものだ。そこにおいてもル・クレジオはニースの人であり、地中海世界に多くのことを負っているのだ。

クラインがまさに空虚を全身でつかみとろうとして、空間へ突入していったあの行為について、次のクレジオの言説《ディスクール》でもって語ってみたい。

「世界の細片の一つ一つのそれ本来の位置を感じとるためには、自分の躰全体を空虚にひらかねばならず、いかなる白昼をもうちこわすことはあるまい。夜という、万物に共通の眺めを前にしてみずからをぱっくりと空《から》にせねばならなかったし、世界がその明証という単純な状態のうちに示していたもの以外の何ものをも希望しようと欲してはならなかった」。

なんということであろうか。あたかもクラインのあの行為を目撃して書かれた批評にみえてくるではないか。あまりのはまり方に驚くばかりだ。あたかも血をわけた者同志のようにぴったりとより添っている。

クラインという物質《マチエール》の破片。世界という全体性を前にして、自分の躰全体をこともなげに一気に、空虚に向けてひらかねばならなかったのであった。

これは小説家の幻覚による予知ではない。それどころか、やけるような感性によって裏づけられた明晰性がやわらかいバネとして生きづいており、なによりも精確にそして熱い共感をこめて、クラインが志向した物質への回帰を賛美しているのだ。実にミステリアスにみえるが、時空をこえて時として、こういうことが惹きおこることがあるのだ。

まさにクラインが落下してゆく時間、それは「絶対の現存という歓喜」に向かって、最大に近づいていった瞬間だった。

4.〈火と水〉による宇宙

視点を変えてみる。行為者はアイデンティティの隘路をつき破り、芸術の最前線で何かを創出しなければならない。そんな重い負荷がある。それは表現者の意識をぐいぐいとしばり上げてゆくものだ。

文章世界の中で、つまりエクリチュールとしてこのことを完遂することはまだ可能である。だが身体行為という具体性を同伴したもので表現しようとすること、それは決して容易ではない。私はどうしてもクラインのパフォーマンスを、単相的に観念の劇であるとはいえない。なぜなら、そこにはなまなましい感性の芳香といったものがしのびこんでいるからだ。

クラインの観念世界で発芽した、どうにもおさえられなくなった生と死についての明察は、宇宙論（発生器としての宇宙の考察、物質の本源体としての宇宙の考察）へと飛躍せざるをえなくなり、しだいに「空虚の現象学」とでもいうべき地平線へと、感性の触手をのばしていった。

この現象学に立脚し、スポンジという物質を選び出した。それを自分の感性の本源と等価なブルー（宇宙の本源としての色彩であり、それ自身でもある）で染めていった。いや、それは滲透というべきかもしれない。なぜなら、青《ブルー》という物質性、その全体性が、世界のカスともいえるスポンジという物体にしみこんでいった。この場合、このスポンジの彫刻は、クラインの感応性そのものと合致した。

感性という核《コア》の純粋性をうたい上げるため、これまでの近代主義的な視覚主義には決別せねばならなかった。クラインは、このスポンジのレリーフについて「私にとって色彩は『物質化された』感応性である」とのべるのだった。

なんという断言、確信にみちた断言であろうか。絵画という構造や、その成立する枠組みを蹴散らす磁力や破壊性をもったテーゼではないか！ポール・セザンヌが「絵画空間」という世界の只中で、空間について格闘していたあの知とも、マチスが洪水のような光のアラベスクとしての色彩を追い求めていたパッションとも通底するものを含んでいないか。こうしてセザンヌを「フランスの蛮人セザンヌ」として軽蔑して、新しい美の規範をつくり出さんとしたシュプレマティズムの提唱者マレーヴィッチ（注2）のきまじめな方形主義ともかけはなれた地点に立った。

一番、クラインに近いとも思えるマレーヴィッチにしても、クラインには、ただ単に「空間旅行」を行うただの〈もの好き〉に思えたらしい。

「シュプレマティズムの白い無限は、視線に無限への動きを可能にするため、純然たる行動や人間性の自己認識へのシンボルとして成り立っている……」

「非現象的白の自然や白の感動、また白の意識と動きとしての静けさ、各種の最高状態の白い潔白へと向かっていく途中である……」

マレーヴィッチの白への偏愛は到底肯定できるものはなかったのであろう。

クラインにとっては、マレーヴィッチは空間から脱出できなかった作家に思えたにちがいない。マレーヴィッチは純粋に、方形と円を形態としてえらびとっていったが、静・動・神秘の三つの志向性を含んでいた。ただ、それらは宇宙感覚と神秘的感覚をおびていることは注意しておくべきである。なぜなら、この十字形から次に円がきて、ついには、「非対象」の世界が「白」によって演じられるからである。

つまり神秘的感覚を「白」としてみたマレーヴイッチがいるのだ。一方でそれを青とみたクラインは、同じく宇宙論をたどりつつ、異質な極地に立つもの同士なのである。とはいえ純粋に抽象化の仕事におぼれているマレーヴィッチをひょっとしてみずからが考える空間に対する下僕と映ったかもしれない。

最後にこう切り込みたい。ではたしてクラインにとっての至高点とは何んであったかと。それはまちがいなく、火と水であった。「空虚の現象学」は、ここに来て火と水という二大宇宙元素に帰結してゆくのだ。まさに単性志向の極北において、火と水は最高の地位を占有していくことになる。〈プロメテウスの火〉は、美術館の庭で燃え上がった。美の殿堂での実験だった。その先駆は、一九五六年のコレット・アランディ画廊で指向した「火の絵画」にあるようだ。さらに一九六一年にドイツのクレフェルトにあるハウス・ランゲ美術館での、クラインにとって最初の回顧展「イブ・クライン――モノクローム と火」で実行された。会場に「空虚の部屋」、美術館の庭にガス管を地中に埋めて設置された「火の彫刻」と「火の壁」が展示された。

「火の彫刻」は、地表から火が噴出した、きわめて意表をつくもの。そして限りなく美しい瞬間をつくり出した。ある種の建築であり、全く異色の彫刻であった。これまでの既成概念による名づけをスルリと逸脱した。気づかねばならない。この火の作品は、クラインの観念の中心軸にあった高遠なる「空虚の現象学」、そのイデーがまさにここで成就したことを。そんな誰もが造り出すことができなかった宇宙的、神秘的、秘教的作品となった。

考えてみたい。これまでどんな芸術家も火を地表からのぼらせることを思念しなかったことを。それを行った者は不在だったことを。

クラインは用意した。ガス管を美術館の中庭まで引き込んだ。夜まで燃えつづけた火。それはまちがいなく新しい〈プロメテウスの火〉となった。

ガスの噴水は、初め根のところで青く、そして次第に炎の色彩が変幻していった。一条の太い炎の帯は、瞬間ごとに形象をかえた。炎の尖端では、コロナの変化がおこり冷たい外気と触れる境界をつくっていった。それは美しい流星の形象となった。

ここに隠されているものは何か。ここに負託されたクラインのメッセージとは何か。まちがいなくこういえる。〈空虚〉という不可視な実体を、火の現存をもって〈顕現〉せんとすることだと。こうして火はクラインが構想した「空虚の劇場」の主役の一人、いや主人公になっていったのだ。

大地という母なる原理から豊穣《ほうじょう》が産み出されるように、この火は大地から幻想的に噴出した。その火は大気(宇宙)の彼方を指向した。

では炎とはいかなる象徴《シンボル》か。炎は物質の一つの至高点を示し、原初性そのものであり、いわば熱の種子でもあった。では水とは一体何か。いかなる象徴作用を帯びているのか。水こそ、物質の静止点(状態)であり、冷の種子となった。この二つの結合。そこにクラインは、性の統合と宇宙発生の「カオス」を発見したにちがいない。

ここで火を哲学的に考察したガストン・バシュラールの言説に耳をかたむけてみたい。彼は『火の精神分析』を著した。バシュラールはさまざまな「火のイマージュ論」をたどりつつ、火は心理学者ユングのいうところの、〈豊穣な原初(アルカイック)のコンプレックス〉に向かう出発点であるとした。ただバシュラールにはやや限界点があった。〈火の両義性〉からぬけ出ることはできなかった。ここでいうところの〈コンプレックス〉とは、通常の意味とちがい「感情的な価値を負った、多かれ少なかれ無意識な表象、思い出からなる総体」のこと。

バシュラールの本書を英訳したノースロップ・フライは、その序文でそれを神話と名づけている。フライは、数々の〈コンプレックス〉の類型（注3）を提案しつつ、バシュラールの思想の骨格について論じている。彼の哲学は文学上のテーマに基づいており、創造、贖罪、黙示などに大きく分けられるという。フライは、この本の中の「第七章・理念化された火—火と純粋性」でこう記した。「火が純粋であると考えられている領域を考察してみよう。この領域は色彩が殆ど目に見えざる震えとかわっている極限に、すなわち焔の尖端にあるようにみえる。そのとき、火は物質化され、非現実化される、すなわち火は精神となるのだ」。

このフライの言説に先導されて、ふたたびクラインの火の噴水にもどってみたい。

ガスの炎は、火の精神の可視形態であり、非物質性への感応的反応といえないか？

人はこの火を評するとき、必ず触れるのは、クラインの神秘主義との血縁性である。ある人は、神秘主義の具体化としてこの火と水の噴水を位置づけているほどだ。ただ気をつけなければならない。神秘主義をもちこむことは、最も容易で分かりやすいが、誤解（それよりも曲解といってもいい）が生じてくる危険もある。それに依存してしまうと、クラインの作品の根源性を探る前にすでに種明かしをしているのと同じことになってしまう。結果論的な解釈の域を出ないことになる。そういえばそれらしいという納得のレベルだ。それ以上に危険なことは、クラインの作品が、その聖なるものが神秘主義の代物というレッテルをはられてしまう破目さえ生じてくるからだ。

たしかに、すでに触れたようにクラインは薔薇十字会に入信している。「本質的薔薇十字」によれば、十字と子宮（薔薇がそのシンボル）とが合体して全てが発生する。その火とは、物質生成の種子でもあった。クラインの「火の絵画」では、火はキャンバスの中に焦《と》げとして跡をのこした。とすれば宇宙の元素の一つである火を一つの聖なる絵具として用いたことになる。

しかしである。クラインはもっと壮大な夢を描いていた。それは途方もないもの。空想の建築ではない。夢というよりもヴィジョンだった。大切なことはそれは思考の建築ではないことだ。はるかにそれを脱していた。世界中にすぐれた建築家がいるが、彼等でもこんなことは考えなかった。辛うじて探すとすれば神智学のシュタイナー位であろうか。それ程までに独創的だった。

クラインは、火、土、空気という宇宙の元素を用いて地上に壮大なる、感度の高い空間を築き、その中に住もうとしたのだった。

クラインの死は突然であった。一九六二年にイタリアの映画監督グァルティエロ・ヤコペッティの映画「犬の世界」（世界残酷物語）での「人体測定プリント」シーンの扱い方に屈辱をおぼえた。このドキュメント映画は俗の極みであり、クラインのアートコンセプトとは到底あい入れないものだった。

映画はカンヌ映画祭で参加上映された。クラインは、完成したこの映画をみた直後、心臓発作におそわれた。日本の柔道で鍛《きた》えた肉体の持ち主だったが、心身に大きな亀裂がおこっていた。この年の六月六日にパリで三度目の心臓発作におそわれた。心筋梗塞により、あの鋭い感性は息を止めた。同年の七月に、東京画廊で「イブ・クライン展」が開催された。生前から企画され、来日も予定されていた。死去により急遽追悼展となった。肉体という器は、カラッポになった。肉体の死ではあったが、クラインの精神は不変だった。死をのりこえ、その前衛思考は不滅の光を放っていった。クラインという巨樹から、世界中で高次のパフォーマンスや宇宙的な建築、さらにはコンセプチュアルな芸術行為が派生していったのだから……。

クラインの仕掛けた大きな謎。それにとらわれた一人が日本にいる。小樽が生んだ奇才一原有徳だった。一原は版画家の枠を大きくこえて、作品を創り出していった。一原はこよなくクラインと同じく青を偏愛した。トタンや金属の表面を「版」としながらも、そこに物質の恍惚を発見していった。火に対しても関心をいだき、「火の絵画」とでもいうべき「Branding」をつくり出した。それはステンレス板を焼付けるもの。この一原有徳については、別な論考でその実相をしっかりと記録しようと計画している。そこでどのようにクラインが継がれているか書いてみたいと考えている。

最後にクラインの詩を紹介してこの論考を閉めることにする。

森のなか
人気のない小径を
ぼくはよりそって歩く
地平線までつづく
小径を
突然
すべてが消え失せる

草も木も空も
ついにはその小径さえも
さあ
共に歩いていこう
空虚のなかへ

まさにクラインは、全てが消え去った空虚の中へひとりで入っていったのだった。

私は、この詩はクラインがみずからの死を予知して書いたとみている。私に対して「共に歩いていこう」と誘ってくれている。実をいえば、私はこの詩にみちびかれてこの文を書いてきた。そして少しでもクラインと「共に歩いていこう」と願い、クラインの生地ニースを訪れたこともある。それ以前に、東京・西武美術館で「イブ・クライン」展（一九八六年）を見た。

ニースの近代・現代美術館で、「人体測定プリント」などと出あった。またパリでは、オープンまもないオペラ・バスティーユの回廊でクラインの青い作品をみて、深い感動を覚えた。その「青」は透明だった。その「青」の中にクラインがいるとも感じた程だった。そんな絶対的なエナジーを放っていた。実質的な制作年数はわずか七年間という。画家ゴッホより短いのだ。が、すぐれた芸術家というのは、哲学者でもある。なぜならつねに根源的なものを探すからだ。だからのこされた作品は、哲学的な真理が隠されているにちがいない。

注1　美術評論家中原佑介は、「宇宙的感性」（『美術手帖』・一九七九年・十一月号）において、〈物体ではなく、眼に見えない「絵画的感性」を一人の人間から他人へ手渡すというのが、このパフォーマンスの骨子といえよう〉とのべ、基本としてパフォーマンスとして解釈している。さらにクラインの「新聞」(Dimanche)をもじってつくられた「Dimanche・2」（日本美術協会・一九六三年制作）を、クライン特集のこの『美術手帖』一九七九年十一月号に、〈とじ込み付録〉のかたちでのせられているが、その作品名は「非物質販売儀礼」となっている。興味深いことがある。一九六三年に映画「モノクロームの画家」が製作されていることだ。ちなみに、企画が瀬木慎一、音楽が武満徹、演奏が一柳慧・小林健次とある。

注2　マレーヴィッチとの「差異」について、フランソワ・プリュシャールは「マレーヴィッチが描かれた空間を、デュシャンが知的空間を創り出したのと同じように、クラインは非物質的感応性の空間を創り出した」とのべている。いっぽう、美術評論家早見堯は「絵画の無から」（『美術手帖』・一九七九年・十一月号）で、マレーヴィッチについて語ったクラインの「目の眩んだ観光旅行者のような大いなる善意をもって、哀れにも偉大なマレーヴィッチが、彼の重苦しくアカデミックな個性を、空間の中に劇的にのめり込ませてしまったのとは違って、私は空間旅行をする必要はないはずだ」との言葉を引用しつつ、クラインは結局、マレーヴィッチの作品に、「自然の直接的で生な状態が剥奪された、抽象的にリアルな絵画的空間を見出していたのだ」とのべている。さらに白を最高のものとしたマレーヴィッチのことを、「青空を取っ払ってしまったマレーヴィッチは、あの地中海の青空を横切った鳥にもまして許し難かったに違いない」としている。

注3　ちなみにガストン・バシュラールの類型とは、「火と夢想―エンペドクレス・コンプレックス」「精神分析と先史―ノヴァリス・コンプレックス」「自然燃焼―ポンス＝ホフマン・コンプレックス」などである。

獣性のダダ——工藤哲巳

1. 不滅のダダ

ただひたすらダダへ復帰をしなければならない。ではダダの何に復帰するのか。それはダダの精神に、ダダが発生した現場に立ち戻ることだ。私は、これまで不変的な運動体としてのダダに関心を抱いてきた。ただ誤解をしてもらっては困る。ダダの懐古や亜流としての運動ではなく、あくまで前衛思考の実験としてのダダの精神だ。ダダには、もともと心身の異形の苛立ちが濃密に立ちあらわれている。

まさにダダは気味わるい赤ん坊として誕生したのだから、常にその気味わるい赤ん坊、その反抗的な異形性に立ち戻るべきなのだ。

ダダは、第一次世界大戦の最中に産声をあげた。それは赤ん坊の奇妙な聲だった。ダダには、たいした意味はない。ある人は、〈辞典から取った〉とか〈幼児用の玩具〉のことだという。

ダダの創始者は、トリスタン・ツァラ（Tristan Tzara）という詩人だ。本名は、サミュエル・ローゼンストックという。ルーマニアの小都市モイネシュチで、裕福なユダヤ人の長男として出生した。ツァラは、第一次世界大戦中、祖国を離れ、中立都市チューリッヒに住んだ。そこのチューリッヒ大学で文学と哲学を学んだ。この都市で名をトリスタン・ツァラと変えた。それは、「故郷で悲しむ者」の意があるという。祖国への懐古の情もあったわけだ。

ダダは一九一六年二月八日に、このチューリッヒのカフェ・テラスで誕生した。ツァラは、一九一八年に「ダダ宣言」を発表した。徹底的に価値の混乱と言語の意味性を剥ぎ取ることに熱をあげた。ツァラには、「ダダ以前」と「ダダ以後」があるようだ。それを教えてくれたのが塚原史『終末のソリチュード』(紀伊國屋書店・一九九二年)だった。その中に「ツァラの生きた時間について」がある。

それによれば、私が知らなかった「ダダ以後」の姿が紹介されている。言語の破壊者としての相貌とは異なっていた。ツァラ像が崩れ、それにかなり驚いた。ダダの終焉後、彼は政治運動に身を置いた。パリでは反ナチのレジスタンスに関わり、一時は、南フランスのプロヴァンス地方へ逃亡し、さらに二年間地下生活を送った。一時は、コミュニストとして政治的活動も行った。第二次世界大戦後は、レジスタンス詩人として名を成した。戦時中の体験を元にした作品『逃亡』『内面の顔』などを発表した。

二つの大戦の中、まさにユダヤ人の血により、迫害されながらも、時代の闇と闘う文学者でもあった。

一時ダダは、シュルレアリスム運動とも歩調を合わせることもあったが、よく吟味してみれば、根源的にはシュルレアリスム運動とは相いれないものだった。一般的にみて、アンドレ・ブルトンらが推し進めたシュルレアリスムの運動は、無意識の解放や理性よりも不合理なものに重きをおいた。その点においては革新的だった。そこからこれまでにないサルバドール・ダリのような偏執的な絵画が誕生した。またオートマチズム(自動筆記法)などやコラージュなどの手法は、美術に留まらず文学や映画などの映像世界にも影響を広げていった。

それに比してダダは、やや狭いゾーンに留まっているようにみえる。たしかにダダの種は、チューリッヒ・ダダやベルリン・ダダ、パリ・ダダなどといわれるようにヨーロッパの各地に撒かれた。ただそれぞれは連合することなく、短命に終わった。だが果たしてそうであろうか。大事なのは、長短ではない。むしろその運動がいかに根源的であったか、それがどれほど破壊的であったかではないか。

ダダは、これまでのテーゼに無効を突き付け、あらゆる価値に対して「異議申し立て」を行ってきた。ダダこそ反抗する精神、その永久運動を扇動しているのだ。それゆえシュルレアリスム運動より、人間の意識活動に関わる根元的なテーマを抱えている。

社会変革と意識革命においてダダは無視できないのだ。そして反抗という不変のパワーを帯びているのだ。それを少し鮮明にしたい。

二〇世紀の大きな政治的かつ思想的動向に眼を向けてみたい。まず政治革命により共産主義国家が誕生したことをあげねばならないだろう。いくつかのプロレタリア革命が起こった。これにより人間の自由が獲得できると思った。が、この新生体制も権力主義と官僚主義の弊害に陥り、むしろ類的存在として一番大切な精神的自由を侵犯している。

いやいや国家は死滅するどころが、ますます凶暴性をみせているではないか。国家体制の別を問わず、国家は巧妙な罠を仕掛け、多くの民を〈操り人形〉としているではないか。哀れな人形達は、一面では〈新しい体制〉たる民主主義を得ることになったが、その実体は、虚的な幻想にみちたものとなった。気が付けば、管理された情報の下で真実から遠ざけられ、ひたすら隷属化されているのが実際ではないか。

現代思想に大きな影響を与えているのが、ドイツの悲劇の思想家フリードリヒ・ニーチェだ。ニーチェは、精神の危機、自由の侵犯をなにより恐れた。ニーチェは、ヨーロッパ世界がたそがれていく光景をみながら、はかない幻花に仮託した。それは理知と倫理をこえた「超人」が君臨する彼岸の地、光あふれる虚無の花咲く空間だった。そこは音楽が荘厳に響く楽園。つまり全ての美が開示し、全ての純粋なるものが揃う別天地の到来だった。

この壮大な虚性を帯びた伽藍のような空間、詩的な華が溢れるイマージュは、アンチ・キリストが開示するところの「彼岸」世界と同位であった。つまりあたらしい思想を築くうえでも、アンチ・キリストという古い規矩を想定しなければならないという限界があったわけだ。

「現世」と「彼岸」という二分法そのものが、まさに倫理と思想の規矩となっていたキリスト教世界から十分に抜けきっていないことを図らずも示していないか？

このニーチェの「彼岸の思想」や「超人」願望は、環境破壊と「核の恐怖下」に生きている我々にとって、ほとんど絵空事にみえなくもない。ほとんど死んだ思想と錯覚してしまうかもしれない。ただ虚無的な「悲劇の誕生」を予見したニーチェは、現在若者に歓迎されているという。押し寄せる閉塞感や不安感がニーチェを引き寄せているようだ。

ここで少し立ち止まってみたい。ニーチェに宿った〈アンチ・キリスト〉という視座は、今の時代において、はたして完全に無効なのかと問うてみたい。

いま科学の最先端では、遺伝子の組み換えが成功し、異生物を生みだす知力をもちはじめている。また電子技術は、ロボットを造りだし、人間の知力と競うまでになった。こうした動きに抗うようにして、一方で新型コロナウイルスの見えない「ペスト菌」が世界を覆いはじめている。これは自然界からの〈愚かなサル〉たる人類への警告、あるいは復讐ではないのか。

ニーチェの偏執的な、あの〈アンチ・キリスト〉の思念（概念）を再考してみたい。たとえば〈アンチ・キリスト〉を、〈アンチ・理性（リーズン）〉〈アンチ・ヒューマニズム〉と言い換えてみたらどうなるか。ここで〈アンチ・ヒューマニズム〉を付けくわえたのはほかでもない。人間中心主義が終焉してきているからだ。つまり人間が人間である、それを根底から覆す状況が進行しているからだ。人間が人間を否定する、それがある種の強迫観念となって迫ってくる。つまりニーチェの思考方法は有効だったのだ。いうまでもなく、キリストが〈リーズン〉〈ヒューマニズム〉に替っただけなのだ。

〈アンチ・ヒューマニズム〉の時代を生きているという、このアイロニーをじっくりと噛みしめなければならないのだ。その時、ニーチェがなぜ「彼岸の思想」や「超人思想」を叫ばなければならなかったか、その光景が鮮明に見えてくるのだ。

ニーチェは、〈反知の思想〉の到来や、世界を虚無思想が覆うことを予言しているようだ。

人が人を疎外化する。自分が自分を疎外化する。これが現代の状況とすれば、人間の意識は混迷し、身体は苛立ちながら痙攣するはずだ。

こうみたい。ダダは、ニーチェの思想とは別な土俵の上で、これまでの知の風景を壊し、〈アンチ・ヒューマニズム〉を宣明すると……。

シュルレアリスムが打ち立てた無意識の解放や不合理なものに重きをおく方法では、一時の安寧を齎すとしても凡庸なままで終わるのだ。なぜなら身体は救いようなないほどに苛立ち、痙攣しているからだ。そこにこそダダが蘇生するのだ。いや蘇生させねばならないのだ。

ダダは、苛立つ身体と意識が発する聲でもあるのだ。

そのダダの精神を、現代に気味悪く蘇生させた一人の表現者が工藤哲巳なのだ。

2. 工藤哲巳の種子

ダダの精神の種子は、不滅だった。時代の回廊をくぐりぬけて、いくつかの別種の赤ん坊を生んだ。ドイツやアメリカでは、「フルクサス」の運動となり、日本ではネオ・ダダという狂い花を咲かせた。

私が注視する異彩を放つ表現者がいる。ダダの精神を受け継いだネオ・ダダを牽引した美術家だ。その名は工藤哲巳(本名・哲美　一九三五〜一九九〇)という。まずその横顔を覗いてみる。その風情は、どこか禅僧のごとしだ。その風情とは反するように生々しく醜悪で、煽動する世俗性が氾濫した作品を提示した。ただ初めにいっておくと、工藤は「ネオ・ダダ」を標榜するグループには誘われたが断っている。烏合を避け、単独者の側にいた。

工藤は、一九三五年に大阪で生まれた。父・正義は、五所川原出身だった。五所川原といえば、津軽三味線の発祥の地。また巨大な山車《だし》とお囃子で有名な立佞武多の祭がある。また太宰治ファンが訪れる「斜陽館」がある。

正義の実家では、祖父が当時の青森、北津軽郡長橋村（現・五所川原市）の村長をつとめていた。曽祖父について、三好徹（青森県環境生活美術館整備・芸術パーク構想推進室）は、「骨董美術に関心を持ち、古い水墨画を蒐集し、地方回りをしている絵師を家に招き、襖絵などを描かせていた」（注1）と記す。さらに三好はこういう。正義が周囲の反対を押し切って東京美術学校（現・東京藝術大学）に入学したのも、この曽祖父の影響があったと。

正義は、東京美術学校を卒業後、堺市の中学校に美術教師として赴任する。工藤は、ここで生まれた。母・淑子は、岡山県女子師範学校で学び美術教師になる。兵庫県の加古川高等女学校で教えていた。

一家は、太平洋戦争が激化する中、大阪から青森へ。正義は青森県師範学校（現・弘前大学教育学部）で教え、新制作協会に出品した。正義は、工藤に幼い頃より遊具よりも鉛筆や絵具を与えたという。その父が三九歳で一九四五年に亡くなった。工藤はまだ一〇歳だった。

工藤の学び場を記してみる。五所川原市七ツ館国民学校から弘前市朝陽小学校へ、さらに弘前市立第四中学校へ。その後母の郷里岡山市へ移住。そこの丸の内中学校、さらに岡山操山高校へ進学する。この高校では美術部に属した。

そこには前衛美術家となる吉岡康弘がいた。工藤に負けない位の前衛芸術家だった。吉岡は一九六一年には、のちに詳しく紹介する「読売アンデパンダン展」に写真作品を出品した、が「ワイセツ」と判断されわずか開催四日で撤去となった。また吉岡はその前衛思考を映画撮影監督、写真家、小説家として燃やした。大島渚監督の「絞死刑」や勅使河原宏監督の「砂の女」などで撮影監督を務めている。ちなみに一九七五年に岡山で「工藤哲巳・吉岡康弘 岡山の生んだ異才とその周辺」展が開催された。

このように工藤は、津軽の地で生育する。棟方志功や寺山修司と同じく、津軽の血が宿っている。後半には東北を意識して縄文をテーマにした作品「縄文の精子の生き残り」(一九八六年)などを制作するが、それは工藤の胎内に縄文の魂が宿っていたことを示しているにちがいない。ひょっとすると、工藤の反芸術や独自な生命主義には縄文的な土俗性が顔をみせているのかもしれない。

一度東京藝術大学受験に失敗する。阿佐ヶ谷洋画研究所に通い東京藝術大学に入学する。大学に在学中はラグビー部に属し、洋画家でもある林武教授の教室に入る。が、その古い石膏デッサンなどを主体とした教授法などに強く反発する。こんなこともあった。三好徹は、先の文であるエピソードを紹介している。林教授の「デッサンとはこういう風に描くものだよ」や自分の芸術論を押し付けるやり方に猛反発。なんと大先生に「林君」と呼びかけ、互いの作品をもってきて並べ、評論家を呼んで、議論しようではないかと。これは喧嘩というよりも、どうみても古い美学と教授法への反逆であった。工藤の反芸術的行為には、こうした古色蒼然の藝術大学への反発があったともいえる。またこうもいえるかもしれない。縄文的な情念がマグマの如く噴出したと。

徹底して前衛志向を燃やした。大学には行くが、講義を欠席した。下宿ではキャンバスに点を打った。この点を重ねる行為。三好はたしかに点の集合—増殖という初期作品の特徴は、郷里の津軽塗をイメージするという。少年期の視覚体験が影響したとみる。それもあるかもしれない。もう一つある。点を重ねる行為には、ギリギリした意識を抱えながら、自己存在の確認ということも反映しているとみたい。むろん数学的集合論も翳を落としている。集合論と自己確認、それが併合したものではないか。

はやくも個展を開きまた仲間とグループ展を行い、ハプニングなどを始めた。

このパプニング的なアート行為は、のちも時々反復することになる。作品の素材に身近なもの、うどん、コッペパン、あんパン、錠剤、アンプルなどを使っていた。コッペパン、あんパンを吊したり、錠剤やアンプルなどをビンや籠の中にいれたりした。どちらかといえば身体的なハプニングではなく、こうした日常雑貨もふくめて動員しての遊び的パプニングだった。とすればむしろパプニングというよりも、ややふざけたナンセンスな遊びにもみえなくもない。

工藤芸術の中には、多種な前衛思考や実験が混在している。その意味で一九六〇年代、アートシーンがどんなものであったか、それを端的に語ってくれる証言者の一人でもある。

先にハプニングの一端を紹介する。これはブログ「日本美術オーラル・ヒストリー」の「工藤弘子オーラル・ヒストリー」から知ることができる。工藤弘子は、工藤哲巳の妻、そして前衛美術家である。これは工藤弘子の自宅（東京・北区）でのインタビュー（聞き手・島敦彦・池上裕子）を採録したもの。私の知らないことも多く含んでいた。その中で、特に気になったのが、パプニング的なことをヨーロッパでも行っていたこと。意識して実行していたとしても、それ以上にふざけて楽しみながらその場にあわせてやったようだ。その部分を引いてみる。

「《インスタント・スパーム》というのを作って、みんなに渡すハプニングがあったんですけど、その時はコンドームの中に、精液に見えるように、ヨーグルトとなんかウォッカのようなものを混ぜたりして入れてあるわけです。自分ではそれをこうやって飲んだりするようなハプニングもあったんですけど、あるハプニングに来てその《インスタント・スパーム》をもらった人が、本物の精液が入っていると勘違いしたみたいで（笑）。『これはどうやって保存すればいいのか、冷蔵庫に入れておけばいいんでしょうか』っていう質問が来たりして、びっくりしたことがあるんですね」

〈スパーム Semen〉とは、いうまでもなく精液のこと。発話者は、工藤弘子である。なんとも悪ふざけのハプニング、いや、ナンセンスな遊びではないか。《インスタント・スパーム》を手にして動揺する表情がみえるようだ。

＊

戦後になり、さまざまな前衛的志向が誕生した。その一つが「熱い抽象」ともいわれたアンフォルメルだった。工藤は一時アンフォルメル的作品を造っていた。大阪の激しいアクションを伴う「具体」とも交流した。当時、これまでにない無審査の展覧会が企画された。読売新聞社が主催した。それが「読売アンデパンダン展」（以下、読売アンパン）だった。工藤は、その第一〇回展にアンフォルメルの作品を出品し、アンフォルメルの名付け親たるミシェル・タピエに激賞される。ただその後工藤は、アンフォルメル的な平面作品から脱していくのだが……。

ネオ・ダダの幕開けを先鋭的に告げるのが、一九六〇年に東京都美術館で開催された第一二回「読売アンパン」だった。ダダがない土地にネオ・ダダが自然発生した。そんな奇妙なことが日本に起こった。工藤は、「X型基本体に於ける増殖性連鎖反応(B)」を出品した。工藤の異様な作品に批評家達も戸惑った。美術評論家東野芳明は、工藤らの作品に「反芸術」というネーミングを与えた。さらに工藤は、最終回となった第一四回「読売アンパン」に、「インポ分布図とその飽和部分に於ける保護ドームの発生」を発表した。展示空間に男性器を模したオブジェを吊るした。これ以後、この「インポ分布…」は、「インポ哲学」とか「不能哲学」とも呼ばれるようになる。以後同名のパフォーマンスを行い、文字通り工藤芸術の代名詞となった。

「読売アンパン」を母体にして、孵化してきたのが一九六〇年に結成された「ネオ・ダダイスト・オルガナイザー」だった。赤瀬川原平、荒川修作、風倉匠、篠原有司男、吉村益信らの面々が組織した。吉村益信のアトリエは、「革命芸術家のホワイトハウス」と呼ばれ、毎夜、騒がしいイベントや狂乱の祭りが行われた。工藤は、一時この「ネオ・ダダイスト・オルガナイザー」と結びあった。ネオ・ダダの旗手の中でもひときわ特異な扇情的作品を作り上げた。

その後、工藤は一九六二年に開催した第二回「国際青年美術家展」(汎太平洋展)で大賞を受賞した。俄然、注目を浴びた。パリ留学のプレゼントを得た。ただ本当はパリより、ニューヨークに行きたかったようだ。

海外で先鋭的な批評家や賛同者を得ることになる。ジャン＝ジャック・ルベルもその一人。ルベルは、デモンストレーションを兼ねた「破局の精神を祓いのけるため」展に工藤をデビューさせた。工藤はさらに一九六四年には、オランダのハーグ市立美術館で開催した「新しいリアリスト」展に、一九六五年にはパリで個展とジェラール・ガシオ＝タラボ企画の「現代芸術における物語的具象展」に、さらに先鋭的批評家アラン・ジェフロワ企画の「オブジェクトゥール」展に参加する。

一九六七年には、再びジェラール・ガシオ＝タラボは「世界への問いかけ―二六人の異議申し立て者」（パリ市立近代美術館）に工藤を選んだ。

こうして一気に工藤は、注目される作家になった。パリは、大きなグラン・ジュテ（大飛躍）の舞台となった。結果としてニューヨークよりパリに来たことが、いい方向をつくりだしたわけだ。

それ以後、約二〇年間にわたってパリを拠点にして活動した。

工藤は、さらにアラン・ジェフロワらと行動を共にした。パリの「カタストローフ展」に出品したのが、「複合体のルーレット」（一九六二年）だ。異様を越して異形だった。そこにペニスや陰毛などが至るところに〈増殖〉し、それが見るものに不気味な皮膚感覚をもたらした。嘔吐さえ感じさせる程だった。開示された不能のシンボルとしてペニスの〈増殖〉、まさに過激な「扇情的な記号」となった。

日本には、古くから「梅にウグイス」という諺がある。梅の花とウグイスの鳴き聲が、長閑《のどか》な春の到来を告げてくれる。そんな相性のいいことを示している。それとは、なんと真逆のことか。そこに在ったのは、みんな悪意に満ちたものばかり。嘔吐さえ催させるほどだった。

ここで気づくことがある。〈増殖〉は、新しい生命を生みだす〈生殖〉とはなっていないことだ。ルーレット・ナンバーに符合するコラージュの数々、その間にはなんら脈絡を見つけることはできないのだ。遊具のルーレットは、時間と人間存在との関係を寓意するようだ。

本来コンプレックスとは、〈複合〉の意と、さらに〈劣等〉の意もある。工藤はこの言葉に両義をこめて、「複合体のルーレット」となづけたようだ。

この場合、工藤にとって不能（インポテンツ）とは、単に性的不能ということのみならず、能動性を喪失すること、つまり疎外された生をめぐる光景、つまり閉じられた「全体状況」を含んでいるとみるべきだろう。工藤は、この不能のオブジェを頻繁に反復し、あえていえば自らの「哲学的意識」、その代弁者の位置へとずりあげていった。

もう一つ気付くことがある。ここには女性原理が組みこまれていないのだ。性における陰と陽の原理が切断されている。どう足掻いても、はじめから交合のドラマは成立しない。だからこの「ルーレット」は、空しくカラカラと回転して終わるのみだ。

この「インポ哲学」が生起する背景を探ってみたい。

まず時代意識の反映だ。日本では太平洋戦争後、広く性は解禁された。表現世界においても性がタブーではなくなった。それを受けて前衛表現において、性を描くことが多くなった。

これまでの抑圧からの解放感もあり、一部では過激化した。想いつくまま辿ってみる。

名古屋で加藤好弘らにより「ゼロ次元」が一九六〇年に立ち上がった。彼らは、過激な裸体主義を貫徹した。最初は和室での全裸による茶会。それを「儀式」とネーミングした。さら街頭に出ていった。一九六三年に「狂気的ナンセンス」展（愛知県文化会館美術館）に参画した。この「狂気的…」では、参加者が路上を、列をなしてはいずり回った。「赤い儀式」では〈女体試食会〉を断行した。それは包帯を巻いた女性をテーブルの上にのせ食事をするパフォーマンス行為だった。

その後「読売アンパン」にも参加した。この「読売アンパン」では、メンバーは美術館の床に寝た。このようにこの運動体は、至るところでひたすら男性も女性も裸体を陳列した。これはまるで裸体の〈増殖〉というべきもの。

工藤の〈増殖〉からは、一人の女性アーティストの仕事を想定できる。いまは世界的なアーティストとなった草間彌生である。

一九六〇年代の草間は、ニューヨークで身体性を伴うハプニングを行い、保守的な価値観とガチンコした。彼女の表現の根元には性へのオブセッションが感じられる。そこが、工藤の意識と通底する。一九六二年には、性や食をテーマにしたソフト・スカルプチャーを開始する。そこには椅子などにドキモを抜くように男根状の突起物が覆い尽くしていた。こうした性をあからさまに表現するミステリアスな巫女となった。そこには政治的メッセージも含まれているが、自らの性を媒体にして社会を混乱させた。

草間は、一九六八年に自作自演の映画「自己消滅」を制作する。馬や野原、池、裸体に水玉を描いた。この延長線で、十一月にはニューヨークで「リチャード・ニクソンへの公開状」を発表した。そこにこう宣言した。「地球はまるで何百万もある多天体にある小さな水玉模様。平和で静寂な天体、憎しみと争いに満ちた地球。皆さんと私とで全てを変えて新世界、エデンの園をつくりましょう」

一九六〇年代にこうしたスキャンダルな行為が同時多発的に発生した。それはそれぞれの美術家が、全身全霊を賭した「異議申し立て」の行為だった。

直接的な身体行為、それは激しい政治への苛立ちから生まれているのだ。こういう見方もある。草間は点の増殖で「自己消滅」を計ったように、工藤はペニスの増殖で、「自己消滅」を願っていたのかもしれないと！

こうした性を主題としたアート潮流は、それぞれが閉鎖的社会から解き放たれたことの謳歌であり、さらにいえば禁忌だった性を全面に押し出すことで、表現の自由を叫んでいたといえる。まさに精神の自由、その不滅の塔を築くためだったにちがいない。

それにしてもどうして工藤は性的な、もっとも禁忌たる男性性器を増殖させたのであろうか、工藤の性意識を探ってみたい。こんな、かなりシリアスな告白がある。「ぼくも年取ってから子供ができたんです。はじめのころは、外国で子供ができたら戦いは負けだと思って、二〇年間、過酷なバースコントロールを女房に強いていたわけ。最後に女房の年の限界が来たからつくったんですよ。プレゼントの意味で。ところができてみると、確かに手は汚れるね」。

そのままでは誤解が生まれる告白だ。はっきりしていることは、かなり厳格に芸術と「家」（家庭も含めて）を分離した。いやそれどころか、私の言い方をすれば、芸術創作の妨げとなるものとして、〈子供〉〈性〉〈家庭〉〈妻〉を排除した。つまり私性を束縛するものから身をフリーにした。

今からみれば、かなり間違った男性中心主義に凝り固まった表現者にみえる。女性を隷属させているといわれても反論できない。ただ断罪する前に、〈外国で子供ができたら戦いは負け〉という言葉をかみしめてみたい。

芸術の先端地パリで〈負けられない〉という気負いと、いつも断崖にひとりで立っているという切迫感も感じられるのだが……。

ただこんな一面もあった。かなり後のことだ。一九八三年に日本に帰国した時には、父・正義の遺作展を準備した。一九八四年に「工藤正義回顧展」（弘前市立博物館）を開催した。同年に津軽文化褒賞を受賞した際には、長年の様々な苦労に感謝して、妻・弘子に対して「内助功労賞」を差し上げている。だから信条を変えたのかもしれない。歳を重ねることで、これまでの生き方に少しは修正を迫られたのかもしれない。

＊

初期作品から工藤のもう一つの相貌が立ち現れてくる。それは美術とは無関係にみえる集合論と生物学への関心だ。工藤の回想によれば、東京藝大入学後は、ほとんど大学に行かず、〈人様の描いた絵〉はみないで、さらに〈人様の書いた文章〉は読まなかったという。部屋に閉じこもり、細胞写真を収集し、集合論について学んでいたというのだ。

もう一つある。当時日本ではじめて、原子炉の第一号が完成し作動した。日本は〈神の火〉を入手したわけだ。この〈神の火〉に関する文献を繙いた。芸術作品づくりよりも、生物や集合論や原子論に拘る工藤の意識形態。このことは何を意味するのだろうか。私にはこうみえる。早くも芸術は、最終的には生命論に通底することに気付いていたのではないか。

絵画や彫刻という区分は無となり、生命に繋がらない文は駄文に見えたにちがいない。旧態から脱し、新しい生命論にねざした作品を造りだすことが、自らに課された使命（ミッション）と感じたにちがいない。つまり細胞などの生命組織づくりに留まらず、真に不滅の〈プロメテウスの火〉を地上に生み出そうと試みたわけだ。

この初期の宗教的ともいえる生命観、それが工藤の表現論、その根底となっている。これが彼の作品全体を貫くことになる。他の芸術家がもちえなかった特異ともいえる感性をベースにして、前衛芸術をこれまでとは異なる地平へ突き出していった。

工藤は、素材の選び方も異形だった。あらゆる事象を取り込んだ。

ほとんど非アート系のものばかりだった。それをひとまず群化しながら種別してみる。一つの群は、遺伝染色体、原子細胞論などの生物学的フィールド。一群は、原爆を含みつつ、原子物理学、原子炉などのハイ・テクノロジーのフィールド。一群は、数学的集合論。最後の一群は、公害、学生運動、天皇制などのかなりシリアスな社会的フィールド。いうまでもなくこれはあくまで便宜的な区分にすぎないが……。

大事なことは、これら全ての事象は、〈自然とは何か〉〈人間とは何か〉と問いながら、〈いのちとは何か〉を考察するためであった。群を統合するのは、工藤の視座である。

こうした全生命にかかわる美術行為。それが大きく再評価されている。地球規模で自然環境の破壊が進み、またテクノロジー神話が崩れる中、工藤の〈異議申し立て〉は、一考どころかもっと深いところで大きな示唆を与えているのだ。二〇〇七年には、パリのラ・メゾン・ルージュで回顧展が開かれた。また二〇〇八年から〇九年にかけてミネアポリスのウォーカー・アート・センターで回顧展が開かれた。これはアメリカ初の個展となった。

こうして整理してみて、大きなことが欠落していることに気付いた。それは何か。工藤の〈反ヨーロッパ〉

という意識である。そこがニーチェに近いのだが。いかえれば西洋中心主義、理性中心主義への反旗である。これは工藤の作品を考察する上で、抜かすことができないことだ。これまでの日本人のように西洋思想を崇敬しなかった。一時的な睥睨ではない。むしろ意識して、西洋社会の価値となっていた土台そのものに激しく「否」（ノン）を突き付けた。工藤は、長くパリを拠点として生活しながら、順化と同化を拒んだ。むしろ真逆の道をとった。みずからを、ウィルス、エイリアン、ゲリラなどと譬えた。まさにバッシングを怖れず〈異物としての自己〉として生きようとしたわけだ。

そうした〈反ヨーロッパ〉〈反知〉の視座から制作されたのが、「イヨネスコの肖像」である。ルーマニア生まれのウジェーヌ・イヨネスコは、アイルランド生まれのサミュエル・ベケットらと共に、フランス不条理演劇の元祖として知られている。

平凡な日常を滑稽に描きつつ、人間の孤独性や存在の無意味さを鮮やかに描き出した作品には『授業』、『椅子』などがある。実は工藤は、一時この劇作家でもあるイヨネスコの舞台美術を担当したこともあった。が、一転しイヨネスコを〈ヨーロッパ知識階級〉のシンボルとして激しく攻撃した。

なぜそうしたか。そこにはイヨネスコが一九七〇年にアカデミー・フランセーズ会員に選出されたことに起因する。アカデミックな権威の傘に入ったと指弾した。工藤の非難は、イヨネスコからみれば名誉棄損に値するほどのもの。耐え難い「貶め」であった。

私は、はじめ「イヨネスコの肖像」を間違って理解していた。敬愛の念からつくられたと。しかし実際はちがった。工藤は、はっきりと悪意をこめて、こういう。〈イヨネスコを頂点とする戦後のヨーロッパ知識階級のポートレートをつくろうとした〉と……。

だからであろうか。この作品には異物がたくさん着けられた。まさに暴逆の極み、暴力的なアイロニーだ。なんと〈反知〉の激しい貶め、揶揄であることか。

西欧知への反逆、つまり私のいう「異議申し立て」をした映画人がいる。イタリアの鬼才ピエル・パオロ・パゾリーニだ。私にとっては若き日に見た『テオレマ』『アポロンの地獄』のパゾリーニだ。

この映画人は、映画監督だけでなく、詩人、小説家、思想家など多面性をもっている。まず詩人として、マイナー語であるイタリア北東部のフリウリ語で『カザルサ詩集』を編んだ。この言語は、母スザンナの生活言語であった。イタリア語を外し、あえて少数言語を選んだ。

この意識的選択について、四方田犬彦は「パゾリーニ、封印を解く」(『書物の灰燼に抗して—比較文学論』・工作舎・二〇一一年)においてこう分析する。「この選択の背後に母の言語を介して言語錬金術を実践しファシズムの国家統一イデオロギーに抵抗する意志を認めることは、決して困難ではない」と。たしかに〈困難ではない〉とやや控えめだが、間違いなくこの詩人はファシズム国家の言語からの脱出を計ったのだ。

興味深いことに、四方田はさらにこう言を重ねる。『テオレマ』では、〈神とは一つの醜聞〉に過ぎないと断じたと。これはカトリシズムの神聖なる教義への侵犯である。絶対にしてはいけないこと。

四方田は、ではこうした暴虐な行為へと、彼をして駆り立てたものとは何かと分析した。「ヨーロッパの病弊した資本主義社会」と「カトリシズム」に対する強い嫌悪感があるとみた。そのために自らの映画づくりの場として、非ヨーロッパ世界、つまりイエメンやマグレブの光景を選び撮影を敢行した。こうしたパゾリーニの果敢な非西欧世界への加担。それほどまでに嫌悪は強く、離脱の意志の根は深かった。パゾリーニは、母の言語を母体にして詩を書きはじめた。それ自体が自らの芸術がいかなる方位をめざしていくかを明示していないか。すでに出発点において反逆の姿勢を抱いていたことになる。

ひるがえってみて、一介の異邦人たる工藤哲巳が同質の暴虐行為に挑んだわけだ。しかしながら、異端児パゾリーニがいくら激しく暴虐を叫び、非西欧へ加担しても西欧世界の住民であることに変化はない。だが工藤はそうではない。あくまで異邦人の端くれ。だからパゾリーニとは、ちがった意味で暴虐の行為に対しては風当たりが激しかったと思える。

3．「あなたの肖像」

少し記憶を辿ってみる。私と工藤の作品とのファーストコンタクトのことを。

それは一九八一年に開催された「一九六〇年代―現代美術の転換期」展（東京国立近代美術館）の会場で起こった。工藤の作品は、これまでみてきた美術作品とは全く違った。

それらは異物のように床に置かれていた。「X型基本体に於ける増殖性連鎖反応」（一九六九年）やゲージ（鳥籠）が登場する「あなたの肖像」などは悪夢のように不気味に迫ってきた。足元が揺らぎ、心がざわめきだした。よく見ると、ある作品では、男性器が小魚と一緒に水槽内を泳ぎ、遺伝染色体による綾取りをする人物が鳥籠の中で瞑想していた。頭の中で困惑の渦が逆巻いた。

使われている素材も異様だった。「X型基本体に於ける」では、ビニール、チューブ、紐、タワシ、鉄などだった。まさに廃棄物のゴッタ煮だ。この後も何度も同名のタイトルで制作される「あなたの肖像」には、ゲージ(鳥籠)の中に、眼球や鼻などがトランジスタとともに混在していた。

箱にオブジェをおさめる手法は、ジョセフ・コーネルがよく使う手法だが、それとはまるで違った。私達は子供の頃に、箱などに遊んだ遊具や思い出の写真などをおさめることがある。そんな思い出が詰まった箱とも違った。見るものに生理的嫌悪感を付与するゲージだった。

これらが一九六〇年代に興ったネオ・ダダの作品かと思いつつ、そんなアート的定義よりも、ひとえに作者の工藤哲巳という人間の方が気になった。工藤作品の傍には、荒川修作の「もう一つのテクスチャー」(一九六〇年)があった。この荒川の作品は、箱の中にコンクリートの塊を置いた。それは棺のようにみえた。荒川の作品は、まだ観念性が強く、たしかに死のイメージが潜在化しているが、扇動する類ではなかった。

どうみても観念や意識に及ぼす波動は、断然工藤の方が勝っていた。

この「一九六〇年代─現代美術の転換期」展が開催された一九八一年に、工藤はパリから一時帰国した。それは一九七四年以来の帰国だった。一九八〇年には、アルコール依存症治療のため、パリ郊外にある病院に入院していた。それが回復しての帰国だったようだ。来日後、すぐに高輪美術館(軽井沢)の「マルセル・デュシャン展」のオープニングに出席した、八月には、草月流の家元勅使河原宏の勧めもあり、丹下健三設計の草月会館で新作を並べた。

現代美術の基点には、シュルレアリスムとダダがある。私はこの視点をベースにして詩作と美術評論をスタートさせていた。批評では、シュルレアリスムの方をやや先行させた。ただ徐々に一九六〇年代に巻き起こった反芸術運動に共感する中、よりダダへの加担度を強めていった。いま振り返ってみて、「一九六〇年代—現代美術の転換期」展で工藤の作品と出会うことで、それが決定的になったともいえる。

その後私は札幌の地で、ダダの蘇生、復権を志向した。「ギャラリーユリイカ」の協力を得て、二度にわたり札幌でダダ展を企画した。「SEVEN DADA'S BABY（セブン・ダダズ・ベービー）」展と「帰ってきダダっ子」展だ。この二つの詳細については、別なところでレポートの形で論じておきたい。

さて私がいうところの「異議申し立て」の芸術家工藤哲巳、その後半生について、少し言及しておきたい。一番厄介な、不合理な病たる癌と闘うことになる。一九八七年にパリの病院で咽頭癌が見つかった。手術をしなかった。パリで投薬と放射線治療を続けた。残念ながら、この年は病との闘いに明け暮れた。工藤の心身は、癌細胞との闘いに疲弊した。それでも一条の光が注いだ。予想もつかないことがあった。東京藝術大学から招聘である。十一月には帰国し母校の東京藝術大学教授に就いた。どんな講義だったのか気になるが、資料がないのでそのままにする。

しかし講義は中断を強いられた。一九九〇年二月に、今度は結腸癌が発覚。都内千代田区にある山楽病院に入院した。病魔は容赦しなかった。十一月には、癌が無情にも工藤を死の床へ追いやった。まだ五五歳だった。

激しく闘い続けた、真正のダダイストの終焉だった。工藤は癌には〈異議申し立て〉できなかったわけだ。死後すぐに、工藤の全容の再検証がはじまった。先にも触れたが、オランダ（一九九一年）、大阪（一九九四年）、パリ（二〇〇七年）、アメリカ（二〇〇八〜〇九年）において展覧会が開かれた。二〇一三年から一四年にかけては東京、大阪、青森で大規模な回顧展「あなたの肖像—工藤哲巳回顧展」が開催した。ドキュメントのような大部の図録（注2）がつくられた。

工藤が全身全霊を賭した激しい「異議申し立て」の行為は、いまも不滅の光を放っている。予言したい。まちがいなくその異様な光は、これからますます増し加わるようにちがいない。精神の自由が侵される時、もっと苛立て、異議を申し立てろと扇動するにちがいない。

どうもその聲が大きくなっているように思えてならない。「あなたの肖像」は、世界を映す鏡。そしてなによりも私の意識をリアルに映す澄んだ鏡なのだ。

これまで夥しい「あなたの肖像」が造形された。工藤の作品は、この「あなたの肖像」に収斂するといってもいい。ある時は、箱の中に人体の部位の眼や口や脳を押し込んだ。またリクライミングチェアに巨大な脳体を置いた。さらに「繭」や「蛹」も組み込んだ。

工藤は、この「あなたの肖像」に平行して「脱皮」や「変態」をテーゼとした作品を頻繁に制作した。本来無垢な「蛹」や「繭」が、放射能により異種体として「変異」している「事実」を突き付けているのだ。「蛹」や「繭」は、母体（愛と母なるもののシンボル）であるのだが。

「脱皮」をテーマにした大作にも挑んだ。どうも反万博の意志がひそんでいるようだ。一九六九年に千葉の房総鋸山で岩壁にレリーフ「脱皮の記念碑」（高さ一五メートル　横幅二〇メートル）を制作した。この場は、国定公園の一部である。そこに異様いや猥褻にもみえる造形作品。工藤がこの地で顔料会社を営む、この岩壁の所有者でもある高橋義博に頼みこんで制作した。ただその図案をみて制作には異を唱えたようだ。結果的には制作は決行された。

地元でもこの作品を巡って大論争になった。観音さんや大仏さんならまだわかる。工藤は「蝶が脱皮して飛び立つ所を象徴した芸術作品」という。見方を変えれば生殖を示す男性器にも見えなくもない。それを不毛な時代を象徴したシンボルとしてみることも可能だ。

「あなたの肖像」と「脱皮」「変態」とは、全く別なものではなく相互に補完し、一体化しているのだ。

先にも少し触れたが、岡山操山高校の美術部でいっしょだった吉岡康弘は、映画『脱皮の記念碑　工藤哲巳の記憶』（一九七〇年）を撮り、その有様を記録した。

再度、箱や素材についても検討してみたい。どんなシンボル作用をになっているのか。こう分析したい。工藤にとり籠・箱は、閉じられた世界や囚われた空間のメタファとなっていないか？一方で繊維、紐、糸は、人間の神経や細胞と代置できる。つまり生命体の因子であると……。

この偏執的ともいえる反復。それを持続した精神力にも驚かされる。緩みなく、だらけることなく持続した。工藤は強靭な意志の持ち主だった。ではそれを支えたコトとは一体何か。こんな感慨ではないのか。工藤にとって、作品を発表した一九六〇年代から世界はどんどん悪い方向に進んでいった。それだけが眼についた。だから休息はできなかった。世界は、どんどん空疎化し、不能化する性と生の風景が広がってきた。人間中心主義が崩壊する中、何も手がかりになるものがなくなっていた。

こうした危機情況の悪化は、予想外の事態だったかもしれない。ただ悲観論者であれば、持続することは無理で、悲惨さから眼をそらしていたかもしれない。

ただ工藤という芸術家は、そこから何かが生まれてくると考えていた。マイナスを超えたところから、これまでにない生の意識が生まれてくると信じていたにちがいない。

この論を締めるにあたって、ここでツァラの言説(ディスクール)に立ち戻ってみたい。

再び一九一八年の時空に降りてみる。この年に、ツァラは『ダダ宣言』を発表する。それが『チューリッヒ予兆の十字路』(土肥美夫編・国書刊行会・一九八七年)に収録されている。

そこからアトランダムにその一部を引用してみる。

「ダダはなにもいみしない」

「ダダ―この一言こそ諸観念を狩猟にみちびく」

「僕は脳の抽斗と社会組織の抽斗を破壊する。いたるところ風紀を紊乱させよ。天の手を地獄へ、地獄の肉を空へ、地獄の目を空へ、投げかえせ。現実の力と各個人の幻想のなかで、全世界のサーカスの車輪を豊かなものに復せよ」

さらに〈ダダイストに嫌悪をもちいた仮借なき戦い〉を宣言し、ひたすら〈DADAを〉と扇動する。

ダダは何をするのか。何に挑むのか。〈破壊の行為のなかに全存在をかけた拳の抗議、DADA〉などと叫んだ。

ボルテージは高まり、この詩人は全身を震わせながら吠えた。「DADA DADA DADA、ひきつったくるしみの叫び。相反し矛盾するいっさいのもの。醜怪なもの、不条理なもののからみあい。つまり、生(ラ・ビィ)

だ」。

あくまで任意に引いてみた。だがなんということか。時空をこえて、工藤の芸術行為、その営為を彩やかに代弁しているではないか。

この文の冒頭で「ダダは復権する」と予言したことを想起してほしい。まさに工藤の作品は〈ダダの狩猟民〉として、自らの眼光を〈醜怪なもの、不条理なもののからみあい〉に対して鋭く注ぎながら、〈仮借なき戦い〉を続けたのだ。

工藤哲巳にとっても〈風紀を紊乱〉させることは、何らの意味をもたなかった。〈あらゆるものを破壊〉し続けることだけがダダの精神だったのだ。

どうもツァラは、工藤の魂に憑依したようだ。つまり工藤の身と心が依り所となった。ツァラは、工藤と合体した。一見して奇形の表現者にみえる工藤だが、不条理なものには全身で抗った。その雄姿は、非の打ちどころがない。高尚な価値を葬りさるシニシズム。ニヒル（虚無）をとび超えた天邪鬼。貫く鋼鉄の意志。知の集積地たる欧州で暴虐に振舞った。その姿は、私にはあまりに眩しすぎる。

こうして作品群を見つめ直して、あらためてこうも思う。それらの作品群は、逆説的にユートピアを指向していると。つまり逆行する未来を映像化していると。その気味の悪い未来をみろと煽動するのだ。いうまでもなく、この未来像は、現実の倒立した姿だ。

ここで忘れてならないことがある。それは、たしかにナンセンスや暴虐にみえる作品ではあるが、その底には、もう一つが隠れているに違いないと。では底に流れているものとは一体何か。

それは憂いの感情と終末感覚ではないか。あっけらかんとしているようにみえて、けっして楽天ではない。つねに先の未来を透視しているのだ。それでなければあのような暴虐な作品は生まれないのだ。多くの人はそれを見間違ってしまう。気味悪さだけで終わっている。

単相的な冷厳でシニカルな眼だけでは、あのような作品が生まれない。より遠くを見つめながら、憂いと孤独が横に立ち会うことではじめて、ナンセンスや暴虐は可能となる。それが抜けおちる時、作品はガタクタ（下位）に転落する。唾棄されるのがオチ。ましてや人の心には刺さってはこないのだ。

工藤哲巳は、憂いの感情と終末感覚を胸奥に抱きながら世界を透視した。そしてあるべき世界像などないと独白する。その地点から、逆立ちした負の状況を赤裸々に眼の前に、ゴロリと並べた。まさにゴロリである。なぜなら〈愛すべき〉唾棄すべきものとして、置いているからだ。

それにしても、ぶれることなく緩むことなくそれを貫いたこと。それに驚嘆する。先に紹介した『工藤哲巳展―反芸術の旗手：東京～パリ～青森』に、東京藝術大学で同級生だった篠原有司男（ギューチャン）の体験が載っている。共に貧にあえいでいた芸大時代のこと。工藤が住み込みのアルバイトをしていた。彼の部屋に篠原は忍び込んだ。そこに座右の銘みたいなものが貼ってあった。そこに「筆は剣」とあった。篠原はいう、俺の描き方は「チィチパッパ、チィチパッパ、雀の学校の先生は」みたいなもの。ただ工藤は人切り包丁みたいに「だあーっ」と描くと。とすれば工藤には、日本の武士のような気合と相手をズバッと見抜く洞察力の持ち主のようだ。世界の虚をアートの剣で切り捨てようとしたようだ。

この駄文では、工藤の芸術行為を「獣性のダダ」と名付けた。工藤の時代と抗ってきた行為を追悼したいという一心で書いてきた。ただこの「獣性のダダ」、なかなか手ごわかった。

この獣性には、悪ふざけ精神がへばりついている。たしかに、まじめに気持ちわるい。でもその作品には、強烈なアイロニーを含んでいる。仏陀のように瞑想する異人。脱皮を執拗に迫る男。ブラックホールのようなすべてをのみこんだ宇宙《そら》。それがわからないと、工藤哲巳を語る資格はない。つまりどんなに悪しき状況であっても、権威に迎合してはいけないのだ。

アートを指向する者は、絶対に眼だけは曇らせてならないという鉄の意志を含んでいた。つまり暴虐の行為の裏には、冷厳かつ憂いの感情が張り付いた特異なエートス（心性）があったのだ。

注1　『工藤哲巳展―反芸術の旗手：東京～パリ～青森』図録（五所川原市・オルテンシア・ふるさと交流センター・二〇〇三年）

注2　この図録には、工藤哲巳入門（島敦彦）、工藤哲巳の言葉、工藤哲巳の宇宙論（中井康之）、工藤哲巳の政治性（福元崇志）、箱があなたに贈られるとき――工藤哲巳の展開を探る　一九六二年、パリ（桝田倫広）、工藤哲巳と津軽（池田亨）などの論考、さらに略年譜、出品作品一覧、展覧会歴、文献、工藤哲巳制作ノート、工藤哲巳作品総目録1955―1988などが収められている。

ステラークのパフォーマンス

ステラークの写真と、パフォーマンス（ライブ）の展覧会（注）などがおこなわれている。この小論は、ライブの「第三の手」が行為される前にかかれているので、どちらかというと、サスペンション・パフォーマンスを主体としてかいていることを了解していただきたい。

一体、ステラークとは何者か。また、ステラークは、いまなぜ日本に住み、行為をするのか。ギリシャ生まれのステラーク。素人眼にはきわめてマゾスティックにみえるパフォーマンスを、世界各地で展開しているこの男性。とても不思議な存在である。

異質な宗教性も彷彿とさせる彼のパフォーマンスは、われわれが順化されているのとはちがった別な次元（ディメンション）の空間と身体論を提示しているとおもえる。

結論的にいうと、それは人間の身体を、一つの伝導体として知覚し、さらに外なるもう一つの宇宙的次元へのトリップを志向するイベント（出来事）であるといえよう。

それは、自然科学と芸術の統合をなさんとする果敢な実験となる。ただステラークにとっては、決して特異なもの（異常なもの）ではないようだ。

あえてこのパフォーマンスの全体性を形容するならば、テクノロジー時代における人間という内なる宇宙から、外なる別次元の空間への脱出実験と名づけていいであろう。

そう形容したくなる程、美術的フィールドを進展・拡大させているのである。

そのことは、ビデオアートが隆盛し、電子技術が自在に駆使されている状況に一つの異を唱えていることになる。このビデオアートは、つねに、ビデオカメラとブラウン管というフレームからのがれられていないし、あくまでつくられるのは、虚像としての再現イメージにすぎず、さらに、電子的技術が主役をしめ、人間は、メカニックに対して従属する位置におとしめられているではないか。

今日の危機とは、意識の深層や、細胞のすみずみまでにテクノロジーが支配し、君臨してきていることであろう。

さてそんなテクノロジー万能時代において、人間の身体を一つの媒体として、より直接的な場づくりにおいて発表しているのがステラークである。

彼のパフォーマンスは、これまで写真、雑誌やカタログだけで散見しているだけで、直接的にふれていない。生《なま》の体験からのべていないので、幾分すれちがう点もあるかもしれない。それを理解してほしい。

今回の札幌展の会場となった、〈LABORATORY〉には、七〇年代後半から現在までのパフォーマンスの写真とビデオ（日本でのものが多い）が展示されている。彼のパフォーマンスの特異な点は、みずからの肉体（身体）を表現体としてつねに駆使し、ひとつの実験の場をつくり出し、それ自身がアートの現場たらしめることにある。

それだけでは、身体パフォーマンスと同じとみられるかも知れないが、彼が特にすぐれているのは、テクノロジー時代の情報社会に生きるものとして、単にそこに意識の危機をみるのではなく、つまり反語的に人体に立ち戻ることにより、そこから人間性の回復と身体の伸展を再び見出そうとしている点である。

今までの身体パフォーマンスは、既成観念を打ちこわすダダ的な所作が歴史的には基盤になっており、それの影響をうけている場合が多いが、これはちがう。彼は、まさしく、宇宙時代の日常に異和をもたらす破壊力をもったパフォーマーである。

エスパー（異星人）にしては、あまりに野生的である。その野性的な風貌から、人はテクノロジーを操作する彼に違和感をもってみるかも知れない。

だがステラークの行為の目的は、きわめて明確である。ある脱出を企図しているのである。では一体どこへ、なんのための脱出か。

それは、最近の「The Third Hand」（第三の手）にみられるように、人間の知覚作用の拡張を求め、さらにテクノロジーとアートをみずからの人体で統合することにより、もう一つの別な価値と、さらに空間感覚をえるためである。

アートが、人体を通して展開してゆく。筋肉の電磁流、血の流れる音も、自然の木や海がかもし出す音と同じく、一つの象徴性の記号をもっている。人体に電気的にメスを入れることにより、みえない音、聞えない音もみえ、かつ聞えてくるのである。

ただし思弁的なステラークの文章をよんでいるとき、どうしても飛躍があるとおもえる。さらに、行為の全体性をつかみとり、順序正しく論理化してみるとき、やはり解釈できない部分があることも否定できない。「第三の手」が果たして人体とテクノロジーの新しい意味（関係）をつくり出すものかどうか。またなにより「OBSOLETE BODY」という表題が、「陳腐な身体」とか「衰退する肉体」と訳出されているが、その意味とパフォーマンスがみるものに深く理解されているかどうか、疑問がのこるのだ。

この疑問について、少し省察の糸をたれてみよう。

*

ステラークのラジカルなパフォーマンスは肉体を直接的に使っている。そのパフォーマンスはなにより私には、宗教的儀礼、特にキリスト教的世界におけるキリストの受苦の物語をおもいおこさせるのである。

現代は、受苦の思想は軽んじられ、あるいは過去のものと忘れ去られているといっていいだろう。

本来、日本では、絶対者という観念と、その絶対者と人間との間にはうめようにもうめられない溝があるという存在論がぬけおちているため、この受苦という思想は、やや実体化されないきらいがある。

私達は、〈キリストの受苦〉という主題を、芸術上の狭い視野でみてしまうきらいがあるのではないか。そしてまた、受苦とは、みずからの身体をも神へ供儀してゆくことによってこそ初めて深いところで味わい知ることができるものであることを理解はしても、認識のわくからはみ出してみずから体験はしないであろう。本来この受苦とは、身体的な苦痛、つまり痛覚が限りなく純化されたものであり、全体的なものへの合一(同一化)を希求するものである。

またある意味では、神秘主義とは、この受苦の思想を追体験する魂の運動といえなくもない。

私からみてステラークの提示するパフォーマンスは、キリスト教的儀礼のならわし(様式)の原点であるキリストの受難、つまり十字架上の身体的苦痛の極点において、罪のとりなしを行ったこの神秘的劇を模倣しているのではないか。いやむしろ模倣するというより、儀礼のシステムを場の聖化のために導入しているというべきであろうか。

*

彼のパフォーマンスは、ギャラリー空間や野外の海岸、さらに大都市の通りや郊外の田園地帯、廃虚になったビル内とか、あらゆる場でおこなわれるのであるが、共通しているのは、直接的にみずからの身体（決して肉体ではない――精神、神経運動もまじり合った総合体としての身体である）に苦痛を与えてこそ、はじめて成立することだ。

供儀ともいうべきパフォーマンスに用いられるのは、釣り鉤であり、それはみずからの身体を吊して支える装置となる。

その釣り鉤は、ステラークのいうところのつねにわれわれに負荷している一Gの重力にさからう反重力の方向を生み出す役割をになうのであるが、そうした役割よりもみるものにはもっと直接的に、キリストの十字架上におけるクギのように苦痛の証し、さらには生きた記号となって知覚されるのである。

釣り鉤は、鋭く肉体にくいこみ、一条の血をにじみ出させる。空間に吊された彼の肉体の重みを耐えて、皮膚はひっぱりあげられる。

儀礼が終了するまで、釣り鉤は、肉体といっしょになり、視るものに苦の知覚を味わいつくさせる。

そして、儀礼が終止符をうたれたとき、釣り鉤の傷跡は、きれいに消毒され封印される。ただ、しっかりと彼の身体には、この傷跡が記録される。

それは、儀礼的なパフォーマンスが、いまここでおこなわれたという事実の傷跡となるのである。皮膚にかけられた張力（釣り鉤と身体の間の張力）は、実は、ステラークの生きていることのあかしであり、傷跡は重力に反して浮遊し、スピンし空間そのものを滑走した時間の流れを記録することになる。裸というアダムのままの原形体。このことは、彼にとってとても重要な要素となる。裸であることによって、外界と直接に接触し、皮膚が、知覚体として全面に開花するからだ。

『OBSOLETE BODY / SUSPENSIONS / STELARC』JP.Publications の〈ステラークとのインタビュー〉（一九八四年・アメリカ）で、〈これは宗教的体験か〉の質問に対して、はっきりと「否、それは一種の芸術体験であり、宗教的体験ではない。事実、私は唯美主義者だ。私は、神の存在を信じていない」と答えている。どうもオリジナルネームを「Stelios Arcadiou」というこのキプロス生まれの美術家は、宗教性を廃し純粋に芸術的行為として規定しているらしい。

しかし見る者は、彼の行為の背後に、やはりある種の宗教的脈絡をかんじざるをえないだろう。なぜなら、通常の感覚と論理をこえて、みずからの身体を加虐するこの行為は、どんなに過小評価してみても、ヨガ行者の現代版であり、中世にみられた苦行僧の系譜に属するものだからだ。

一方でステラークの営為は、肉体への加虐によって瞑想をえるものではなく、内なる自然としての身体の電気的解剖を伴うのである。

現代のヨガ行者たるステラークは、苦痛の地平からさらに超越して、宇宙の空気（電気）を吸い、みずからの身体を〈もう一つの物体〉〈生物体〉として再認識することを試みる。

つまり人間の身体を、生理的に解体し、そこに流れる生きたエネルギーとしての電気流をつかみとり、他者とのコミュニケーションとして取り扱おうとしているのだ。

アートとテクノロジーとの結合という新しい錬金術が彼の至高の願いのようだ。

＊

肉体は衰退する。植物のように滅び、朽ちてゆく。神経、皮膚もまた、生の時間から死の時間への通路を歩むのである。ステラークは、その衰退と滅びの時間をみずからの身体を媒体としてつかみ返そうとしているようだ。

私からみて、ステラークの直接的パフォーマンスの背後には、やはり中世的な思弁レベルでの天界との交信といった迷信めいた観念が生きづいていると感じてしまうのだが……。

きびしいハードな吊り下げや、神経の深みにおいて体験する痛みの知覚は、どうみても近代以前の非科学的世界観に属しているからだ。

まさに痛覚の奈落で、ステラークは沈思し、ここではない別の時間と空間へと小旅行するのである。

その小旅行は、群集の前で公然とおこなわれるのであるが、ステラークの直接行為がおこなわれる数十分の間だけでステラークの痛覚の全体的意味をつかみとることはなかなか容易なことではない。

むしろ野外において、それも自然の場において展示されるとき、意味が強化される。なぜなら、彼のサスペンション・パフォーマンスは、自然そのもの、さらに、地球レベルから宇宙レベルへと志向するからである。とするなら、ステラークのこの行為から、われわれは、神秘的な瞑想を感受せねばならないのかもしれない。

どうも、日本のジャーナルでは、ステラークのパフォーマンスは、その特異な点からのみ注目され、多くの評者もそれに追随しているようにおもえてならない。

日本でのステラークの最初のパフォーマンスは、「気球と慧星と惑星のイベント」であった。これは富士山の裾野で、六mの気球にのり、つまり天界にのぼり、当時地球に接近してきたコホーテク慧星と二時間にわたり、自作の詩をよみ語り合うものだったという。ただしこれは、気候条件の悪化のため、実現はしなかったそうだが、この壮大なスケールと突飛なこの計画をなり立たしめているのは、ステラークの地球上で支配している一Gの重力からの脱出と、惑星という別な天体への憧憬であろうか。

彼は、二つのベクトルでみずからの行為を定義している。一つは、他の批評家も分類しているが、ミクロコスモスとしての身体への下降であり、他方は、マクロコスモスとしての宇宙（惑星・天体）や自然との交信である。現在は、この両方の統合をなさんとして、種々の試行をしているのだが、それはまさに終りのない生の統合への実験となる。

新しく初めた「第三の手」では、身体の中の電気流を増幅させ、さらに運動エネルギーに転成させるきわめてメカニックな仕組みをもちこんでいるのであるが、内なる自然（身体）に限定したとき、彼の試行は、やや平坦になりがちであるとおもえる。

裸形のままの身体（ミクロコスモス）と、裸形のままの自然（マクロコスモス）が、ぶつかり一体化するイベントとなったとき、新生の風景と意味がつくられるようだ。

たとえば、一九八一年の城ヶ島での「EVENT FOR WIND AND WAVES」は、水平線に対して身体を平行にして、木組みの下につるされたもの。ここでは、二〇分あまりの時間ではあったが、丁度、満ち潮時にあわせており、さらに荒れ模倣の天候により、水しぶきを浴びた。まさしく、自然の呼吸ともいうべき気候と海の変化を感受していた。

身体を開示させ、自然の只中で空気を吸う。自然のリズムと人間の内なるリズムが一体化するこのパフォーマンスは、とてもナチュラルである。

こうした自然の全容とみずからの皮膚とがふれあうことで、ステラーク自身の思弁も深まり、別な次元空間の体験をめざしているようだ。私にはそうおもえてならない。

「第三の手」は、はたして、われわれの人体の知覚作用を革新せしめるメタファをもつものであるか。はたして人工と人体の合体とは、単なる観念の遊戯ではないのか。自然へ投企され、開放された人体の呼吸とどこがちがうのか。

それは、彼のパフォーマンスを根源的に問うことでもあり、自然と人体と工学との関係を問うことになるとおもえてならない。だがはっきりしていることがある。だれもが足をふみ入れたことのない領域へふみ入れようとしていることはたしかだ。

＊　初誌『美術ノート』(№4・美術ノート出版局・一九八五年)

注１　「ステラーク展」はギャラリー・ラボラトリーで「ステラークによるシンポジウム」は札幌市教育文化会館で「パフォーマンス・第３の手」はＪＡＳＭＡＣビル(札幌)でおこなわれた。

ダダ展始末記

1．ダダ展のはじまり

一九八二年七月に、今はクローズしたギャラリー・ユリイカで、私は北海道では数少ないダダイスムを主題にした美術展を立ち上げた。ギャラリーオーナー鈴木葉子との協同企画だった。画廊開廊一周年を記念したもの。このあともこの画廊一〇周年記念の際にも同じテーマの企画展を行った。

一周年記念では、「SEVEN DADA'S BABY」展とした。一〇周年記念の際には「帰って来たダダっ子」展とした。つまり双方とも今の時代の中でダダイスムを再考することをめざした。

ここでは完全ということにならないかもしれないが、当時のことを思い出しながら、可能な限りこの二つのダダ展を立ち上げた経緯と、第一回の「SEVEN DADA'S BABY」展に絞って記録しておきたい。

まずいくつかの資料を提示したい。さらに最初のダダ展がいかなる展覧会となったたか、そしてこの展覧会がどんな反応を引き起こしたか跡づけておきたい。

最初に提示する資料は、私が起草した「SEVEN DADA'S BABY のための断片」だ。この断片は、企画者として出品を依頼した美術家に送付したメッセージである。

そのまま再録するが、一部においては訂正と補強を加えてある。

＊

「SEVEN DADA'S BABY のための断片」

一九一六年七月十四日、スイスのあるカフェで、パリ祭の記念すべき日に過激なかつ卑猥で、そしてナンセンスな「夜会」がもたれた。それから数ヵ月の間、アナーキズムにみたされた非合理の祝祭がつづけられた。そのゴッタ煮のカオスの中からダダは育っていった。

詩、音楽、演劇などがまじった哺乳ビンをのんで、気味悪い「ガルガンチュア」ができ上った。

ダダは、正体不明、国籍不明だ。時間空間をとびこえて永続する不死の運動だ。命名者もあきらかではない。ダダは私生児であった。未来派を兄貴にして、立体派を姉にもち、双方の近親相姦によって生みおとされた。

ケネス・クウツ＝スミスはこういう。「ダダという言葉が、いつどのように発見されたか。またその意味がなんであるか誰も知らないということが非常にダダ的なことである」という。

エミー・ヘニングス（フーゴー・バルの妻）は、キャバレーの歌手の名前をさがした時、偶然辞典にみつけたものといい、リヒターは、ルーマニア語で否定を意味する「ダダ」に由来するといい、ガブリエル・ビュッフェ（ピカビアの妻）は、定義不可能とあきらめつつ、ダダは生命の自然発生的な生物であり、それはどんな土壌にも育つことのできる大脳のマッシュルームのようなものだと自己流に「定義」してしまった。

ダダの初々しい花嫁は、「ブルトン法王」によって略奪された。シュルレアリスムはダダの血を吸ってフランス風にアレンジしそれを肉とした。ブルトンは〈ブル頓〉、つまり〈頓馬なブルドック〉であり、権威を振りかざし除名に拘った偏執症の患者。実は少心者の〈ぶるぶるふるえる番犬〉なのだ。

ダダのアナーキズムの熱い反逆、つまり〈表現の勃起〉を「意識、心の状態」に歪曲してしまった。

私たちは、今こそダダの初原に復帰せねばならない。そしてなにものをも生み出さないという〈反抗の勃起〉をつくり出さねばならない。シュルレアリスムからダダへのとんぼ返りを促し、根源的な否定精神を人工呼吸により蘇生させねばならない。いまこそエロスと神秘主義の幻想供宴の悪酔いから早くさめて、現実の破壊へむけて、〈ダダ、ダダ〉のかけ声で〈はげしい猛攻〉を仕掛けようではないか。

創始者フーゴー・バルの「宣言」(文)は不滅であり先見性にみちている。こんな風にアジテーションした。

「われわれがダダと呼んでいるのは、虚無から生まれる阿呆な仕種、たとえば見せかけの道徳心や充足感とかの処刑だし、〈処刑〉にはただ鋭くみがかれたメスがあればいい。ダダの行為は大衆のブタの頭脳ほどの〈阿呆な仕種〉であってはならない。徹底して〈虚無〉から、爆発する知力をひき出しそれに点火し、その〈虚無〉を粉砕してゆくだけの機関車のように暴力性を疾走させねばならない」。

そうだ、こう考えるべきだ。ダダの美学は、どうみても政治情況の変革の武器とはならないと。ただダダの美学、仮にそれがあるとすれば、それは無用の長物でありつづけることで存在理由がある。

どんな状況においても、社会が賛美する価値に寄り添おうとする、それへの誘惑をきっぱりと拒絶せねばなるまい。なぜならダダの発射は限りなく連続する非合理の破壊という瞬間にこそあるからだ。ダダイストを自任する者は、〈破壊〉の使命を忘れて、シュルレアリスムがおちいったフロイト主義とマルクス主義へのプロポーズといった間違った道を歩んではいけないのだ。

こういいたい。機能マヒした知性脳の治療は、心理学者の好事家にまかせればいい。それよりもまずダダ本来の使命、醜悪な現実の唾棄を行わねばならない。似非（エセ）の悲観主義と油まみれの楽天的享楽主義との癒着を早急に排除しなければならない。どうしてもその作業に着手するまでにすべきことがある。つまりまず自らの内部で眠っている「精神の獣性」の覚醒である。

*

私は、培った「精神の獣性」、その覚醒を目指した。また表現者にも、それを求めた。それを意識して書いたものがある。それが次に記す「開催に向けての〈私信〉」である。

「ダダの展覧会を行うこと自体が、ひとつの冒険であるといえようか。

北海道での唯一の先駆は、「無理性批判株式会社」が主宰した「今日の正常位展」のみである。オルガナイザーの菊地日出夫が仕掛けたこの展覧会は、一九六〇年代において隆盛したダダの再生を目指した「ネオ・ダダ」の運動につらなるものであった。ただそれは、単発な運動として消えてしまった。

菊地日出夫の作品は、貨幣価値信仰を茶化しながらならべられた。その作品は、国家権力の怒りにふれスキャンダラスなダダ騒動をつくり出した。がこの運動は新しい芽を出さなかった。

ただしダダが権力・国家・道徳性にうら打ちされた体制への、あるいはその象徴としての概念への〈うちこわし〉運動であるとするならば、菊地日出夫の作品は、見事にその役割を担ったといえようか？

ダダの塔はつくりつつ、砕くものではなくてはならない。とするならば、ある観念をベースにして固定化することこそが一番危険なことになる。

今回の「SEVEN DADA'S BABY」は、表現者がいかにみずからの表現をつくりあげるか、その回路にダダの志向をもちこみ、私性と社会性の結合をめざし、むしろその位置からバラ色に染まったブルジョワ価値体系が見せつける幻想を撃つだけのインパクトを獲得することをめざすものである。

いまこそアナーキーな無意味な騒音を、そしてばかげた道化の劇を見せようでないか。そして世界の心臓をぶち破るだけのショット・ガンを打ち込もうではないか。

そのために、まずみずからの私性を〈マナ板〉にのせてもらわねばならない。

ぜひとも気持ちの悪い、ぞっとする正体不明の〈だだっ子〉に変装し、その変装姿を白昼の世界におくり出していただきたい。

これが、熱き期待であり、もう一人の〈だだっ子〉としての私のメッセージである」。

＊

「私信」のため、やや表現が説明不足のところがあった。そこだけ直している。さらに文の最後に「ぜひとも気持ちの悪い、ぞっとする正体不明の〈だだっ子〉に変装してほしい」と呼びかけた。

このアジテーションに応じてくれたのは七人のダダっ子達だった。札幌だけでなく、旭川、小樽、東京からも出品してくれた。阿部典英、山内孝夫、藤原瞬、荒井善則、藤木正則、一原有徳、重吉克隆。

本来だとこの「ダダ展始末記」には、七人のそれぞれの作品行為についても言及すべきであるが、それは別な機会に回したい。

ただ最後に、一原有徳の「絵馬」作品と藤木正則の「行為」について触れてある。とはいえこのダダ展がどんな風に評されたか、その一端を紹介しておきたい。少しでも展覧会全体と個々の出品作をイメージしてもらえばいい。

展覧会批評が「読売新聞」(一九八二年七月二二日・道内版)に載った。筆者は〈佐〉とある。全体のタイトルは「破壊的前衛精神問い直す」となっていた。

＊

ギャラリー・ユリイカの開廊一周年を記念して開かれた企画展。企画者は柴橋伴夫氏と当ギャラリーの鈴木葉子氏。

パンフレットに寄せた柴橋氏の言葉によると、第一次大戦中にチューリヒで烽火をあげたダダイスムの破壊的な前衛精神を札幌に呼び起こし、北海道の現代美術の姿勢をいま一度問い直そうという趣旨で開催されたものと言えるだろう。

出品作家は札幌、旭川、小樽、東京から阿部典英、山内孝夫、藤原瞬、荒井善則、藤木正則、一原有徳、重吉克隆の七人が参加している。この作家たちは、〝ダダの子供達〟と名づけられているが、これはダダイストの末裔(まつえい)にこの七人をみたてようという試みであるのだろう。しかしこの末裔たちは、戦後のネオ・

ダダやヌーヴォー・レアリスム、あるいは日本で六〇年代に起こった反芸術などの熱い機運から直接の源泉を得ていることを忘れてはならないだろう。それだけダダイスムの遺産は広汎《こうはん》なのである。

反芸術的試みの中で最も顕著な活動といえば、ハプニングやパフォーマンスなどの行為としての芸術、あるいは廃品利用によるアサンブラージュなどの手法であろう。この七人の作家では、藤木正則や藤原瞬などが前者の傾向、一原有徳や山内孝夫などが後者の傾向を示すものといえよう。

藤木正則は旭川や札幌で、パフォーマンスを会期中毎日繰り返している。その中では旭川に駐屯する自衛隊第二師団正門前に正座するパフォーマンスなどが興味をひく。

また藤原瞬は五十枚ほどのベニヤ板を手で引き裂き、それを壁一面にピンで貼《は》りめぐらすことによってその行為を定着させている。

山内孝夫は、足場づくりに使用されたバンセンを山積みにした作品を出品しており、また、一原有徳はタイヤ、空き缶、機械の部品などを絵馬と結びつけた作品を出品。この展覧会の中では一番、六〇年代を思わせる作品になっていよう。

いずれにせよダダイスムという〝精神の獣性〟がどのように作家の中で屈折しているのか、そこがみどころといえるだろう。二十五日まで。

＊

もう一つの新聞記事がある。「北海タイムス」(一九八二年七月一九日朝刊)。「クマの目」という小コラムである。写真には、藤木正則の「ホワイトライン」が添えられていた。「真夏の真昼の出来事」と文がしめられており、ややオモシロオカシク紹介されていた。残念ながら肝心のこの前衛アートの本質には触れていなかった。

▽…十八日午後、歩行者天国でにぎわう札幌・三越前のスクランブル交差点で、横断歩道の線を石灰粉を撒き散らし消す若い男性が出現、道行く市民を驚かせた。人通りが多く、この日は風が強く石灰が飛び散ったため「歩行者に迷惑がかかる」と近くの商店街の人が警察に通報、駆けつけた警察官にお灸をすえられた。

▽…この男性は旭川に住む造形美術家の藤木正則さん(三〇)。この行為は「ホワイトライン」というもので、藤木さんの話では「線を消すことによって、横断歩道を渡らなければならないという既成概念とは違ったイメージを作り出す」、要するに社会通念をかくらんするのがねらいだったよう。しかし、おもしろそうに見ている人がいた一方で、風に舞う石灰に逃げまわる人もおり、近くの四番街商店街の人は「とんでもないことだ」とかんかん。

▽…結局、商店街のクレームで三十分ほどで中止。さらに通報で駆けつけた中央署員に署まで連れて行かれ厳重注意を受け、藤木さんもシュン。現場では藤木さんの仲間や商店街の人が石灰を洗い流すのに大わらわ。果たしてこの行為、見物人のイメージをかくらんできたのか、それとも単なる近所迷惑にすぎなかったのか。真夏の真昼の出来事…。

*

少し補足する。〈商店街のクレーム〉で終わったのではない。当初から三〇分で終わる予定だった。〈藤木さんもシュン〉も間違い。平然としていたし、たじろいではいなかった。ある程度予測をしていたと思われる。

中央署ではかなりの時間をかけて調書を取られた。その調書には、藤木の経歴や美術家としてこれまで行ってきた「行為」についての説明や、この「ホワイトライン」が何をめざしてのものか記録されているようだ。この調書は、藤木のこれまでの「行為」を記したアートドキュメントとなっているはずだ。それを見たい気もある。

記事では、〈現場では藤木さんの仲間〉がまかれた〈石灰を洗い流すのに大わらわ〉とあるが、その中に私もいた。石灰をはくだけではだめなので、北海道銀行のトイレにいき、バケツに水をいれて運んで、雑巾で路面をふいた。何度かそれを反復した。

私は、この「行為」の最中は、「行為」を記録するために写真撮影していた。全体を記録するため、札幌パルコの最上階にあったカフェに入り、写真を数枚撮った。そこには、「ホワイトライン」が消去され、白い石灰が主役となっていた。なかなかシュールな絵となっていた。それが貴重な「証言者」となっている。

清掃が終了し、中央署に行った。署員から「この件はあす署長と相談し起訴するかどうか判断します」といわれた。この後、鈴木葉子と私と藤木は、遅い昼食「天丼」を食べた。

その後「現場」に行った。放水車が出動し、彼の「行為」の痕跡はきれいに消されていた。結果的に道路交通法違反で起訴されることはなかった。

たしかに真夏の真昼の出来事だったが、法に抵触するあぶない「行為」であった。いまでも北海道のアート史、その一ページを飾る出来事であった。いや日本の現代美術においても「記録」されるべきであろう。

最後の資料として提示するのが「SEVEN DADA'S BABY について」（『美術ペン』）。私の文である。ここに収録した文の内容と重複する部分があるがご理解ねがいたい。この文の脇には、工藤哲巳「あなたの肖像」（部分）を添えた。

いま流行ともなっていることばをかりるならば、〈今なぜ、ダダなのか〉ということになるのかもしれない。ダダはすでに死んでしまった。その遺児はいないし、いまさらダダなぞ叫ぶのは、過去への郷愁以外のなにものでもないといわれるのがオチかもしれない。

＊

しかし、という接続詞をはさまねばならない。近代美術と現代美術の境界線、別ないい方をすれば近代と現代の時代区分の地点に、二度にわたる世界大戦があり、旧い秩序のシンボルとしてのカトリックへの反発と、戦争という最大級の自由を抑圧する制度への抵抗、憎悪がうずまいているはずである。つまり現代の入り口には、精神の自由を束縛するものに抵抗する過激なそしてスキャンダラスなあそびと実験があった。そのひとつが第一次世界大戦中におこったダダであった。

ダダが死んだという同様な意味あいで、前衛の消滅がいわれる。そもそも前衛芸術という概念と運動について、いまことさら云々するつもりはない。しかし、はっきりいえることは、ダダは、つねに対社会、対政治という回路をもちつづけ、ナンセンスな行為や卑猥な言動において、社会への戦闘状態を人工的につくり出そうとした知の冒険であったことを。

時代と政治への反逆を〝非合理の祝祭〟を演じることによりおこなおうとした。概念の破壊と合理への憎悪をめざそうというものは、〈ダダの私生児〉なのである。

一九一六年七月十四日、ナンセンスな夜会がもたれた。ゴッタ煮のカオスの中からダダは育っていった。詩、音楽、演劇などがまじり合った哺乳ビンをのんで、気味悪いガルガンチュアができ上った。

さて、今北海道の地でダダの再生儀式をおこなおうとしているわけだが、そのねらいは、現代美術の衰退を新しい輸血によりストップさせ、活性化の回路を非合理の祝祭を通して実現せしめることである。

その回路には、自然との関係をもう一度つかみ返そうとする立場があり、人間の身体の再検討を通じて、白紙還元しようとする立場もある。一九六〇年代からいわれているコンセプチュアルな方向や、人間と物質との関係論の方向、アースワークの登場。それらは具体的流れの一つである。多様化とジャンルの解体というい方がされるように、それ自体としては、たしかに多面な顔をもってはいるが、その顔は、もしみたとすれば怪物であろう。それは、かってある評論家がいわれた如くに、〈中心の喪失〉の情況である。いやそれを超えてしまい、中心軸そのものが何か不明となっている。まさに混沌の渦。なんでもあり、全てが自由な状況だ。では、いかにもう一度軸をつくり出すか、そのためには、現代美術の起点に立ち戻り、そこでダダに先祖返りをしてゆく必要があるはずである。

ダダへの先祖返りが、誤解を生じる表現であれば、ダダ的志向、ダダの根源への回帰と呼んでもさしつかえない。だからといって、むろん造形志向の実験や可能性を否定するつもりはないが、なぜ表現をするのか、なぜ行為をするのか、鋭く自分にその問いを発することは決して無駄ではないはずである。そこでは当然にも、自我装置がもんだいになる。みずからの自我を映し出してみる鏡、そこには対社会、対政治へのいらだちや、反発がどのようにその自我そのものに関わるのか明白になる。

私が「SEVEN DADA'S BABY」展を企画したのは、ひとえにダダの再生、蘇生を願ってである。札幌の地においてその先駆をさがしたところ「今日の正常位展」(一九六四年)があった。オルガナイザーは、菊地日出夫(その後活動停止。飲食業の某チェーン店経営者)であった。この性的なことを含んだ「正常位」という倒立したネーミングもおもしろい。それを主宰したのは「無理性芸術株式会社」というナンセンスな団体。今回の私の企画に出品しているのは、八人の内の一人だけ。それが、のちに紹介する一原有徳である。

この「今日の正常位展」は、本来、〈ネオ・ダダ〉の系譜に属するものであろうが、単発で終っているのが悔やまれる。

ただ私は、そこに一つのダダの種子がまかれていたことに意義があるとおもう。それは、自由な精神が生きづいており、見事なまでにスキャンダラスな部分があったからだ。菊地日出夫の作品は、百円札をコラージュしたものを壁におき、床にしきつめてあった小銭を踏みしめてみるという鑑賞者も参加させるものであった。

作品を鑑賞するためには、通貨をふみしめる、いわば冒涜の行為を強いられてしまう。この指示は巧妙である。この作品は、刑法上の罪にあてはまるとの理由で、警察沙汰になり新聞をにぎわしたという。十分にダダの使命を果たしていた。

精神が抑圧される時、おとなしく沈黙を決め込むか、それに怒りたち上るかである。創始者フーゴー・バルの次のことばは、ダダ宣言の中でももっとも刺激的であり先見性にみちている。再び思い出してみる。

「われわれがダダと呼んでいるのは、虚無から生まれる阿呆な仕種、たとえば見せかけの道徳心や充足感とかの処刑だし、処刑には、ただ鋭くみがかれたメスがあればいい」

ダダの行為は、ニセ物のペシニズムや無能な、いや破壊を忘れた享楽主義とはきっぱり手を切らねばならない。今こそ精神の〃獣性〃を再発見しなければならない。

新しい〈ダダの子供達〉に選ばれたのは、次の七人である。一原有徳、荒井善則、藤木正則、山内孝夫、阿部典英、藤原瞬、重吉克隆の〈異常児達〉。

柴橋伴夫（詩人・美術評論家）　展覧会「SEVEN DADA'S BABY」　七月一三日―八月一日　ギャラリー・ユリイカ（札幌市）

2．ベトナムの胎児たち

私は「SEVEN DADA'S BABY」展の企画者として、出品者の了解をえることなく、自分にとっての「赤ん坊」を提示することを考えた。それなりに戦略を練ってみた。思念の果てに本展のテーマに基づきながら、可能な限り悪意にみちたメッセージを贈ろうとした。

それで〈まねきネコ〉ならぬ〈まねきベービー〉を鑑賞者にプレゼントすることにした。

ときあたかも一九八〇年代に入り、燎原の火のごとく世界各地で局地紛争が続発した。まさに世界は〈傷だらけのリンゴ〉と化していた。イズム・体制の対立を導因とする紛争は、さらに複層化した情況をみせた。当時、ポーランドやアフガニスタンにおける紛争が尾を曳いていた。それはこれまでの図式では測定できない危険なフェイズをはらんでいた。非同盟や第三世界の国が核保有を宣言した。あたかも核を持たない国は先進的な一等国でないかのように競い合い始めた。核拡散の悪夢が一気に現実化した。

やや時代を逆行したような紛争もおこった。晴天の霹靂だった。それはフォークランド諸島の領有をめぐる英国とアルゼンチン間の紛争。この紛争は、まだ私達に十七世紀や一八世紀の世界に住む者であるかのような錯誤をひきおこした。この紛争は、結果として英国という、皇太子殿下の結婚話によってしかドル稼ぎができない〈老いたライオン〉に手厳しい打撃を与えた。

一方の中近東ではイラン・イラク戦という、アラブ民族間の紛争がおこった。さらに三千年の遺恨が絡んだパレスチナ問題があった、ユダヤ人(イスラエル)とパレスチナ人との間にジェノサイドに等しいような爆撃を日々繰り返した。

互いの人民の血が流れるのを世界は黙認した。それどころか米ソの国家エゴイズムは、軍事産業の支援をうけつつ、局地紛争を「限定核戦争」の〈実験場〉にすることを目論んだ。世界の処々で混乱の渦が逆巻いた。

一番危機的なこと、それは核による人間存在の危機がより現実化してきているにもかかわらず、大衆は日々の小さな幸福に溺れてしまい、世界に対するしなやかな想像力を打ち捨ててしまっていることだ。

私は、突発的に一枚のフランシスコ・デ・ゴヤの絵を想起した。ゴヤの時代、それは国際的紛争の性格を帯びたナポレオン戦争の最中であった。

ドス暗い血の澱んだスペイン王家。その王家の無能ぶりをみつめるゴヤ。宮廷画家という地位にいたが、ゴヤには木偶人形のように黙することしかできなかった。

そのゴヤが描いた絵。そこには生まれてきたばかりの赤ん坊をむさぼり喰う〈サチュルヌス〉が描かれていた。この不条理きわまりない悲劇。ゴヤは、時空を超えて現代人の肖像を描いたのではないか。ゴヤは、この〈サチュルヌス〉にスペイン王家の醜悪さと同時に、人間そのものがもつ悪魔性を負託させたにちがいない。これはゴヤの幻視ではなかった。まさにゴヤの足許で起っている悪臭を放つような事実をふまえている。

私がこのゴヤの〈サチュルヌス〉を想起したのは、この同じ情況（情景）が現代に住む私の足元で生起しているからだ。では〈サチュルヌス〉とはいかなる象徴を宿しているのか。赤ん坊とは誰のことか。いうまでもなく〈サチュルヌス〉は国家であり、赤ん坊とはわれわれのことだ。戦争・紛争・ジェノサイド、そして飢餓により亡くなった子供たちのことだ。

なによりも私にとっては、一九六〇年から七〇年代にかけてベトナム戦争下で亡くなった赤ん坊のことであった。

ベトナム戦争時、ゲリラ戦を展開するベトコンを一掃するためアメリカ軍は、非情の最新兵器を作った。枯れ葉作戦はおびただしい異形の胎児を生んだ。

この枯れ葉作戦は、「オペレーション・ランチハンド」といった。のちに地獄の作戦ともいわれた。一九六一年から七一年までの一〇年間の長きにわたって続けられた。

この地獄の作戦の弾頭となったのは、除草剤〈エージェント・オレンジ〉という薬剤だった。この薬剤は、極めて毒性が強かった。空から散布されたこの薬剤は、森の木を殺した。地下水にもしみこんでいった。その水をのむ人々の身体を侵していった。妊娠した母親の体にも入りこんだ。水は〈死の水〉となった。

生まれた赤ん坊に深刻な被害を与えた。先天性奇病の中でも、無脳症児を多く生んだ。万が一つに、無脳症にならなくても生命活動をつづけることが不可能な程、五体は毒性にむしばまれた。日本でいうところのサリドマイド症（極度に手が小さいためアザラシ肢症ともいわれた）を呈したり、全盲となったりした。

ここに一つのレポートがある。写真雑誌『SHAGAKU』（VOL.3 No8. 一九八二年）にのせられた中村梧郎のルポルタージュ。それは、ベトナム戦争は決して過去の出来事ではなく、まだつづいている戦争であることを告知している。

この「アメリカ軍による生物・化学兵器ベトナム散布実験の報告―〈悪魔の飽食〉の結末」は、ショッキングなレポートだ。一部を転載する。

＊

「南京錠がバチンと外される。白塗りのルーバードアが静かに開く。暗く小さな部屋に踏みこむと、強烈なホルマリンの匂いが鼻をついた。ホーチミン市のツウゾウ産科病院の階下の標本室には二〇体ほどの医学標本が整理されていた。ホルマリン液を満たした大ガラス容器が棚ごとに並んでいる。容器の中の嬰児の死体はすべて先天性奇型を示していた。頭部で融合した二重体児。無脳症。裂唇が耳まで達した女児。顔の中央に目がひとつだけ開いている単眼症の男児。……」

これらの言葉による描写（記述）が、冷厳な事実を宿した映像写真と結合したとき、私の恐怖はさらに増大した。悪夢とおもいたかった。私のまなこにこびりついたものを、その残像を消しさろうと努めた。ただ無駄な試みだった。時間が立てば立つほど写真の映像は私に迫り、私を押しつぶそうとした。

ベトナム戦争が激化する頃、私はささやかではあるが反戦の声をあげていた。何度かデモにも参加し、「ベトナム戦争反対！」「アメリカはベトナムから出て行け！」と路上で叫んでいた。日本には「ベトナムに平和を！市民連合」（いわゆる「べ平連」という組織）も結成されていた。多くの言論人も声をあげていた。

当時のことをいま思い出してみる。それぞれがそれぞれの場において、主体的に内心に従って声をあげること。それが一人の人間としてとても大切なことであると考えていた。情況に自己投企をしてアンガージュ（社会参加）すること。社会の現実をみつめてその変革を志向し、身を賭して行動すること。そうすることで平和をつくり出すことができると信じていた。

ただこの写真に記録された子供たちの悲惨な姿をみて、私は無力感におそわれた。戦争というものが、憎いとおもった。と同時に人間という存在は、ゴヤが描いたあの化物のようなサチュルヌス以上に醜悪だとおもった。

助走が長すぎたかもしれない。ただ本題に入る前にベトナム戦争の実相を語ってきたのは、ひとえに私がこのダダ展で企画者として思案しながら制作した作品をのべるためである。

私は、直視できない程のファクト、それを作品に織り込んだ。現代のサチュルヌスの実相を表象せんとした。

私は作品のタイトルを「BABY why don't you cry」とした。

この世に生をうけても、人として生きることを奪われてしまった子供たち。叫びさえ奪われ、あまりの醜さのため殺され、あるいは放棄されたであろう子共たち。いやそれでもわが児として母はいだき、泣いたであろう。でもその涙をその子供は感じることはできなかった。その胎児たちは、泣くにも泣くことができないで、ホルマリン液がつまったガラス容器の中で密封されていった。

私のこの作品は、この世界の闇を弔うレクイエム（鎮魂歌）ではない。その声は、彼らには届くことはないからだ。

このあまりに残虐な現実。これをベトナムという限定した場でおこったとみることは容易だ。ただそうしてしまうと、特殊な情況での異常な出来事として済ましてしまう危険が生じてくる。声も耳も眼も奪われ、密閉された空間の中に幽閉されているのは、実は私達ではないのか。それは私達の意識や行動は国家（権力装置）により、管理されている情況について想いめぐらしてみればすぐに分ることだ。

私は「cry」できないことの事実の重みを負託した。「cry」とは、全身による存在をかけた行為であり、明晰な意識的行為でもある。ただ私達は、では「cry」することを奪ったのは誰か、と問いかけられたらどうするであろうか。権力の影におびえ、何もできず、黙するか、その問いから逃げてしまわないだろうか。

こんなことに想いをめぐらしている中、私はあることに気づいた。ゴヤの〈サチュルヌス〉が身の毛もよだつ姿で子喰いする情況を描くことで、その中に時代の闇を、人間そのものが内にもっている獣性をあざやかにみせつけてくれたように、この胎児達は、われわれに向かって無言という一番重いコトバを投げかけているのではないかと……。

そこで私は、「cry」をどう造形するか思案した。

3．「cry」の造形

私は素材をあつめた。ベビーバス一個、ディズニーのマンガが付いたオルゴール〈ぜんまい仕掛け〉、ミラーガラス二枚、キューピー一体。そして〈焼かれた大地〉としてのオガクズ。

それらを構成した。初めはギャラリー・ユリイカの空間の入口に置くことをプランしたが、どうにも狭いので止めた。三階に通じる階段の横にした。

まずオガクズをベビーバスにつめた。ミラーガラス二枚を、そのバスにななめにつきさした。ベビーバスの上にキューピーを天井から逆さにして吊した。そのキューピーには、白い包帯を巻いた。鏡には、吊されたキューピーが映った。こうして枯れ葉作戦により灼かれた大地のイメージとしてのオガクズの上に、ギャラリーの外にあったプラタナスの葉を枯れ葉として見立てて置いた。

最後に、先の記述にあった胎児の標本写真を切りとって、四個のフィルム筒に入れてオガクズの中に埋めた。時々、オルゴールのぜんまいを巻き、そして音を流した。たしか「トロイメライ」だと記憶している。これだけをセットしてみて何か不足感があった。ベービーのために何が必要か考えてみた。ギャラリーの外へ出て少し歩いた。するとちょうどギャラリーの隣が家具屋で、その店の脇に壊れたベッドをみつけた。さっそく店と相談して使用させてもらった。廃れたベッドだったが情景化には有効だった。

余談を一つ。実はこのキューピーもベビーバスも私の子供が誕生した時に私の教え子たちがプレゼントしてくれたものだった。子供にはことわりもなく使わせてもらった。この作品の情景は、一枚の写真の中にしっかりと記録されている。

事後談を一つ追加しておきたい。このあと私は一つの詩に、ベトナムの子供たちのことを詠った。ここで紹介しておきたい。

*

「MEMENTO MORI」（メメント・モリ）

水あふるる森の匂い
ベトナムの子らよ
死の河を越境せよ

夢からさえも裏切られ
ざわめく死の種子に怯え
鉛の海に立つ
無垢なる子らよ
なぜ泣かないのか
なぜ泣けないのか

吊るされたヒロシマの子
いや　世界という記憶のトポスで
いまもどこかで
柘榴のごときやわらかい心臓は
砕けている

嗚呼、死の河は、わたしの血管を流れている
死を想え、

少しこの詩を書いた内景をのべておきたい。「MEMENTO MORI」（メメント・モリ）とは、ラテン語で「死を想え」の意である。

この詩は、二つのことに触発されて書いた。一つは、いまのべてきた〈死の種子に怯え〉た「ベトナムの子ら」に対する鎮魂の想いからだ。彼らの身体に刻みこまれた死の記憶、つまり「赤い記憶」を少しでも鎮めてあげたかった。

他方は、オーストリアのザルツブルクでみたある映像が絡んでいる。大聖堂（カテドラル）の扉にヒロシマへのレクイエムが描かれていた。モーツアルトの生地ザルツブルクで、ヒロシマの原爆を主題にした作品を

見るとは思っていなかったのですごく驚いた。

と同時にこんな離れたところでヒロシマの悲劇に想いをはせていることに強く感動した。レリーフ彫刻だったが、そこには子供達が天に引き揚げられるような図像が描かれていた。それはヒロシマの原爆投下で亡くなった子供達であったようだ。彫刻家の名前は、分からなかった。

血が流れている〈柘榴のごときやわらかい心臓〉を持った子供達。それが無残にも砕けている。ではいまできることは何か、詩の中で思考した。そこから啓示されたものがある。〈無垢なる子ら〉の聲にならない聲、〈柘榴のごときやわらかい心臓〉の鼓動、泣きたくとも泣けない痛烈な想い、それらに心を寄せることではないか、と。

ベトナムの河、ヒロシマの空、それだけはない。世界中の片隅では、そうした聲が怒濤のごとくなり響いているのだ。ただ鎮魂の儀礼、それを行う前にすることがある。なにより忘れてならないことがある。まず私の血管には、無数の死の河が流れていることを。そしてその水音に耳を澄ますことが大事だ。どうして、それが大事なのか。死の河の音には、無数の無垢なる子供達の泣きたくても、泣けない沈黙の叫びが籠っているからだ。

4．ダダ熱へ

視点をかえてみたい。展覧会の名前にもなっているダダイスムにこだわってみたい。ダダイスムを、ひとつの時代の肖像としてみておきたい。

ダダイスムの原基的な役割(使命)を担っていた未来派は、実験のはてに、ムッソリーニのファシズムに接近してしまった。この運動を最初牽引したマリネッティは、公然と芸術を政治の奴隷となる道に歩んでいった。なぜそういう方向へ流れていってしまったのか。未来派は、美学的価値とファシズムが推しすすめたダイナミズムとを混合させていったからだ。

国家、政府という存在は、本質的に悪臭を放つ〈巨大なヤヌス〉なのだ。それを忘れたとき、必ずといっていい程、芸術はこのヤヌスに喰いつぶされてゆくことになるのだ。

この運動は、いつも時代の中で、私生児のようにみられた。シュルレアリスムからは、ダダイスムの非生産性がやり玉にあがった。

シュルレアリスムの法王たる詩人アンドレ・ブルトンはこう批難した。「ダダは無に対して身を捧げており、愛も仕事もない」「ダダは単に、直視を認識し、先天的解釈を批難する」と。だがはたしてダダは愛の行為であるべきなのであろうか。では一体、ダダはどんな仕事をすべきなのであろうか。いわゆる仕事はする必要ない。むしろすべきではない。国家や政府にヘコヘコして尻尾を振る必要などないのだから、愛と仕事とは完全に無縁でいいのだ。何度も宣言するが、ダダの本質とは、あらゆる価値への反逆であり、その狼煙をもやしつづけなければならないのだ。終わりなき旅、永久運動としての「異議申し立て」なのだから……。

シュルレアリスム運動全体を俯瞰して、その実像を時代情況の中に透視してみるとき、私はある事に気づくのだ。シュルレアリスムは、無意識の解放をたしかになしていった。そのことは否定しないし、それ自体、大きな革新的なことだった。より絵画や映画などの映像世界で重宝されていった。ひとまずこうもいえるだろう。社会的存在としての人間の意識の変革には根源的な作用をおよぼさなかった、と。

私がダダに積極的意味を見出そうとしているのには大きな訳がある。ダダもシュルレアリスム運動も、第一次世界大戦前後で生まれた。第二次世界大戦後は、この二つの運動は、世界の多様化の中で誕生してきたさまざまな美のイズム（派・動き）の中に埋没していった。たしかにそうみえる。たとえばジャンクアート、ランドアートあり、コンセプチュアルアートありだ。イズムの氾濫は、さらに一九八〇年代に入り新しい保守主義ともいわれるニュー・ペインティングが勢力を増していった。

戦前でもなく戦後でもない、ただの戦無派。この世代はひとえに目先の幸福や享楽第一主義に傾斜することで政治のヤヌス性やサチュルヌス性を見抜く力を喪失していった。次第に非政治人間となり、芸術表現がきわめて個人的（私的）行為へと堕していった。

つまり歴史的存在として主体的に立つことを忘れ去ってしまった。そのため戦争の非人道性や人権の圧死、さらに国家の悪を問うことを忘れ、ある種の甘い幻景へと自らを追いやった。

表現の域が狭くなり、同時に極私化するとき、より必然的にナルシズム度を増していった。自己意識を、国・政府・体制からはずすことに慣れていった。安住することに慣れていくこと程、おそろしいものはない。虚的なバラ色は美しくみえる。甘美な聲は幻惑させる。さらにおそろしいのは、見えない力によりそれに馴化されていることにほとんど気づかないことだ。いや、これは自己保身という名の意識的忘却でもあるのだが…。

主体的自由は、死んでいった。主体的自由がないところでは、「なぜ表現するのか」「何を表現すべきなのか」という根源的な問いは生まれてこなくなった。間違いなく「なぜ何を表現するか」の問いは、つねに「自分とは何か」「現代とはいかなる時代なのか」という問いによって支えられているからだ。

真に「私とは何か」「世界とは何か」と問いつつ変容する表象世界と真正面から対峙するとき、表現はおのずと根源性を帯びてくるのだ。つまり実存そのものを省察することが大事だ。世界の表象、その被膜をひとたび剥がしてみるとき、カオスの中に醜いマグマをみるはずだ。心を抑圧し、あやまった欲望へ駆り立てる虚的な装置に気づくのだ。その悪と抑圧のシステムの中に自画像を発見すること。それこそが、いま大切なことなのではないか。

歪んでしまった自分の顔を歪んだまま映す鏡。それが必要なのだ。そこにサチュルヌスの実相を凝視した者は、ためらわずに安泰な日々から脱し、声を発するべきなのだ。いらだつ身体、痙攣する身体をとり戻すべきなのだ。そして欲望のシステムを、その装置を打ち壊す爆薬を仕掛けるべきなのだ。

ダダの行為やその価値を検証してみるとき、その無駄な集積の中に、冷厳ともいえる自己省察があることに気づく。その意味でダダイストはなかなかの戦略家なのだ。「異議申し立て」の行為の中に、しっかりとした世界の透視があり、どんなに暴力的でありデタラメにみえても、そこには未来をみつめる危機意識が反映してもいるのだ。

私は「SEVEN DADA'S BABY」展に出品した「BABY why don't you cry」において、ベトナムの胎児へのレクイエムと同時に、みずからの時代にうごめく〈闇〉、つまり〈現代のサチュルヌス〉を潜ませたかったのだ。

5. 一原有徳の試み

別な観点から、この展覧会において、ダダの使徒の一人となった一原有徳の作品について紹介する。

一原は「奉納・伊邪那岐命　伊邪那美命―あるいはピテカントロプス・エレクトス」を出品した。雑品（廃品）による寄せ集め（アサンブラージュ）だ。伝統的な絵馬という奉納板絵をもじっている。

少し性格は異なるが、この絵馬のようなあそび感覚は、様々なモノを組合せたオブジェ作品に散見できる。

一原は、一つの板に磁石をつけ、その磁石を取り換えた。創作動機をこう語る。

「北海道の全道展という公募展なんですけれどね、壁面が狭くて絵を厳選しておきながら、会員が大きな壁面二つも取っているのにちょっと抵抗してね。ぼくがそれを示してやる気持でね。細い枝に版画を刷って、天井を利用したんです。天井にぶら下げてね、下にも余ったものをばらまいた。割合にいいってましたよ。みんな。それからね、上がオブジェで鏡なんです。その中にステンレスをアセチレンで焼いて穴開けて、下にも鏡があるんです。で、その間に骨のようなフォルムの版画をね。……そんなことをやりましたね。もう一つ、岩の版画なんです。全体が岩の版画で碁盤に切ってましてね、そこに赤い五色のひもをたらしてましてね、それで『御自由に一度だけお引き下さい』と書いて、引っぱったらどこかパッと開くっていう、そうしたオブジェがあったり、鏡があって自分が映ったり、いろんなものがあるんです。『占』って題かなあ。」（「'77現代と

声——版画の現在」・現代版画センター）

意識して公募展の展示方法に一石を投じたようだ。抵抗しながら、肩ひじをはらずにあそんでみせる。まさに一原らしい。「占」という題名は絵馬に通じるものがある。おみくじを引くことは、ある種の占だからだ。オブジェを引っぱると、その鏡に自分が映る。これは自己撞着だ。絵馬にも鏡がとりつけられた。ただし今回の出品作はバックミラーのオブジェだった。たらした五色のひもにかわってアルミ缶の栓が数珠のように重なっている。

こうした廃品をオブジェとして多用するスタイル。考えてみれば、日本でも戦後アートに頻繁に登場した。「花のピカソ」と呼ばれた勅使河原蒼風は機関車の部位などを使った。この花器とオブジェの組合せ。それはおのずと焼け跡の風景を彷彿とさせた。それと比してみると、一原のオブジェは、たしかに機械の部位などを使っているが、サイズは小さく、あそび感覚やトリックの方が優位をしめている。あくまで作品の一部として組み込んでいる。

作品のタイトルを吟味してみる。日本の創成神話に登場する男女二神。日本のアダムとイブ。その二神に廃物を奉納する。

美しい瑞穂の国は、風、水、土が汚染されてしまった。いまや満身創痍の状態だ。いのちそのものが死の淵にある。それを憂いつつも、それに留まらずに批評の矢を放っている。

副題がなんともオモシロイ。「あるいはピテカントロプス・エレクトス」。直立した猿人、つまりジャワ島で発見された人間の祖先。二本の足で立つことにより、人間へと歩み出していったのであるが、この絵馬の猿人には、足はなかった。足の代わりにタイヤがとりつけられている。このタイヤは、私が一原から頼まれて用意したもの。

ここまでくると、悲愴なイロニーさえ伝わってくるし、反文明的なメッセージが込められているようにも思えたりしてくる。

横長のもう一つの絵馬はといえば、廃品と部品のおりなす騒然たる供宴であり、絵馬の木の中央に天照大神の象徴である神鏡をもじって、現代の三種の神器たるバックミラーがとりつけられていた。バックミラーなしの自動車は自動車ではないのであって、このバックミラーこそ、第三の眼の役割、つまり背面の世界を摩訶不思議にも映し出す現代の三種の神器の一つなのである。

さらにここには、電話回線に用いられる機械の部品も供宴に参加していた。音声運搬の役を担っている部品を組みこむことによりコミュニケーションという事柄を介在させたようだ。

絵馬全体にもちいられている材料は大まか次のようなものだった。歯車、ベアリング、ギアープラスチックのチューブ、チェーン、トランス、バックミラー、カン、カンのくち金、ゴムタイヤなど。

デュシャンのレディ・メードが、雪かき用のホーローびきのシャベルを「折れた腕より前に」となづけたり、既成の便器を「泉」となづけたりして、日常性へ下降して行きながら、他のダダイストとちがって破壊性に力を注がなかった。その根底には、言葉遊びが存しており、それがクッションの役割をはたしているようだ。

反美学的な作品を提示しながらどこか静謐なのは、こうした言語作用を有効に使いつつ見る者の脳髄に攪乱をつくり出しているからだろう。一例を引いてみる。神秘的かつなぞめいた「大ガラス」という作品がある。タイトルは長い。「彼女の独身者たちによって裸にされた花嫁さえも」という。このタイトル、マン・レイの作品タイトルとも近似する。それは「彼女自身の影を従えたローブの踊り子」という。ただマン・レイのは、油彩画だった。

デュシャンは、タイトルに既成概念の「ひっくり返し」を目論んだ。モナ・リザに髭をはやし、そこに「彼女の尻が熱い」と揶揄した。タイトルとフランス語のニュアンスを噛合わせた。そんな風にダダ思考を燃やした。

一原は、一時かなりデュシャンを気にしていた。気にしていたわけは、これまでの芸術概念を壊していったからだ。とはいえデュシャンをダダ芸術家としてはみていなかったようだ。あくまでその自由な精神の躍動やあそび心をもった「仕掛け」に共感していたにちがいない。

一原は、版画という概念を壊しつつ、誰よりも精神の自由を大切にした。版画のマスプリント性を否定し、一点物の作品（モノタイプ）をつくり続けた。素材となったのはトタン、鉄など雑多だ。

一原は権威ぶる芸術家や大芸術家は嫌いだった。一介のマイナー・ポエットでありつづけた。だから根っこではデュシャンは嫌いだったかもしれない。

ダダイストの相貌とは無縁にみえる男。むしろ目のやさしい好々爺。ただ創り出すものがこれまでにないもの。私はそうした姿に共感し、この展覧会への出品をお願いしたわけだ。

誰にも似ていず、自律している。造ったものが何かに似ることを嫌い、下位なものとして打ち捨てていた。

観る人にそっと爆弾を仕掛けて、どんな反応をするか脇で楽しそうにながめている。こういう既成概念の「壊し方」もあるのだ。そんなことを私は一原から学んだ。

ひとついい忘れていた。一原の父は、名の知れた小樽の花火師だった。どこかで一原は他人の観念装置に火花をちらすことを仕組んでいたのかも知れない。

この小論の最後に、一原有徳のことを書いておきたいとおもったのは、ひとえに私の小さな貧しい観念装置に色とりどりの火花の華を咲かせてくれたからだ……。

6. 藤木正則の「行為」

北の地に異彩を放つパフォーマンスを淡々と行う美術家藤木正則がいる。なぜ淡々という言葉を使うのか。観念は過激であっても、それが思念レベルに留まれば、何も起こらない。ただ一旦その観念を足元から実行しようとすると様相は一転する。その過激なことを、日常空間のなかで気負うことなく淡々と行うのだ。

では藤木が思念したアート概念とはどういうものか。先に彼のアートパフォーマンスの一端を紹介する。

「名刺交換プロジェクト」がある。

日本人は、他の民族と比較しても、印鑑や名刺というものに人格を持たせている。多くの場合、名刺には名前や肩書、連絡先などが書かれている。

初めての出会いでは、名刺を自分の分身として相手に渡す。その時、名刺は人格を帯びているので、相手の手から名刺を頂戴するとき、丁寧に受ける。相互に深々と頭を下げることもある。決して名刺を折ったり、振ったりしてはいけない。これが礼儀でありマナーである。

ただ考えてみれば、この儀礼は、外国人からみれば不思議なことに感じるはずだ。あえていえば名刺一枚を神格化する日本人特有の慣習を示している。

藤木は、この日本人独特の名刺交換をアートへと変換した。初めて出会った方と名刺交換するとき、相手に藤木はナンバリングを付けた名刺を渡す。その時、同時に相手の写真を撮影する。それを続け、ファイルする。データバンクができるわけだ。それを集録した一冊の本を出版した。

ここで大事なことがある。このアートパフォーマンスを、「行為koi」と名付けていること。藤木は、一貫してパフォーマンスという用語を用いていない。意識して漢字の「行為」を使っている。なぜか。察するに、猫も杓子もパフォーマンスになる、そんな風潮に抗っているのかもしれない。あるいはそもそも美術用語としてのパフォーマンスに愛着がなかったのかもしれない。それよりも、日本人らしく「行為」という概念の方が自分の感覚に符合したのかもしれない。ただ「行為」は、「犯罪行為」とか「性行為」などに使われる。イメージ的にはよくない。それを逆手にとったのかもしれない。

ではもう一人の「ダダっ子」となった藤木正則の作品についても触れておきたい。かなり前のことになるので少々記憶が曖昧なところがある。たしか旭川の美術家荒井善則の方から、この展覧会への出品を打診してもらった。

すぐに藤木よりメモがきた。「今回の企画展の内容、大切なところは聞きましたが、充分に理解は出来ません。しかし行動に入るのに常に全てがわかってからやる事は少ない様に思われますし、柴橋さんと作品を通してゆっくりお話もしたいと思い協力させていただきたく思います。とりあえず、略歴と写真同封します」。この文面からも分るように、私のメッセージに全面同意ではなかった。

ダダというコンセプトが、自分が指向するアート作品とはしっくりとこなかったようだ。むしろ作品を通してアート論議をしてゆく契機にしていきたいと考えていたようだ。このメモには追伸があった。それがとてもオモシロかったので紹介する。「ダダ→ダダ　点が一つ多いだけですが、日常性の中の概念と視覚で…。「読めない字のシリーズ」として何年かつづけているのですが、どうでしょうか」。

藤木の思考方法、そしてアートづくりの起点にあるものが少し分った。それにしても〈ダダ〉でなく〈ダダ〉を発見する。ダダイストを自称する者達もびっくりだろう。たしかに点が一つ増えるだけで、全然ちがうものに変容する。本人は「読めない字シリーズ」といっているが、それ自体が言語の意味を壊して、さらに視覚の問題として考察することになる。そこに藤木という美術家が指向する「行為」の鍵が潜んでいるようだ。

藤木正則は、この展覧会において、まさに「ダダ」的な作品を送り込んできた。

当時、実用化されたばかりのＦａｘを活用。旭川での「行為」を写真にとり、Ｆａｘでギャラリー側に送信した。ギャラリーには、受信したＦａｘを壁にはった。期間中、写真は増えていった。旭川（Ａ）と札幌（Ｓ）がつながった。それで私は、この作品を「ＡとＳの関係」と名づけた。

本人は不在だが、作品「行為」が生々しく写真に刻印されていた。

その写真映像はかなりラジカルであった。一端をあげてみる。旭川駅の構内、線路の上に坐り込む。雨天の中、買い物公園のところでカサをさしたまま横たわる。道立旭川美術館の前、野外に設置されていたブールデルの彫刻とイスに座った自分とを紐でつなぎとめる。自衛隊北部方面ゲート前での座り込み。旭川市長室（前）の座り込み。路上の郵便ポストの上への座り込みなど……。服装は白いワイシャツにストライプのネクタイ。いかにも紳士然としている。イスに座るときには、自分の身体をロープでしばり、身動きできないようにしている。

過激な、そして危険な行為の連続。それを淡々と実行する。まさに一点をくわえただけの「ダダ」だ。「ダダ」の文字は、ただ一点が加わっただけだが、身体行為はなかなか危なかった。危険な一点を生み出し、つくり出してゆくこと。それにこだわった。

藤木は、こうしたパフォーマンスを、正しくはそう呼んでいなかった。先にのべたようにいつも「行為」と命名していた。なぜか。察してみる。パフォーマンスでは、欧米に端を発したコトバである。それを不使用にすること。それに代って「行為」という日本語をあてはめていた。

そこに藤木なりのこだわりがあった。パフォーマンスやハプニングといえば、現代美術史の文脈にすっぽりとはまる。そうすれば何か自分がめざすものが消え去ると想念したにちがいない。あくまで私語としての「行為」。日常のただ中にひきおこされるとしても短い「行為」。それらはほとんど予告なしで偶然におこなわれ、突然に終止する。

この「行為」が写真の中に記録されて残る。もう一つ藤木の「行為」の特性がある。「行為」そのものが、微妙にそして巧妙に、場への侵入（介入）の際には、距離感を保っていることだ。もう一歩中に侵入すれば逮捕されても仕方がない。市長室に無断侵入すれば、それ自身で逮捕されてしまう。藤木は、それをわきまえつつ、ギリギリの状態でその「行為」を止める。ただこんなこともあった。交通量の多い道路の中央帯のラインの上に座った。この時は双方の車からかなりのバ声を浴びたという。まさに身を挺しての「行為」だった。

こうした藤木のラジカルな「行為」と類縁をみせるのが「ゼロ次元」だろうか。はじめは「ソフトニンジン」と名をつけたようだが、すぐに「ゼロ次元」に変えた。

中心人物は名古屋の加藤好弘。その最初の実験（試行）は野外での匍匐行為。名古屋市内の栄町から愛知県美術館まで、三十数名がなんと街路を腹ばいになって行進。そのことを加藤は、「故郷名古屋の栄町で芸術テロリスト全裸集団『ゼロ次元』は誕生した」（『裸眼』・美術読本出版・一九八六年・No.３）においてこう書いている。引いてみる。いくつかアトランダムに……。

芸術の表現とは「ゼロ次元」にとって、生ゴミのように自分の中に蓄積している他人の作った一切の「芸術表現様式」をふるいおとし脱皮するために、自身を「文化全般に対するテロリスト」に化身しようとする行動そのものを表現と考え、自分自身が裸になるような行為に革命されねばならなかった。

日本は、アメリカや西洋の死衣装を拾って、シラミに喰いつくされて愛国心を嫌悪しきった裸身に、それをまきつけることだけが「幸福な進歩的文明社会への革命的学習」であると盲信しきっている。

文面からもわかるように、かなり過激な芸術テロリズム宣言だ。それが完徹している。裸身主義を表現のスタイルとした。ペニスもヴァギナもさらした。全てが攻撃の対象。大阪万博にも「万博破壊共闘派」として参加した。

「ゼロ次元」は、これまでの既成の様式や表現形態を全否定。それが裸体主義のテーゼ。みずからを〈白ウサギ〉となり、血を流しながら、裸体をさらしつづけた。なんという反抗といらだち。当時流行した都市型のパフォーマンスとは対峙するもの。この「ゼロ次元」の全業はこれから深く、そして〈正統〉に検証されてゆくべきであろう。〈鬼っ子〉であるが、それが完全に自己完結していることがすごい。

この「ゼロ次元」の活動について、藤木に聞いてみた。ほとんど知らなかったという。としても、何か類縁が存するように感じる。藤木は裸体をとらず正装した。それはどこか英国の美術家ギルバート&ジョージの紳士然としたスタイルに近似する。

このギルバート&ジョージは、みずからを「生きる彫刻」と称した。このアーティストは、ヌードや性行為そのものをモティーフにして作品づくりを行った。外見は紳士然としているが、その内実はかなりラジカルだった。藤木にとり、裸体をさらしてしまうと、それ自体に注目が集まり、企図した「行為」そのものが希薄になるのを避けたのではないか。

いやむしろ破壊することよりも、人と人、人と社会、人と制度。日常という名の時間と空間のただ中でひきおこること。それを提示しそれに少しでも巻き込んでゆくこと。むやみに大声をあげるのではなく、テーゼを叫ぶのでもなく、限りなく「行為」を反復することにこだわった。

むろんそこには、かなり計算されたプランが存する。藤木は、二週間の会期中、ちょうどの中間点で「ホワイトライン」という大規模な「行為」を決行した。これについては、すでにのべてある。

私に知らされたのはこのタイトルのみ。「白い線」。いろんなことを連想したが、はっきりとは分らないまま当日をむかえた。札幌市の一番の中心街、四丁目交差点（スクランブル交差点）の歩行者専用のゾーンをつくり出す「ホワイトライン」を消去するというもの。

紳士然としたスタイルでラインカーに石灰を入れ、ラインを引くのではなく、このホワイトラインを消去した。かなりの量の石灰により、徐々に消えてみえなくなった。三十分位の無言の「行為」。ただ風が舞い、石灰が周りのデパートやショップに入り込んだ。全てを撤去する直前に「道交法違反」の疑いで取り調べられた。

この「行為」の企図を考えてみる。白線とは単なる線ではなく、法的強制力をもつ。白線の実線の前では車は停止し、はみ出してはいけない。

交差点の白線にかこまれたゾーンは、車から歩行者を守るためのもの。そのゾーンを勝手に消去、無効にしてはダメ。それを無許可で行うこと。それを咎められた。藤木はこの白線にかこまれたゾーンに「異議申し立て」をした。いやより深くみれば白線に象徴される社会通念に「異議申し立て」を行ったわけだ。

このあと、藤木の「行為」は、人と人、人と社会にとどまらず、国と国との境についても思いをめぐらしていった。かなりあとになるが実際に国境の街の宗谷岬で旗を振る「行為」を実施。藤木は沖に出てゆく旗を掲げた。この「行為」には、激しいいらだちや暴虐性はないが、なかなかオリジナリティがある。あえていえば、かなり過激な〈ソフトトーンのテロリズム〉の相貌をもっている。なぜなら私達が気づくことを忘れている事象の一つ一つを身体の中にとりこみ、そこで見出したものを取り出し、「行為」として提示してゆくからだ。ナンセンスや暴虐にみえるが、その「行為」がとても親和性を帯びている。その意味で〈ソフトトーンのテロリズム〉なのだ。世界という秩序体制へのささやかではあるが、かなり持続性のある「異議申し立て」なのだ。

II．藤原瞬——身体気象の彼方へ

セクションⅠ　「身体気象」の使徒

1．蒼い心性

藤原瞬《ふじわらしゅん》というアーティストの生の記録を辿りながら、その前衛的な身体行為や足元から芸術コミュニティを築いたその社会的営為を「身体気象」として括りながら、どう一冊の本として編集してゆくべきか躊躇《ためら》いつつ書きはじめた。

そもそも編集とは何か。それは単なる情報の羅列や集約ではない。松岡正剛は、〈編集は人間の活動にひそむ最も基本的な情報技術〉であると洞察する。さらに言を重ねる。〈きったり〉〈貼ったり〉することにちがいないが、私の、私達の〈アタマの中〉で起こっていることの〈多く〉が編集であると。

とすればまず私自身の〈アタマの中〉を点検し、一度白紙状態に戻しながら、編集（情報）対象となる藤原瞬という多面性をみせた類いまれな生命体について、まずあらゆる情報を私の中の壺に収めながら、それを深く吟味することを始めなければならない。

ただ情報を集めていくと、すぐに大きな壁にぶつかった。なぜかといえば、私の情報の壺には、藤原瞬の人生のいくつかの部分が欠落していたからだ。まず美術家として出立する以前のこと。生地のこと、「家」や血の系譜、さらに学びの風景、東京での生活（仕事・詩作・最初の結婚・美術作品）などが黒い幕に厚く覆われていた。その覆いを一枚ずつとるように資料を集めた。そこから判明した事象を次の「蒼い繭」のところで記しておきたい。

壁は、もう一つあった。藤原は後半になり、札幌を去り厚田郡古潭《あつたこたん》に生活と制作の拠点を移したが、その経緯とそこでの内実が不明だった。いつの間にか、気づいたら私達の前から姿が消えていた。札幌で精力的に展開していた前衛的作品を見ることもできなくなった。風の便りでは、〈無農薬野菜などをつくっている〉〈珈琲を焙煎し、淹れている〉などというが、その実体が見えなかった。

実はそうした風聞から解放されたのは、残念ながら〈瞬さん亡くなった〉のニュースだった。ただこの時もまだ〈亡くなった〉の実感は全くなかった。否応なく死を現実として受容したのは、二〇一八年一〇月二〇日に天海《あまがい》珈琲アートギャラリーで一周忌ならびに遺作展のオープニングを行うという案内を受けた時だった。私は短く追悼のメッセージを送り、異彩を放った前衛アーティストの死を惜しんだ。「あなたは身体をメディアとして宇宙と交合した男《アダム》だった。天の母なる胎に帰っていったのでしょうか。でもとても淋しいです」。

アトリエでもあった天海珈琲。岬のような少し小高いところに、ポツンと天と海、そのハザマに立っていた。洒落た館のような建物だった。

一周忌の場に立った。玄関の脇に大きなディードリッヒ製の焙煎機があった。二階の空間には、にこやかな表情の藤原が写真におさまっていた。請われて、短い追悼の言葉をのべた。私が企画したネオ・ダダを意識した「SEVEN DADA'S BABY」展（ギャラリー・ユリイカ・札幌）に藤原に参加してもらったこと。その時のことを語った。五〇枚ほどのベニヤ板を手で割き、画廊空間の壁にピンで貼っていくというもの。集積するアートワークだった。アジテートする作品ではなかったが、集積したベニヤは波のようなリズムを刻み表面は独自な光を放っていた。

さらに私はこんな感慨をのべた。藤原の人生は、終生のテーマである「身体気象」を通じて絶えず、自己を乗り越え、時代と熱く対峙した、そういう表現者がいなくなったのはとても淋しいと……。

そもそも「身体気象」とは何か。藤原の作品行為を理解するうえで鍵となることなので、ここで少し説明しておきたい。ただどうも藤原は、これに関してはっきりとした定義（説明）をしていないようだ。探したが、これに関する文もなかった。

私は田中泯の次の言葉がそれを解き明かしてくれるとみている。これは一九八二年に藤原が駅裏八号倉庫（札幌）で開催した個展「アクション・フロッタージュ828 Ⅰ，Ⅱ」に寄せてくれたメッセージの一部だ。「感覚や感情、本能あるいは声といった事々は、外界の糸の内に眠る本来性あるいは古代性とも呼んでよいような物に触れることなのだろう。身体は自然史の中の一物質である、と私達の精神はみなしている」（「藤原瞬のパフォーマンスに便乗して」）。

つまり「身体気象」とは、身体の状態や現象を単純に探るものではなく、全て〈自然史の中の一物質〉であり、それゆえ全ての身体行為は〈外界の糸の内に眠る本来性あるいは古代性〉と通底しているということになる。身体に潜んでいる〈本来性や古代性〉をとりもどすこと。それこそが「身体気象」の哲理ではないのか。一言で括れば、〈本来性や古代性〉を考察しつつ、それを回復する視座を東洋知のフィールドに立ちながら探ったわけだ。そのためには自然学と人文学の双方の統合が必要だった。

いうまでもなく〈気〉は、道教的な陰陽思想に拠っていることも忘れてならないし、さらに大事なことは、「身体気象」は、人間性の全的な回復と世界と宇宙に関する〈新しい知〉の構築を指向することだ。

実は、いま私が掴みとった「人間性の全的な回復と世界と宇宙に関する〈新しい知〉の構築を指向する」を裏付ける藤原瞬の言葉があったのでここに引いておきたい。

「身体や物体を想像力という原動に取り込んだ時、まず、その物の表面を注意深く観察するところから僕は始める。時々それぞれが目次のように見えたりするんだが、身体や物体の規範の領域より先にゆっくりと押し寄せてくるんですね。表面に。 制度や階級が、生い立ちや社会が、美しいものや、みじめなもの、深い郷愁や感情が、歴史や記憶が手を変え品を変え、光の波や闇の粒々がその表面に地図となって暴れているのがはっきり見える」(「北国からの三人展」対談：藤原瞬×佐佐木方斎：『美術ノート』四号・美術ノート出版局・一九八五年)

この藤原瞬の言葉からみずからの身体表現の中に、〈制度や階級〉〈生い立ちや社会〉の視座を持ち込みながら、その本源たるフィールドに〈美しいもの〉〈みじめなもの〉〈深い郷愁や感情〉を挟みこもうとしているのが読みとれるのだ。特にここで、〈美しいもの〉だけでなく、いやそれよりもむしろ〈みじめなもの〉〈深い郷愁や感情〉を押しこもうとしていることに心を寄せるべきであろう。

つまり藤原瞬の身体気象という言説(ディスクール)には、〈制度や階級〉に対する〈恨《ハン》〉や〈怒〉だけでなく、その根っこには、悲惨な虚を撃つだけでなく、つねに〈みじめなもの〉〈深い郷愁や感情〉を挟み込もうとしているのだ。私の言葉でいえば、これは、哀切さ、憂いという想念と背中合わせになっている身体気象といえるかもしれない。あまり哀切さ、憂いだけにアクセントを込めると、ややセンチメンタルな面が強くなるが、決してそうではない。真の哀切さには、社会事象の闇を見つめながら、そこで地べたを這いずりながら生き抜いている者への共感があるからだ。

田中泯は、そのために身体気象研究所を開設し、藤原たちもそれに続いたわけだ。

さて追悼の儀が進む中、夕日が沈む美しい光景をみながら、病に倒れ、多くのことをやり残したまま去っていった藤原の無念さを想い私の胸は張り裂けた。それにしても、あまりに生き急いだ歩みだった。

たくさんの個展・展覧会や「身体気象」に関する資料も展示されていた。さらに驚いたのは、壁空間がびっしりと本で埋められていたことだった。厖大な量と質。哲学から文学、民族学から前衛芸術など多様なジャンルの書籍が整然と並んでいた。瞬のアタマの中を覗くことができた。まさに飽くなき「知」の探求者だ。こうもいえる。そこから得られた「知」を、みずからのオリジナルな行為を造りだすための血肉としたにちがいないと……。

つまるところ藤原は、「身体気象」という大テーマを抱えながら、厳しく自己省察を行いつつ旅をしてきたのだ。

一階のギャラリー空間には、モノトーンの透明度の高いタブローや版画作品もあった。そのタブローには、厚田の海と空が生みだした霊気がオーラとなり宿っている、と感じた。

これまでの藤原瞬のアートワークに関する批評では、「身体行為」の方に重心が置かれている傾向が強いが、それらを深く認知するためには、彼のアタマの中の風景、つまり「身体気象」の源泉となった「知の風景」をしっかりと見つめることも大事となる。

先の松岡正剛はこうもいう。〈編集〉は必ずしも準備されるばかりでなく、〈創発されるものだ〉と。この言葉、どういうことを示しているのであろうか。察するに、準備したゾーンを離れた別な次元から、そこに潜む別な力により創発されることがあるということだろう。

私は、これまでいくつかの芸術家の評伝を書いてきた。その都度、その芸術家の内なる世界に関心を抱いてきた。そして気づいたことがある。優れた芸術家には、まちがいなく魂の原形質となるものがあると。

私は、それを〈蒼い心性〉とよんでいる。この〈蒼い心性〉が、創造的かつ根源的な力となりその芸術家をゆり動かし、まさに作品づくりへと押し出していくのではないか。

さて『ドキュメント　藤原瞬の身体気象』を編集することは、いうまでもなく藤原という表現者の歩みと全行為を射程にいれながら書かねばならない。

ただここではそれを単層的に時系列に並べることはしない。なぜならこの編集方法では、私が命名した表現へとせりあがってくる根源性の核(コア)、つまり〈蒼い心性〉の実体や、それがエナジーとなって展開した熱い行為とは何か、その価値を十全に吟味することはできないと考えたからだ。

さらにより〈蒼い心性〉が変容し、さらに時代の闇や人々の苦や貧を素手で触りながら、それをいかに高い次元へと昇華していったかを辿りつつ、そのつど〈創発される〉ものに従っていきたい。

まず、藤原瞬の原初の風景、つまり〈蒼い心性〉を育んだ力を〈蒼い繭〉と表象しながら、そこに萌芽した〈蒼い詩性〉とは何か探ってみたい。

2. 蒼い繭

いうまでもなく、ここでいう「繭」とは、心身を創りだしてゆく時間と空間を指している。短く東京行くまでの歩みをたどってみたい。最初の「繭空間」となったのは、芦別《あしべつ》だった。芦別という「繭空間」は、廃れた炭鉱町の風情を残していた。一九五〇年二月一九日に誕生した。父は勇一、母はツネ子。四人兄弟の三男だった。本名は、藤原俊治という。父は土木関係の仕事に従事し、北土建設会社の社員となった。北海道内の橋や道路づくりの仕事をした。父は現場の仕事が多く、家を不在にした。母は、そんな家を切り盛りした気丈な女性だった。

父の仕事の関係で、札幌に居を移した。次の「繭空間」は、札幌だった。この新しい「繭空間」は、一言でいえば、安住と平穏な地とはならなかった。転居を続けた。まず郊外の雁来《かりき》に住んだ。だが一九六一年に豊平川が氾濫し、住む家が流される大きな被害をうけた。月寒の親戚に間借りし、その後安アパートで生活した。その後は、父の会社の社宅に住んだ。ようやく新川に家を新築した。

そのためほとんどの学びは札幌の地だった。小学校は苗穂小学校、中学校は豊園中学校に通った。ただ安息の「繭」となるはずの〈家〉(家庭)は、〈父の不在〉などによりそうはならなかった。父に対しては、子供として長い間複雑な感情を抱いた。

当時、琴似にあった北星学園男子高等学校（現・北星学園大学附属高等学校）に進学した。この学校は、北星学園（アメリカ人のサラ・スミス女史創始）が創立した私立高校だった。「自由と連帯」を柱とする「教育綱領」をベースとした。文化祭を「フィリア（友愛）祭」といった。また学校あげて、「自由と連帯」の視座から、原爆、朝鮮、ベトナム、沖縄などの社会的問題にも取り組んだ。なにより生徒の自主性を大切にした。生徒は、みずから憲法問題の学習会を計画することもあった。こうした社会問題への関心は、彼の内面に大きな影響を与えたと考えられる。

ここで美術教師岸本裕躬（画家）の薫陶をうけた。絵が好きだった〈蒼い心性〉は、絵画平面という「繭」を見出した。その「繭」の中に、自我を注ぎ込んだ。私的なことになるが、私は現代絵画において独自な世界を切り開いた岸本と親しくしていた。彼の小画集を編み、そこに「哀歌を詠った画家」と論を載せたことがある。岸本は、人間の存在を見詰めながら、つねにいのちに対して限りなき哀歌を描いていた。その中には友人の母の死を描いたものや、ベトナム戦争で苦しむ子供達の姿もあった。

聖書の教えをベースにしたキリスト教主義（プロテスタント系）の学校で学んだこと。それが藤原の人生観や芸術観にどんな影響を与えたのであろうか。弱者への共感や平和主義は、人格の素地となったと考えられる。また作品の素材となったこともある。一九八九年の大同ギャラリーで発表した作品「Han」では、イタリア製ファビリアーノ紙に黒鉛筆で『旧約聖書』の聖句を画面に何度も重ね書きした。そのためその聖句は読めなくなり、ただ真っ黒い面画が残った。選んだ聖句（少し調べてみたが不明のまま）にある種のメッセージをこめたようだ。

藤原は、一九六七年には岸本の勧めもあり全道美術協会に作品を出し、初入選した。翌年には東京の春陽会にも入選した。絵画への熱はより高まり、グループ展や個展(維新堂ギャラリー・北宝ギャラリー)を開いた。

一転して一九六八年に藤原は東京へ出た。では目的(動機)は何か。どうしても美術家(表現者)として、アートにおいて先端の地に身を置きたかったようだ。一説によれば彫刻家砂澤ビッキの勧めもあったともいう。この時期藤原は、ビッキのアトリエなどに出入りし、作品づくりにも協力したともいう。

手には鞄一つ、懐には二万円のみの旅立だった。この二万円は、親が渡してくれた、いやビッキが餞別にくれたともいう。いずれにしても身ひとつで東京という新天地に賭けたわけだ。

東京での生活。様々な仕事にも就いた。分かる範囲でみてみる。一九六八年から二年間、東栄管機(株)、一九七〇年から四年間、中央宣伝企画(株)に勤めた。さらに一九七五年より一年間、有限会社上松絵具店(現・株式会社ウエマツ)の営業を担当した。

また一時、NHKの番組制作(大道具や小道具・舞台セットづくり)の手伝いを行った。そこでは佐藤武など何人かの美術家と親しくなった。

私生活でも大きなことがあった。一九七一年に三浦みよ子(詩人森泉エリカ)と結婚(一九七六年に協議離婚)し、長女朱里、長男伊吹が生まれている。

何回か転居したようだが、結婚時は、世田谷区南烏山1-15-11の静栢荘に住んだ。この頃、「ORGANIZATION FIVE」展(銀座・ルナミ画廊)に参加した。FIVEとは、糸大八、加藤道治、佐藤武、マル・セイジ、藤原瞬の五人を指す。その時のリーフレットがある。そこに藤原の銅版画「巨鳥」が掲載された。巨鳥は、天空に羽根を広げ、鳥と人体の合体にみえる。まさに巨鳥より怪鳥である。腹部には顔がみえ、陰部は黒だ。なにより震えるような線の刻印が印象ふかい。藤原の詩が添えられている。

「血まみれの淫売宿で、戦慄する死肉が嘔吐する。去勢された砂まじりの月光が、途方もなく暗く、静かにうねり震えた骨盤から死児が白熱する太陽の下で涙を流す。狂った暗黒がこだまする中で、巨鳥のかすかな無言の夢は空転する、禁断の園、腐った陰部だけが、虚空の地帯へと遊泳する」

ここに表出する性へのオブセッション。ドロドロしたエロスのうねりや死の匂い。ここに立ちこめているものは一体何か。いうまでもなく藤原の内的状景を映しだしている。この詩的錯乱には、行き場のない鬱積した感情が混じっていた。藤原が装丁画を描き、森泉が詩「エトランゼ」を手書きして、小さな詩画集を編んでいる。「エトランゼ」を紹介する。「広野をひた走る夢から／　葬列のように目覚め／陽光に沈むアイシャドーの青い影／作りあげられたあらゆる神話を聴く」。さらに詩句は、「場違いな記憶をとびまわる夜景の創痕／ただ流れる戦慄を背に／燃え上がるおもいの底で失語」と続いた。最後に「ああ／行き交う人々の／微笑にまみれて」と結んだ。

他者の微笑は、詩人の心に耐えがたい痕跡をのこした。まさに東京に紛れこんだ自分たちのことを「エトランゼ」として詠ったようだ。一方、森泉は別な表情もみせた。詩集『年増女の長いぐち』（詩劇社・一九七〇年）では、句読点も改行もない、そんな前衛詩にチャレンジしている。

こうして藤原の〈蒼い詩性〉は、タナトス（死）とエロス（性）が混合した虚の状景と溶け込みながら激しく痙攣した。

藤原と森泉、二人の芸術的な志向は交差していたようだが、これ以上の生活の実景を辿ることはしない。ただ二人で詩画集を編み、藤原の詩作に表出しているものから伺うことができるように、魂の深部において共感するものがあったようだ。さらにいえば創作上の足掻きや日常の苦や貧しさを分け合いつつ、時代の闇に自我が溶けないように必死に生きていたようだ。

先の「ORGANIZATION」展は、結果として三回続いた。その第三回展が一九七六年に札幌（時計台文化会館ギャラリー）で開かれた。〈北方派〉とサブタイトルされた。メンバーは七人に増えた。佐藤武、斎藤達夫、三神恵爾、川本アトム、円栄三、桜庭恒弥、藤原瞬。

この展覧会リーフレットに、私は佐藤武に請われて文を寄せた。私はネーミングの〈北方派〉を地理的な偏差を排し、〈闇と黄昏の時間を、白昼よりも好み、そして凍りついた、あえぐような精神のけいれんをより偏愛している〉ことに置いた。ここで〈精神のけいれん〉をひときわ強く開示したのが藤原の作品「狂黙」であった。

ここにも藤原の詩が添えられている。そのまま引用する。「半円形のミステリーランド／凝固した光／相剋する人工楽園／パラノイア的お伽話は毒の秘密／天上界と地上界の二重化は半陰陽の／眩（まばゆ）く変容された蛇の神話／沈黙の果てに　冷たい銅板上で染色／された鉛色の女が狂躁する」

図はやや舞台のような構図をとり、上部に不気味な仮面（？）、下部に裸婦が並んだ。全体に暗いマグマのようなリビドーが蠢いていた。たしかにシュールでパラノイア的な狂躁だ。

このように東京での銅版画制作や詩作では、ナイーブな「蒼い詩性」が変容した。エロスとタナトスが混合された心性は、〈冷たい銅板上〉に現存する〈鉛色の女〉を去り、より虚性の強い〈パラノイア的お伽話〉から脱していった。そして〈相克する人工楽園〉のような時代を見詰めながら、そこに激しく震動する身体の聲に聴き従ったわけだ。

つまりこういえるはずだ。〈蒼い心性〉から〈狂躁の心性〉に変容し、次のステージへと歩み出し、さらに身体を媒体にしながら〈共振する心性〉に繋がっていったと。

3. 前衛の波

花人の中川幸夫は、血を吐くようにして〈いけばな　は　私の生きる証である〉と言いのべた。中川の言葉を借りるならば、藤原瞬は〈身体気象こそ、生きる証〉であった。

私からみて、藤原における「身体気象」、その初源の動勢には、いわゆる〈七〇年安保〉という政治状況が色濃く反映しているとみたい。

政治の季節、そこで藤原は体制に抗う聲を全身で浴びた。その聲は、〈観念を壊せ〉〈造反せよ〉と扇動した。その聲は、自らの身体を使って思想を打ち出せと檄を飛ばした。そして幾多の前衛運動を目撃し、その熱い血潮を浴びた。前衛グループやアーティストと語り合い、酒を交わし、芸術論を闘わせた。

次第にタブローや版画などの平面空間よりも、身体を媒体とした直接的な行為の方へ寄っていった。この前衛の狂騒に身を置くことで、藤原の〈蒼い心性〉がもろに感応し、別な水路へと流れだしたのだ。

この時期の前衛グループには、「九州派」、「PLAY」、「ゼロ次元商会」(以下、「ゼロ次元」)などが存在した。「ゼロ次元」は、加藤好弘らが名古屋で立ち上げた。この過激な集団を知るため黒ダライ児(戦後日本前衛芸術研究家)の著書『肉体のアナーキズム』(GRAMBOOKS・二〇一〇年)を繙いてみたい。副題を〈一九六〇年代・日本美術におけるパフォーマンスの地下水脈〉とある。黒ダライ児は、緻密にデータ資料を駆使して、前衛運動を跡づけた。

さらに大きな時代のうねりでいえば、六〇年代後半の運動は、七〇年大阪万博に対するアンチテーゼの性格も帯びていた。

この「ゼロ次元」は、東京へ拠点を移した。一九六四年から東京都内各所(銭湯、山の手線内、銀座、メーデーの集会場など)でゲリラ的に展開した。

まさにこの集団は、東京の街を〈強姦〉したのだった。さらに一九七〇年には、法政大学や伊豆の大滝温泉などで連続して儀式を敢行し、その儀式を編集して映画『いなばの白うさぎ』を制作した。

藤原自身がまとめた「経歴」には、〈美術家加藤好弘が立ち上げたゼロ次元商会に参加した〉とある。が、藤原がどの程度、「ゼロ次元」にアンガージュしたのか、私は判断する資料を持ち得ていない。十分な資料や記録が不足している。が、精神的に共振するものが濃密にあったといえるようだ。藤原は、一九六三年以降におけるこの集団が東京を〈強姦〉した出来事を目撃し、強く惹きつけられ、どこかの場で、その「儀礼」に参加したようだ。

藤原は一九七一年に二つの身体行為を実行した。「プラスチックオブジェ〝アンドロギュヌス〟」（一九七二年まで継続）だ。東京都内一〇〇ヶ所で展示&パフォーマンスを敢行した。この都内を〈強姦〉するような展示&パフォーマンスは、まさに「ゼロ次元」の攪乱するスタイルを継承している。

一九七〇年以後、日本で大きな表現の危機的状況が起こった。刑法改悪による「保安処分問題」だ。これは何か。それは刑法を改悪し「犯罪者もしくはそのような行為を行う危険性がある者」を〈保安処分〉するというもの。これは明らかに過激な政治社会運動を対象にしただけでなく、表現者にとってもっとも大切な言論と表現の自由を縛るためでもあった。

それに藤原も激しく〈怒った〉。私から見て、この政治的なアンガージュの起点には、藤原の内部に芽生えた〈恨《ハン》〉や〈怒〉の意識が存在するとみる。その時の写真が残されている。まる裸の藤原。裸の身体に叫ばせたわけだ。だから全霊を賭して晒した裸は、激しい怒りを込めた〈コトバ〉であった。いや自らを〈いなばの白うさぎ〉として供犠したのだ。写真は官憲に連行される姿をとらえていた。

ずっとあとになるが、藤原は一九八五年に、抵抗の詩人金芝河《キムジハ》に深い絆を感じて「結縁宣言」を出した。藤原は、雑誌『海』に掲載された金芝河の『南』を読んだ。金芝河は、韓国の独裁的体制を批判し死刑宣告をうけた。その後無期懲役となったが再逮捕された。長い牢獄生活を送った。この『南』は出版後、すぐに発禁処分となった。長い牢獄生活の中でも、金芝河は良心をもち続け、この世の〈ナグネ〉（旅人）として常に〈灼けつく渇き〉を求め続けた。この『南』は、みずからの国の歴史を踏まえた壮大な宇宙詩となった。

このように、藤原の生き方の根底には、弾圧された者に「結縁」するという鉄の意志があるのだ。「結縁」意識は、藤原の精神を支える倫理ともなった。私見によれば、激しく「死」の淵まで自らを追い込む藤原の身体行為には、〈恨《ハン》〉と〈怒〉の意識が深く織り込まれているにちがいない。それが他のパフォーマーとは一線を画しているのだ。

ただ〈恨《ハン》〉と〈怒〉の意識はやや変位して、一九七三年には瞬は自ら「ヨーガ共同体バラモン」(以下ヨーガ共同体)を創立する。ここで注視したいのが「ゼロ次元」の三月二八日の加藤宅での映画『いなば……』の撮影のことだ。その場に、ハレ・クリシュナ教団の僧スマダが同席した。さらに「ゼロ次元」は、スマダと交流を深めた。

注目すべきことがある。それはこれ以後「ゼロ次元」は制作の方向を、〈都市空間での儀式〉から転じて、〈内省や身体訓練〉へ移行したことだ。つまりより宗教的、インド的、ヒンズー教的色彩が濃くなっていくのだ。藤原は、それに共鳴するように創立したのである。

まさにこの「ゼロ次元」の方位転換と、藤原の身体行為の変位が軌を一にしているのだ。さらにいえば先の『いなば……』の続編のタイトルは「バラモン」というのだ。

もう一つ追加すれば、同時期に音楽の世界でも「タージマハル旅行団」がコンサート活動を開始していることからもわかるように、一九七〇年を超えるあたりから、インド的、ヒンズー教的なものが時代の共通言語となっていった。この「タージマハル旅行団」を組織した一人が小杉武久だった。実は、藤原は、小杉武久らのコンサートを一九八五年に札幌で開くことに尽力したことを添えておきたい。

こうして藤原の初期における激しい身体行為を「時代の相」と照応してみるとき、運動体「ゼロ次元」にかなりの部分が同調していることが明らかになってくるのだ。

セクションⅡ　星雲体としての気圏

1．星雲体としての田中泯

藤原瞬を語るためには、田中泯《たなかみん》という存在が大きな鍵となる。なぜなら藤原瞬の思想と行動を大きく牽引したのが田中泯という表現者だからだ。〈引導の師〉と言いかえてもいい。

絆《きずな》という言葉がある。ただここではこの二人の関係を示す言葉としては使わない。かわって星雲体という言辞を提示したい。ではいかなる星雲体か。一言でいうならば、それは「身体気象」という名の宇宙だった。魂の浄化をベースに、微小なる自我や俗なる欲望をのりこえ、さらに高次な高原《プラトー》を目指していくことが求められた。だからこそ地上における徴《しるし》はまったく無用となった。

田中泯は、これまで幾つかの徴を付けられている。少しあげてみる。舞踊家、身体気象研究家、山村生活者、農業者などとイロイロある。戸惑うほどにレンジが広いのだ。また近年は別な相貌を持ち始めた。俳優として映画『たそがれ清兵衛』やＮＨＫのドラマ『ハゲタカ』、さらに二〇一〇年にはＮＨＫの大河ドラマ『龍馬伝』の吉田東洋役を演じた。二〇一一年秋には主演映画『伊那の井月』が公開した。

藤原瞬もまた、詩人、画家、版画家、身体気象研究家、思索者、村興しや北グループや「天円地方館」プランの実践者、天海《あまがい》珈琲のオーナー、身体パフォーマーなどと多種の徴が付けられた。しかしであるあくまでそれらは仮の徴に過ぎない。いうまでもないが、一番大事なのは、魂の浄化と「身体気象」の深化であった。それが「いま」「ここ」でできているかどうか。それを不断に検証した。日々の労苦を忘れて、死が身に訪れるまでなしつづけること。それがこの星雲体の従者の生き方だった。

田中泯を、壮大な星雲体とすれば、藤原瞬もまた同じ星雲に連なっていた。この星雲体から霊的な洗礼をうけて、稀有な〈宇宙卵〉を生みだした。いうまでもないがここでいう、〈宇宙卵〉とは、彼が地上に残したアート作品であり、様々な社会的営為《いとなみ》であった。

このセクションⅡでは、田中泯の相貌を短く寸描しながら、その星雲体の実体を一瞥する。次に星雲体としての藤原の実体を腑分けしながら、藤原が地上に産み落とした〈宇宙卵〉としての作品を可能な限り探ることにする。

そのことが、ひとえに天上の母なる星雲世界へ戻っていった藤原の魂の鎮魂となると信じているからだ。いやそれだけではない。愚の塊のような私達が、藤原が死を賭しながらとり組んでいたことが何であったかを知り、それを自分の生のこれからの課題とするためでもある。そのことをしっかりと記録しておかねばならないからだ。

まず田中泯の相貌を短く寸描する。一九四五年に東京で生まれた。一八歳の頃からクラシック・バレエやモダン・ダンスを学んだ。気鋭のバレエ・ダンサーとして舞台に立った。一九七四年に、バレーやモダン・ダンス界から離れ、自らの身体表現を探求した。さらに一九七八年には舞踏家、音楽家、建築家、美術家など多分野のメンバーが集合して文化核となる身体気象研究所（東京）を設立した。国内外から入門者が集まった。舞踊団舞塾《まいじゅく》が産声をあげた。それは一六年間活動した。

一九八五年に田中達は、新天地を南アルプスの甲斐駒ケ岳の麓に拡がる白州《はくしゅう》に築いた。白州という〈トポス〉（磁場・場所）。そこに何があったか。いったい何が田中泯を誘ったのか。白州へ向かう契機になった出来事があった。それは前衛舞踏家土方巽の死だった。その死は田中泯の内心に大きな地震を引きおこした。土方の舞踏とはなんだったのか。これから自分はどんなバトンを引き継いでいくべきなのか。一度全てをゼロ（白紙還元）にして、自分の足元を見つめることにした。

白州という〈トポス〉。そこは日本列島にできた、二五キロメートルに及ぶ割れ目（フォッサ・マグナ）の際《きわ》でもある。

白州では、〈都市と農村〉という二分化を超えること、つまり風景を劇場として、〈屋根のない美術館〉を目指した。

まず空き家となっていた農家と休耕地を借りた。晴れた日には農業、雨の日には舞踏を行う「晴耕雨踏」の生活をした。つまり「身体気象」と農業を合致させたわけだ。

田中泯の『僕はずっと裸だった　前衛ダンサーの身体論』（工作舎・二〇一一年）がある。二〇〇七年から三年間、「山梨日日新聞」に連載したエッセイを書籍化した。そこに〈農村にこそ芸能の原点があり、農作業での身体の使い方にこそ舞踏の原点がある〉とある。田中泯は白州で、最初の一年間は、ほとんど外へ行かず野良の人となった。どういうことか。野良に立つことで、都会に馴らされた心身の改変に努めた。土に触れることで、新しい発見があった。百姓の凄さと縄文文化の豊潤さを直感し、しぜんと〈野良は稽古場〉となった。その崇高な発見を、〈百姓とは空の雲を見つめるのだ〉という。

この白州の地で、一九八八年七月から一九九〇年まで「白州・夏・フェスティバル」が開催された。正式のタイトルは、「芸能と工作・大地との生存—舞踊・芝居・音・美術・物語・建築・映像・農業」という。このフェスティバルが始まる経緯を記しておきたい。一九八八年の初春に田中に美術家の剣持和夫からある依頼があった。お茶の水にある主婦の友社の吹き抜けロビーに展示してあった作品を撤去することになった。作品を白州に再構成できないかという。

さっそく要望に応えた。平飼い養鶏場の広場に、それを設置した。それが契機となり、大きなアートイベントとなった。さらに一九九三年から「アートキャンプ白州」(一九九九年まで)、二〇〇一年からは「ダンス白州」(二〇〇九年まで)となり、イベントは継続した。

藤原瞬は、一九八八年に開催された「白州・夏・フェスティバル」に参加した。ただ作品を制作するのは、なかなかやっかいな場だった。自然は、厳しい裸形をみせた。参加アーティストはこんなことをもらしている。越川修身は、ここでは毎日雨が降り、〈白州は水の中の国〉だともらす。榎倉康二も、ここで印象的なのは、水の音だという。

では藤原瞬はどんな作品を制作したのであろうか。大地を対象にした、いままでにない大規模なアースワーク的作品となった。藤原の身体意識は、地球の臍へと下降した。用いたのは土と一五トンの鉄材。大地を堀り下げ、大きな溝を築き、その天井と側面に鉄板を配した。自然の気象とも相応したが、〈白州は水の中の国〉の言葉通り、水の処理が大変だった。斜めの下方には、すぐに地下水が溜った。

田中は、さらに白州での体験を飛躍させた。縁があり、フランスでも公演した。前衛的身体パフォーマンスは評価され、フランス政府より芸術文化騎士章（一九九〇年）を受賞した。

田中泯は、胚胎したビジョンを具体化するために、そのつど新しい〈トポス〉（磁場・場所）を求めた。今度は、甲斐市北部に「舞踊資源研究所・桃花村」を設立した。それは一九九七年のこと。国内外での幅広い活動を展開しつつも、桃花村の農業と踊りの生活を継続した。二〇〇四年からは日本各地で「場踊り」を展開。こうした広範な活動が評価され、二〇〇五年には朝日舞台芸術賞を、続いて二〇一一年には日本生活学会より第一回 吉阪隆正賞を受賞した。

2. 田中泯と藤原瞬

ここでは、田中泯と北海道の関わり、さらに藤原との出会いの風景を探ってみたい。

田中が、北海道で行った最初の身体表現は一九七五年に遡る。一九六六年からスタートした「独舞」シリーズに連なる「SUBJECT――石狩原野」だった。場は石狩の浜。写真家キム・ヨンスとのセッションとなった。その二年後、一九七七年に札幌大谷会館で全国展開した「舞態」シリーズに連なる公演をした。札幌に帰っていた藤原は、それと遭遇した。藤原の魂は激しくゆり動かされた。終演後楽屋を訪ねた。二人の魂は熱く触れ合い、藤原の同伴者植野巻子のアトリエに移動し、寝ずに語り合った。

これが〈壮大な星雲体〉田中泯との運命的出会いとなった。同年に一気に眼前の風景が一変した。影響の深部を測定してみたい。これまでの「ゼロ次元」の儀式に共振した身体表現、そして刑法改悪に対する〈恨《ハン》〉や〈怒〉は、田中泯の身体表現と遭遇することで、ゲリラ的色合いが薄められ、自らの身体表現とは何かを問い、さらに超越したものへ自己を投企すべきと感じた。

田中泯の身体表現は、藤原の心性ににじりよってきた。すぐに「田中泯＋藤原瞬パフォーマンス」を野外(豊平川の雁来河原)で行った。この年の秋には、田中泯は、さらに独舞「ドライブ」シリーズを全国展開した。遠大なプランを立てた。それが『ハイパーダンス一八二四時間』だった。三ヶ月間、一五〇ヶ所以上の場で踊るというもの。その一つが、札幌で行った「田中泯ハイパーダンス・藤原瞬アクションフロッタージュ　パフォーマンス」(一九七八年)だった。

このあと藤原は、内から蠢くものを抱えつつ単身で身体パフォーマンスを、第二九回札幌雪祭り会場で曝した。この年の雪祭りのテーマは「純白の夢よぶ世界のひろば」だった。

まず藤原は、市内の「ミルクホール」(南二西五)で「冥王管覚から海王管覚から、天王管覚から土管覚から木管覚から」と銘うって「序曲祭りの準備」を行った。そのままここをでて、厳寒の大通公園へ急いだ。

雪まみれになりパフォーマンスを決行した。〈純白の夢〉を壊すようなゲリラ的行為を成した。身体を白塗りし、髪に飾りをつけ。赤い布を纏いつつ、無許可のまま雪上で舞った。群衆がそれを取り囲んだ。藤原は祭りへの〈闖入者〉として実行委員会から咎められた。

こうして第二九回札幌雪祭りは、藤原の過激な身体パフォーマンスの〈洗礼〉をうけた。翌年には、〈芸術は爆発だ〉の岡本太郎が一二メートルの「雪の女神」を制作して話題を集めた。藤原の攪乱的〈挑み〉は、その過激性において岡本の作品を超えたのだった。

藤原は一九七八年四月に即興演奏家ディレク・ベイリーを招聘し、E．E．Uインプロビゼーションコンサートを企画した。ディレク・ベイリーについては、このあとで紹介する。

この後、藤原は田中泯に共振し、五月には身体気象研究所札幌（札幌市白石区菊水元町八条二丁目　千世MS）を開設した。身体気象研究所（Body Weather Laboratory）と「工作舎」は、協同して全国各地で「遊撃展」を展開した。その一つが札幌で開催した「遊撃展」だった

一九七八年八月一七日に「ハイパーイベント　第二回遊撃展」（札幌市教育文化会館）を開催した。主催は「工作舎＋フォーラムインターナショナル」と「身体気象研究所＋パル舎」だった。

藤原は、ここでもう一つの〈星雲体〉と縁を結んだ。編集工学を立ち上げた松岡正剛という〈知の星雲体〉だ。松岡は、高橋秀元らと一九七一年に「工作舎」を設立し、同時に新しい形態雑誌『遊』を創刊（終刊は一九八二年）した。

松岡らはこの雑誌を、〈オブジェマガジン〉と名づけた。思想（東洋知を含む）・芸術から自然科学（物理・天文・植物学など）まで、ジャンルを融合し独自な視点で総体化した。

この「工作舎」と『遊』の活動と、田中泯の「身体気象」は、共通のテーゼを背負っていた。それは〈新しい知〉を探ることであり、なにより「身体気象学」を切り拓くことだった。

つまり私からみて松岡正剛と田中泯は、「精神の双生児」だったのだ。そして藤原は、その〈双生児〉の血をしっかりと受け継いだのだ。藤原は、松岡の著作物を座右に置き、そこで開示された知の世界を一つ一つ辿っ

ていった。その意味では松岡正剛は、まちがいなくもう一人の「先導の師」なのだ。

この「遊撃展」に注目する。主催者は松岡正剛。テーマを「鬼が来て、また、鬼が遊ぶ」とした。田中泯は、このテーマを汲みつつも、自由な視座をベースにして「Driving Fluxus（震動の流束展）」を企図した。そして田中泯は、「田中泯ハイパーダンス　ドライヴィング・フラクサス」を行った。いくつかのプログラムがあった。主たるものをあげる。「松岡正剛＋高橋秀元」による遊談「鬼遊ぶ」、藤原瞬の「アクション・フロッタージュ」、「中野美代子（中国文学）＋木幡和枝（翻訳家・フランス文学）＋木村久美子（編集・デザイン）＋α」によるシンポジウム「叛スーパーレディ・反スーパーレディ」。

留意すべきは、〈ドライヴング・フラクサス〉という名辞だ。グループや何かの〈派〉ではなくあくまで〈個〉が輪舞し、流動する〈様態〉を指向した。つまり参加者は、みな〈震動の流束者〉となった。また新時代を担う先鋭的知者たる中野美代子、木幡和枝、木村久美子らが饗宴したことも特筆すべきことだ。

一九八〇年七月に身体気象研究所が主催し「DRIVE 田中泯ハイパーダンス＋ELASTIC　WAVE」を三ヶ所（喫茶「ミドリ」、大同ギャラリー前庭、竹山実建築綜合研究所「アトリエ・インディゴ」）で開催した。

さらに一九八五年三月に、「田中泯　舞塾」が泯の構成で「空の型」（Form OF Sky）を旭川と札幌の二ヶ所で開催した。旭川は旭川身体気象研究所が主催し「ワークショップ三愛カレッジ旭川」「西武百貨店・スタジオ九」で、札幌は札幌身体気象研究所が主催し、「駅裏八号倉庫」で行った。さらに札幌市立柏ヶ丘中学校で、千百余名の生徒の前で行われた。

3. 境界（異界）への行脚

時間を少し戻していきたい。一九七九年に藤原は、一大行脚に挑戦した。中世から続く修験道（山岳宗教）の聖地に身をおいた。下北半島恐山から出羽三山へ。さらに長野諏訪を経て、甦りの国熊野や吉野へ。そのゾーンに偏在する霊的な存在と対話し、そこで感受したものを種子にしてパフォーマンスした。

この行脚の途中で、東京の「工作舎」に立ち寄った。この時の藤原の相貌が『遊』（一九七九年・一〇〇八号）に掲載された。写真家佐々木光が撮影したポートレート。ところどころ皮膚は剥がれ、髭は伸び、眼はギョロリと見開いた。そこにあったのは、何か見えないものを見詰める相貌だった。

独自な身体論を精力的に展開する評論家三浦雅士は、『考える身体』（NTT出版・一九九九年）において〈芸術の身体と宗教の身体はほんらい近接〉しており、〈舞踊の身体はその両者を結ぶ地点に位置している〉という視座を提示した。

藤原のこの厳しい行脚は、三浦がいうように、まさに〈芸術の身体と宗教の身体〉を問い直しながら、その両者の結び目を探るためであつた。三浦は続けて二〇世紀の舞踊は、ニジンスキーの「春の祭典」で始まり、ベジャールの、さらにピナ・バウシュの「春の祭典」で閉じているとみた。なぜそういえるのか。三浦は、舞踏家は〈死と再生〉の儀式に惹かれており、その舞踏を通じて、みずからの芸術体験そのものの大きな変容を企図したとみたわけだ。

このあと三浦は、いかに現代の電子ネットが魔力をみせても、それが進行すればするほど、舞踊こそ第一に参照すべき事象となるという。さらに三浦は、とても深い内容を含んだこんな言説を一つの結論として示した。舞踊は、〈自他未分の劇〉〈精神と身体の未分の劇の場〉にほかならないという。

私は、この一大行脚を重くみたい。藤原という身体表現者は、ほとんど無意識のうちに、ラジカルな問題（主題）を抱え、一大決心をする前に、境界（異界）に入る習性があるからだ。この霊的場への宗教的行脚は、自己の再生を指向しつつ、いみじくも三浦が的確に指摘するように、あらたに〈自他未分の劇〉と〈精神と身体の未分の劇の場〉を築くための儀式であったのではないか。

ではなぜこの境界（異界）への行脚に拘るか。それは藤原の身体表現が、それ以後、大きく深化し、変容するからだ。魂の在り処を探るなか、自己凝視を経て、何かにとりつかれた様にして作品づくりに専心したからだ。

ずっと後になるが藤原は同質の厳しい境界（異界）体験に挑んだ。一九八四年に藤原は、國松明日香、宮前辰雄らとアメリカのカリフォルニア州にあるサンタクララ市に向かった。トライトン美術館で「北国からの三人展」を開いた。これについては別セクションでくわしくみる。さらにサンノゼ市で「四八時間パフォーマンス」に挑んだ。これらの展覧会での経緯と内実についてもあとでのべてみたい。

そのあとサンフランシスコからニューヨークまで、数ヶ月かけてパフォーマンス行脚をした。心身に過重な負担をかけるアメリカ横断という行脚だった。

帰国後も、行脚した疲れた心身を抱えつつ、内心からわきあがる発熱したものに促されるようにして、再び札幌の大通公園二丁目で一月一日から二月五日まで「三六日間パフォーマンス　生成と没落」をやり遂げた。同時並行して個展「My Weather」（札幌アートプラザ）を開催した。個展に展示した黒い作品は、大通公園で制作したものだった。

心身に極度の負担をかけることで、ギリギリまで自己を追い込んだ。この時、家にも帰らず、地下鉄の通路や野外で寝た。まさに苦行者の如しである。

このように境界（異界）行脚の後には、自分の余分な外皮をぬぎ捨てるためか、あるいは〈精神と身体の未分の劇の場〉を探すためか激しく身体を撃った。

4. 現代美術のフィールド

一度、田中泯から離れる。藤原瞬にとって一九八〇年は、大きな飛躍の年になった。身体表現と同時に、作品に自分を刻みこみ客体化した。私的な生活面でも大きな変化があった。現代美術家たちとの交友も始まった。

生計を立てるため、いやそれ以上に制作費を捻出するために蛇の目ミシン工業（株）に勤めた。これは私も知らなかったことだった。営業を担当し、なかなかの成績を残したという。精力的な作品発表の裏には、そんな苦労があったわけだ。

二月の大同ギャラリーでの個展は、異様な光景をみせた。松材の角材一〇〇本を持ち込み、その松材を一・五ミリの鉛線で巻いた。この巻かれた角材は、鈍い光沢をみせた。延々と巻くという行為の反復。この行為性の濃い制作方法は、さらに「’80北海道現代作家展」でも継承した。今度は、鉛線を巻いた角材六六本を北海道立近代美術館の床面に斜めに設置した。

こうした物質を素材にして〈巻く〉という行為を重ねていく所作は、一見すれば物質との関係を問い詰める知的な業に見えなくもないが、それだけではない。ともすれば身体パフォーマンスとは異質な、ミニマル性が強く感じられるが、根っこではやはり身体を意識した作品といえる。「’82北海道現代作家展」では、九〇センチの立体銅板の内部に砂を埋め、その中にビデオモニターから映像を流した。そこでは藤原の呼吸音が流れた。

新聞批評は〈人間と物質との根源的な関わりを示唆する〉と評したが、黒いオブジェから流れる息の音、これはまさに身体性が脈動した作品でもある。

さらに私が企画した一九八二年の「SEVEN DADA'S BABY」展では、会場となったギャラリー・ユリイカの壁一面を、板材を割き繋ぎながら貼るという行為をみせた。ここで意識したのは、〈巻く〉から転じて〈割き〉〈繋ぐ〉という身体的動作の反復であった。

当時、札幌にフリースペース「駅裏八号倉庫」という様々な表現の実験場があった。ただ高架化のため取り壊しが決まり、フィナーレとして「三六日間札幌二蹴」（八月七日〜九月一一日）と銘うった多様なイベントが組まれた。

フライヤーには、「夏、あなたは勃起する。」と扇動的言葉が躍った。藤原は、八月二六日と二七日に「アクション・フロッタージュ８２８」を決行した。銅のオブジェ、ビデオ、身体、ヴォカリゼーションを使った。

中島洋（映像作家）が協力した。この時、田中泯はメッセージ「藤原瞬のパフォーマンスに便乗して」を送ってくれた。また藤原は、チラシに三浦梅園の文を記載した。

さらに一〇月には、小樽港旧税関跡地で開催された「シーサイド展」（野外展）に参加した。

翌年の一九八三年には、北海道立近代美術館主催の「北方《きた》のイメージ　北海道の美術'83」に出品した。藤原は、テーマ「北方のイメージ」に即応することなく、自分のコンセプトを貫いた。

現代の閉鎖社会を象徴するような立方体の六面体を提示した。それは全て土壁でできていた。一辺が二メートル一〇センチあった。そして密閉されていた。閉鎖性と密封された空間というコンセプトは、さらに四月の大同ギャラリーでの個展に継承された。

視点をかえて、音とのコラボについても、少し探っておきたい。『遊』（一九七九年八月号）がある。「音界＋生命束特集」とあった。そこではさまざまな論などが並んだ。「雑音に対するヒポテーゼの試み」、「音と宇宙構築　周期性から大自然へ」、「生命奔流奔放譚　反秩序のオーガニズム」「部分と全体のタオ自然学」などだ。

ここでは短くなるが藤原の音への共振についてみておきたい。音の探求は、藤原がみずからの「身体気象」の哲理を築くために必要だったにちがいない。

藤原は田中泯ともコラボしている即興演奏家ディレク・ベイリー（イギリス）の音に注目した。私が関心を抱いたのは、ディレクの何に共振したかということだった。その疑問を解き明かしてくれるのが、ディレクと木幡和枝との対談「演奏の自在境におもむく」（『遊』（一九七九年・八月号）だ。この対談は、一九七八年に「工作舎」で行われ、さらに場をイギリスに移して続けられた。ここで木幡は、インタビューを「東洋的名辞の自在境」というタイトルにした。

藤原が半夏舎の企画に協力した札幌でのディレクのコンサートは、一九七八年四月にヤマハホールで行われた。その時の銅鐸をコラージュした案内状はユニークだった。古代の祭祀に使った銅鐸。それはある種の楽器でもあったのだから。

もう一つの企画がある。一九八〇年四月に教育会館で開催した。「放電する音束のパフォーマンス」と題された。これはハン・ベニング（オランダ）とペーター・ブロッツマン（ドイツ）による音の前衛パフォーマンスだった。ベニングは、あらゆるモノを楽器として使って演奏した。ブロッツマンは、リード奏者だった。

ここに大判のパンフレットがある。このパンフレットには、音を巡る言葉が鏤められている。任意に二、三あげてみる。「PERFORMANCEとは一心不乱の感謝と、一水の不義を終わることなく始めることである。PERFORMANCEには、物質のドラマが必要です」（田中泯）。「かたい音、やわらかい音の事象を印象する。音《ね》を皮膚に塗ってみる」（藤原瞬）。

ここで藤原の〈音《ね》を皮膚に塗ってみる〉に拘ってみたい。先の対談でのディレクの言葉にも注視したい。〈触感、音の物理的感触を楽しむことが音楽になる〉という。この視座を、先の藤原の〈音《ね》を皮膚に塗ってみる〉と重ねてみる。まさに相同の視座ではないか。つまり双方とも、音の〈触覚〉性に言及しているのだ。皮膚で音をみること。さらにいえば、生命の波動としての音を、まさに音束として、身体を器として受容すること。そこから何か、これまでにないことが起こること。それを目指したコラボだったようだ。

ここに藤原がなぜ身体を通じて音とコラボするか、その目的が象徴的に語られている。まさに、楽器から発せられる〈かたい音〉や〈やわらかい音〉を身体で受けることだった。それを自らの〈皮膚〉に溶かし込むこと。そこから起こる反応を、今度は自らの身体を媒体にして外へ出していく。それが〈音を塗る〉ことだった。当然にも、音は演奏者の身体から生まれるものでもある。とすれば、藤原の身体は、演奏者の身体と合致していくことになる。そんな高次な「身体気象」を意識したにちがいない。

藤原の音束に関する企画は、一九八一年の田中泯、ミルフォード・グレイヴス、ディレク・ベイリーの三者による即興コンサートと続いた。

一九八五年に駅裏八号倉庫で行った小杉武久＋高木元輝コンサートが最後となった。ただ高木元輝が来札できなくなり、高田哲哉(リコーダー)が変わって参加した。この時は、藤原もパフォーマンスでコラボした。

その後の田中泯、松岡正剛、藤原瞬との関わりについて、時系列でここで整理しておく。

一九八五年九月一五日から二九日
第一回札幌豊平河畔野外展(主催：野外展実行委員会事務局)　田中泯を招待　藤原は作品＋一四日間オールディ・オールナイトパフォーマンスで参加

一九八六年七月一〇日から一三日
東北演劇祭(TATA八戸プラザホテル裏　特設タータ・テント劇場)　松岡正剛・田中泯(語りプレTATA・カタローグ)藤原瞬(パフォーマンス)　共演・音楽　札幌ファクトリー110(植野巻子・梅原宏明・小磯卓也・田端昭義)

一九八七年
白州・夏・フェスティバル（ART CAMP 実行委員会）　実行委員、美術部会メンバー
一九八八年七月二九日から三一日
ART CAMP 白州・夏・フェスティバル'88　作品展示
一九八九年七月二七日から三〇日
ART CAMP 白州・夏・フェスティバル'89　作品展示
一九九三年七月三日から八月二九日
アートキャンプ白州'93　作品展示

その後の導師田中泯とのコラボレーションの風景を辿ってみる。時間はかなり流れた。

一九九四年六月六日に、厚田郡厚田村古潭で「田中泯舞踏公演と夕べ」を開いた。場は、古潭漁港の水産荷捌所施設。二部構成だった。

一部は、舞踏公演〈「六月六日」―空間に恋して―〉。主催は「厚田村教育委員会・村民大学」。第二部は、「田中泯さんを囲む夕べの会」、こっちの主催は「田中泯さんを呼ぶ、あい風の会」実行委員会だった。招聘と運営が地元の方々が中心となった。これは藤原の古澤への愛が、地元に浸透した証拠となった。

この時のフライヤーには、田中泯の言葉「踊りは、私の日常です。」を掲げ、さらにこんな田中のメッセージが記載された。「考えることを放棄したくなる程、結論ゴールのない『空間』に私は恋をしてしまったので

した。あれやこれやはまだ簡単、あれこれ以上にあれこれなので困ってしまいます。生死のシンプルな循環な天然に、表向きは私、温順です。されど『恋』は時を行方知らずに追いやります。恋するうちが華なのよ、ではないのだ、『私は恋だ！』。強引だが原則的な知の生命に従いたいと想うのです。アクションとダンスが私の目覚め。時知らず（改悪野菜じゃないけれど）おどりまいらう」。

ここに溢れているのは、田中泯自身がいうところの〈結論ゴールのない「空間」〉こそが、この古潭であったこと、それに恋心を抱いていることを示している。

〈知の生命〉に従いつつ、眼醒めつつ、いざ〈おどりまいらう〉という。それが〈「六月六日」―空間に恋して―〉の言葉に凝縮されているのだ。ここに長く続いた藤原と田中泯との熱い交流が大きな実を結んだことになる。

セクションⅢ　アメリカへの行脚

1．「北国からの三人展」

アメリカのカリフォルニア州サンタフェ市で「北国からの三人展」が、一九八四年七月七日から八月二六日まで開催された。サンタフェ市は、サンフランシスコ市より南へ一時間ほどにあり、周辺はシリコンバレーと呼ばれている。展覧会の会場は、トライトン美術館だった。

この展覧会の開催にあたっては、前段の物語がある。コーディネーターとなったジェラルド・ブレット氏の存在が大きい。ブレットは、四年間札幌に住み、道内で活動する現代美術家と交友し、彼らの作品をアメリカでも展示できたらと考えていた。ブレットは、藤原が一九七八年に松岡正剛と共同企画した「第二回遊撃展」（札幌市教育文化会館）にも足を運び、藤原の過激な「アクション・フロッタージュ」を目撃（体験）し、強いインパクトを受けていた。

その後彫刻家國松明日香が、渡米し、ブレットの邸宅に滞在した。その後、ブレットは、トライトン美術館のヘルナンデス館長を伴い、札幌に来た。目的は、「北海道現代作家展」（北海道立近代美術館）を見て、サンタフェでの展覧会にむけてのメンバー選定だった。

結果として、國松明日香、宮前辰雄、藤原が選ばれた。

約一年間の準備期間があった。まず公的機関のサポートをえつつ、渡航費や運搬費の工面をした。平行して藤原は、作品の構想を練り、必要な資材をどう運搬するか考えた。かなりの経費がかかることが分かった。まず素材となる七二〇×六〇×二一センチの角材二本を船便で送った。それだけで四〇万円かかった。不足分を友人や知人が工面してくれた。

藤原は、國松明日香、宮前辰雄よりも前に、美術家嶋田観と共に現地に入った。現地の空間をみて、当初の計画を変更し、美術館の中庭で行うことにした。テントを張り、二週間そこで生活しながら制作した。が、野外での制作はきつかった。カルフォルニアの強い光が容赦なく身体を刺した。運んだ二本の角材に黒鉛を塗った。当時のことをこう述懐する。〈背中や腰や足の皮膚を、カンカン照りの中で晒したところ、皮膚だけでなく肉まで溶けた。今も背中の毛穴がかなり塞がっている〉という。

では二本の角材を、どんなコンセプトで構成したか、「藤原瞬のアメリカ遊撃談」(佐佐木方斎との対談・『美術ノート』No.4・一九八五年)から探ってみる。

下の一本は、〈生命を象徴的に置き換え〉、上の一本は〈成層圏をイメージ〉したという。つまり〈生きとし生けるもの〉を表象し、見る方々にそれらの〈内実の声〉の膨張・収縮を感受させたいと思案した。

オープニングには、二〇〇〇人集まった。また会期中、約五千人の入場者があった。オープニングでは、藤原は自らの身体にも黒鉛を塗った。身体は黒い光沢体となり、場空間を異化させた。この心にひそむ無意識のある部分をさらけ出す行為。観客には今まで体験したことがなかったものだった。

観客の反応はどうだったのか。どうも作品同様、パフォーマンスもまた〈神秘的〉にみられたようだ。〈神秘的〉をどう解釈するかによって、反応の意味が大きく変化してくる。察すれば、〈東洋的〉や〈ヨガ的〉と捉えていたかもしれない。

どれほどの人が、藤原のラジカルな身体行為を深く理解してくれたか、やや疑問は残る。ただ、これまでの美のシステムから解き放たれたこの身体行為が、見る人の意識のあり方に何等かの震動を与えていることや、大きな世界の中で、自己存在は実に小さいものであることを示していることは、直感で感じとっていたかもしれない。

ここで少し、藤原が目指す作品空間と素材との関わり方を論じておきたい。藤原が強く指向している空間とはどんなものか。巻いたり、塗ったりする反復、そこに顕現する執着性は、いったいどこから生起するのか。そこには、どんな心性が絡んでくるのか。さらにいえば、それはどのように現代美術のフィールドと繋がっているのであろうか。

別な言い方をすれば、藤原にとって作品を造ることとはいかなる価値創造だったのか。それらを解析することでしか、藤原の身体パフォーマンスの本質を解読できないのだ。

私はこの論において、そのことを少しでも明示できればと、こうして筆を動かしているのだ。それが、まさに私が書くことの根拠でもある。

この根源的な私の問いへの、答えとなるいくつかの言説を先の対談「藤原瞬のアメリカ遊撃談」から探してみる。

こんな言説を文中に発見した。「それでも何かこうゴビ砂漠を心細く物にとり憑かれて歩くみたいにしつこくやっていると、突然、鈍器で頭をぶん殴られる、それも暗いところから。根が深い存在の穴にボコッと満月が見える。結局のところ、冷え冷えとした光に突き動かされているわけです。感極まって哭く美学、狂おしく衰弱していながら、真底〝美しい〟とわけもなく来るやつです」。

全体を通じて、一つ一つ言葉を紡ぎながら、懸命に自分が内視した風景をあらわそうとしているのがひしひしと伝わってくる。〈みじめで負性を保持している場〉に拘る姿勢は、その後も不変だった。

さらに文中の〈極まって哭く美学〉という言い方も心に響いてくる。〈哭く美学〉とは、藤原の芸術とは何かを示しているにちがいない。なぜなら、藤原は自分の身体を媒体にして他者の〈恨〉や〈怒〉だけでなく、〈悲〉さえも抱えこもうとしたからだ。そうした想念をエンジンにして、藤原は全身全霊で〈哭く〉のだった。

ここには藤原がみずから目指した「身体気象」にこめたもの、その思念の姿が立ちあわれているようだ。〈冷え冷えとした光〉や〈根が深い存在の穴にボコッと満月が見える〉とか、言い回しは詩的かつ象徴的であるが、そこに示されたものは裸形のままの藤原、つまり私が最初にのべてきたところの「蒼い心性」がここに立ちあらわれているとみていいだろう。それにしてもなんと重い思念が表明されていることであろうか。

2. 48時間のパフォーマンス

もう一つのパフォーマンスがあった。それは写真家マイク・ナルシソのスタジオで行った。四八時間ぶっ通しのパフォーマンスに挑んだ。まず二本の角材を四等分した。四本を口の字型に立たせ、後方右側に二本を鉤型に、二本をL字型にした。さらに鉤型に×印の赤い蛍光管を取り付け、L字型に水槽がはまるようにした。そして水槽に四匹の鯉を放ち、その中にマイクを置き、跳ねる音などを電気拡張した。それに自らの声を絡ませた。藤原の身体は、こうした装置と対峙した。棕梠縄を全身に巻き付け、さらにその上の粘土を盛り上げた。口、鼻、目、耳などの穴を塞いだ。

このラジカルな行為性を問うてみたい。ここで論ずべきことはいくつかある。一つが、時間と行為の関係だ。藤原の行為は、「一三日間」（これは一九八五年に「豊平川河畔野外展」でのパフォーマンス）、「三六日間」とか、「四八時間」とか長時間にわたって連続するのが特質だ。普通、アート的な作品行為は短時間でおわることが多い。なぜそうするか。いうまでもなく時間を延長すればするほど、どんどん身体は消耗していくからだ。だからこそ一定時間内に表現するコンセプトを完結させるのだ。それゆえ〈四八時間ぶつ通し〉は、まさに異常である。それにむけて自分を追い込むことは、かなり自虐的でもある。

パフォーマンスは、観客がいてはじめて意味を成すものだ。はたしてこの〈四八時間ぶつ通し〉の目撃者は存在したのであろうか。なんと数名いたという。これには驚いた。見届けたメンバーの反応は凄いものだったという。

再び「四八時間」という意味を考えてみたい。そこにいかなるものを託したか。藤原のアートコンセプトは何か。その手掛りを求めて、「藤原瞬のアメリカ遊撃談　パート二」（佐佐木方斎との対談・『美術ノート』・No.7・一九八五年）を読んでみた。佐佐木は、ここで鯉を使ったことに触れ、それはヨーゼフ・ボイスがコヨーテと画廊空間で過ごすパフォーマンスをしたが、それを意識したかと聞いた。すると、そうではないという。NY

で知人となった美術家靉嘔（あいおう）からの伝聞を引きながら、ボイスは「自然回帰」でもなんでもないと扱き下ろした。これはボイスのパフォーマンスに内在する偽性や欠落性を厳しく突いている。〈コヨーテと共に〉といいながら、夜になると、別部屋のベッドで寝ていたという。とすればそれはまさに〈虚〉に過ぎないと突き放すのだ。

とすれば水槽は、海辺のメタファになりえる。そんな壮大ないのちの歩み、つまり生命の潮流を想定したということになる。なんという思弁か。なんという脳内であるか。それを自らの、一個の身体を器（メディア）にして提示しようとした。生命史の流れを「四八時間」に縮めたことになる。「四八時間」は、そういう深い質をもった時間なのだ。身体の「穴」を塞いだのは、身体に極度の負性を与えることで、つまり「苦」を持ちこむことで、「鯉」や「海辺のサル」に近づこうとしているのだ。

＊

こうして全ての時間を賭けて、自分の全てを賭けて行為をしなければ、どんなにコンセプトが優れていても偽装の儀式に過ぎないというのだ。私見を挟みたい。この虚を排しながらギリギリまで心身を追い込む行為。受難のキリストが磔刑の前に、たったひとり荒野で祈り苦悩した姿とタブルのだが……。藤原の長時間にわたる激しい行為の中には、宗教性を帯びた自己犠牲の指向を含んでいるのかもしれない。

この時使った黒鉛に拘ってみたい。一九八六年に、札幌の東区にある仕事場で約四五分のパフォーマンスをした。この時も、全身に黒鉛を塗った。ポップス調の音楽やクジラの呼吸音を流して踊った。読売新聞の記者太田直行によるインタビューがあった。それは「明日へのフロントランナー　藤原瞬（上・下）」の記事となった。自ら黒鉛が好きだといっている。その造り方を説明している。数十本の鉛筆の芯をヤスリで擦って作る。それを集めて素材とする。

ではなぜ皮膚を塞ぐのであろうか。そのわけをこういう。「自らの肉体と外界とを完全に遮断するため」であると。パフォーマンスをした後で、風呂やシャワーなどで三回洗いながすが、芯の粉が体表の奥まで入り、体内に吸収されていると感じるという。みんなから身体に悪いので、黒のドーランを使ったらといわれるが、それだと陰影や濃淡がでないのでダメという。つまり身体に負性を与えることで、みずからを見つめなおすのだった。

アメリカでの遊撃はさらに続いた、今度はビックアップル、ニューヨークだった。そこに三ヶ月滞在した。アイビー・スカイラッキー（造形家・パフォーマー）の世話になった。刺激的な人たちとも出会った。パフォーマンスは、二回行った。一回は単独で、一回は、三人で行った。場は、ソーホーのシモーヌ・フォルティ（ダンサー）のスタジオだった。

このシモーヌのスタジオがある建物の四階には鬖嘔、五階には韓国のナム・ジュン・パイクが住んでいた。ソロ・パフォーマンスでは、チャイナタウンで買った笹の葉を全裸の上に接着剤で付着させ、ネコ柳の枝を両手足に括りつけた。

二回目は、フォルティの友人の彫刻家がフランスで亡くなっていたが、それを想いながら追悼した。

こうした国内外でみせたギリギリのパフォーマンス。自分をあえてそうした情況に置くことで、他者や世界との接点を見出そうとしているのだろう。まさに現代的な〈哭く美学〉がほとばしりでている身体表現だ。

そこが他のパフォーマーとちがう部分がある。精神性を帯びた求道的なパフォーマンスでもあるようだ。

セクションⅣ　古潭村

1. 彼方への眼差し

札幌から車で約一時間余のところに厚田郡古潭村がある。僅か人口三千人の寒村だ。一九八七年に藤原はここに転居した。三七歳になっていた。居を移したが、中央との繋がりは続けた。一九八九年にＥＣが主催したユーロパリア「日本展」に参加した田中泯と共に渡仏した。

帰国後、東京にある日仏会館・庭の設計コンペに外国チームの一員として参加した。そのマスタープランが残っているが、それをみると水を活かしたデザインを提案したようだ。

また一九九〇年春には、田中泯とともに紀州田辺市で開催された「南方熊楠計画」に参加した。主催は現地の「熊野スタッフ」だった。「南方熊楠計画」は、熊楠が「丸ごと視つめ、怒り、愛した世界への姿勢」をテーマとし、彼が「全存在を賭けて表現した事実を未来への投企」とすることを目指した。

田中は、舞塾メンバーと扇ヶ浜カッパセンターで舞踏「神と云う名の島、浮かぶ島」を踊った。藤原は、この紀州・熊野の地である啓示があった。一〇万に満たない田辺。そこで世界を駆け抜けた熊楠の精神を次の時代に引き継ごうとしている。熊楠は全自然と対峙し、巨大な自我を自分のために用いることはしなかった。それに田辺の方々は熱く応じた。こうした地域に根差した文化づくりをする姿に惹きつけられた。

戻ってさっそく、「北グループ」を立ち上げ、さらに一九九〇年に構想(案)をまとめた。「厚田村古潭文化センター」(仮称)とした。目的に〈現役農・漁村　厚田〉の魅力と活力を、〈貴重な例題としての厚田〉としてとらえ直し〈世界的文脈から感じ取ること〉とした。

さらに都市と農村、その双方の〈深い記憶〉を喚起し、〈歴史と未来〉を繋ぐ架け橋としての〈場づくり〉を目指した。こういえるかもしれない。古潭は藤原にとっての〈白州〉や〈熊野〉となったと。

では「北グループ」の活動をみてみる。はじめ藤原は、漁師の番屋に居を構えた。まず農家から畑を借りた。農民となり畑を耕した。そこにトマトやズッキーニなどの無農薬野菜を作った。さらに魚の加工場をこしらえた。

この地には豊富な鮭があった。漁師から仕入れた鮭の加工を始めた。まず鮭を浜風で乾燥させた。トバができた。さらにイクラの醤油漬けも手掛けた。加工場の隣に燻製室を作り「桜」のチップを燻した。無添加ベーコンやスモークサーモンを製造した。

すぐに販路の開拓にも取り組んだ。札幌の料亭ともコネをつけ、当別にあるスウェーデンヒルズの住宅地などでも販売をした。さらに東京に狙いを定めた。新鮮なイクラを空輸し、それを素材にしてイクラ弁当の販売を始めた。販売場をビジネス街のメッカ大手町ゾーンにした。「北グループ」の文字の入った冷蔵車で運んだ。先駆的な志向が当たった。毎日完売したという。古潭から、ビジネス街のお腹を美味しいイクラ弁当でわし掴みしたわけだ。このように藤原の計画は、より実践的だった。

「厚田村古潭文化センター」構想をさらに考察してみたい。私は、ここに「身体気象」の哲理が息づいているとみたい。というのも主旨文にこうあるからだ。〈私達の身体の意識の内奥には大地や気象に挑み、負け、親しみ、感謝してきた経験や記憶が大切な私達の遺産として残されているはずだ〉と。しかしながら、近代化の弊害により、〈営みの記憶〉が喪失している。だからこそ、新しい道を造りだしていかねばならないという。

では現実の環境世界をどう作り変えるのか。藤原は〈視座の変換を〉という。つまり〈破壊と征服の文明の歴史〉から〈交流と共生の文明〉へと。そのためにこそ、〈自然の記憶〉と〈人の交流〉を繋いでゆきたいという。そうすれば古潭はおのずと、津軽、紀州、関西、九州、沖縄、東京、NYと手を結ぶことになるという。そのためにも「文化センター」が必要というのだ。その手始めに、展覧会と「フェスティバルを」と声を大にした。

この様に古潭の地で、藤原は「身体気象」のビジョンを、アート世界にとどめることなく、地域文化づくり、草の根運動へと高めたのだ。

その意味でもこの古潭の試みは、藤原の思想を吟味する上でも大切となるのだ。結果としては、そのビジョンの全てをリアライズすることはできなかったが、〈芸術と社会〉との繋がりを考えるうえでも、いまこそ藤原が夢見たことを再検討すべきなのだ。

さらに「文化センター」構想の具現化を企図した。〈実験と実践〉の場づくり（藤原は、〈糸づくり〉とも言い換えている）に挑んだ。

それが「天円地方館」のプランだった。いうまでもなく「天円地方」とは、古代中国の世界観・宇宙観である。天は［円］で、地は［方］ということだ。

藤原は、こう声をあげた。「それは断崖に起立する。我々は無名と痛切の原点から、あらたに始めるつもりだ」と。多種の業態を志向した。「ギャラリーＭＵ」「天海ラボ」「そば処蕪村」「アート&カフェ雪村」「百姓会議」「天円地方農園」「藤原瞬スタジオ」など。

この「天海ラボ」は、天海敬子が主宰した。藤原は、平成一七年に天海と結婚した。それ以後、天海はアートマネージメントやアートプロジューサとしての手腕を発揮し、足元から藤原をサポートした。

この後、アトリエ・モリヒコの協力を得て、焙煎技能を学び、二〇一〇年に天海珈琲をオープンした。いつしか焙煎のプロになった。

2. 作品への波及

さて古潭を拠点としてから、作品はどう変化したか。それを考察してみたい。次第に大きな変化が起きていく。一九九一年に「北の創造者たち'91　金属のフィールド」（札幌芸術の森美術館）のメンバーに選抜され、藤原は「ＨＡＮ—1991—」に挑んだ。藤原は、一九八〇年代後半より、頻繁に個展タイトルや作品名に「ＨＡＮ」と付けた。少し「ＨＡＮ」を考えてみたい。多義の意味がありそうだ。まず「ＨＡＮ」は、版画の〈版〉だ。当時〈版画〉の概念が拡大し、身体そのものを〈版〉としてみる見方も生まれてきた。また社会的なコードでいえば〈恨（ハン）〉となる。よくいわれるように朝鮮文化の核（コア）にあるもの。思考や文化や思想の根底に潜み、民衆が抱く抵抗の歴史意識とも繋がっている。藤原はそれらを踏まえながら、作品に「ＨＡＮ」と付けることで、みずからの存在とは何かを問いながら、いま何を表現すべきか検証していたにちがいない。

藤原は、テーマとなった金属の原初的潜勢力、その感応性を意識した。山を貫通する鉱山に入り、その全長八六キロメートルの坑道を一人で歩いた。そこから自らの身体にその地底から発する声を引き込んだ。この体験を酸化鉄と鉛と木を使って作品化した。空間は鈍い光に溢れた。観る者の身体に、夥しい気圧を与えた作品となった。

一九九二年に「HAN―1992―」（大同ギャラリー）に挑んだ。画廊空間が大変容した。今度は、一転して金属から牧草を素材にした。直径二メール、高さ二・三メートルの円筒形がそそりたった。画廊空間の壁には、平面作品を展示したが、そこには古潭で栽培した野菜がじかに擦りつけてあった。古潭の匂いが空間に満ち、古潭の光景を移送したかのような場となった。

牧草は、さらに巨大化し、東京のど真ん中で展示された。場は、表参道にあるスパイラルホール。主催は（株）ワコールアートセンター。主として国内若手作家を紹介する展覧会を企画している。今回は「存在／距離」がコンセプト。選ばれたのが四人。キュレーターとなったのが萬木康博。藤原の作品は「草吽（そううん）牧草」（一九九三年）という。

高さ六メートルの四体のサイロのような円筒形態がそそり立った。大都会の中心に、牛が草を食む光景が現出したのだから、それを見た人は唖然とした。朝日イブニング・ニュースの記者が紙面で書いているように、それは「とても難しいこの空間」に現出した、「シンプルで、エレガント（素晴らしい）な作品」だった。まさに北海道、古潭の光景に変容させたのだった。

それにしても、大変な物量だ。それを集め、東京まで運び、それを積み上げる。構造体としてもしっかりしていないと崩れる。ワイヤーでしっかりと締めた。

さらに古澤は、作品そのもののタイトルとなった。一九九五年に「アートスペース２０１」（札幌）で「HERE WHEN WHERE WHO WHAT WHY HOW…古潭」を開催した。画廊空間は、異様な状景となった。会場に、蕎麦とえん麦を撒いた土を切り取っておいた。額には白い餅をいれた。そこには緑色の黴がはえていた。当然にもそれは時間の経過により増殖し変色した。さらに床に鮭を一四〇匹並べた。

黴も鮭も種子もみんな生きている。熊楠の思想への共感であろうか。みんな人間と等価な存在だ。それらを生のまま開示した。当然にも鮭も黴も異様な匂いを発した。

そして壁面には、三枚の弥勒菩薩像を架けた。それにしても黴、鮭、種子と菩薩像。不思議な結び方だ。でもこんなことも考えられないか。弥勒菩薩とは、未来仏といわれ、五六億七千万年後にこの地上に来る仏といわれる。とすれば鮭の生命、黴の生命、種子の生命も、大きな弥勒菩薩の慈悲の時間に包まれていることになる。タイトルにあるように「ここ、いつ、どこ、誰、何、なぜ、いかに」、つまり全てのこの世の事象を根源的に問いながら、そこに弥勒菩薩を顕現させる。そんな宗教的な空間に変幻させたのだった。これもまた古潭での生活、そこで獲得した「身体気象」的作品といえるのだ。

この時期には、藤原は、店舗デザインやファッションショーにかかわっている。ただここではそれには触れないでいきたい。

＊

鉱山、つまり大地（地球）へと下降する意識を強めた作品がある。それは「光苔―我々という実寸」というタイトルだった。

「北海道・今日の芸術　語る身体《からだ》・10人のアプローチ」（北海道立近代美術館）で発表した。

「我々」と「実寸」に、いくつかの意味をこめた。長く交流のなかった父と自分。いや不和の関係にあった父。作品づくりを介して、その関係が溶けたことを示した。さらに手稲の炭鉱跡を選んだことからも推察できるように、炭鉱町の芦別生まれの自分達親子の原風景を再現した。

ふと、こんなことも頭をよぎった。光苔にも南方熊楠の影があると。光苔は、暗所において金緑色に光る。そこに藤原は、これまでに二人の間に流れた時間を負託したのかもしれない。

選ばれた廃坑となった鉱山。そこには水音が流れる暗い空間だった。放置されたトロッコがあった。父と子は、正装しそこに並んだ。美術館の展示では、トロッコの上にモニターを積み上げ、古潭で行った父とのパフォーマンスを流した。

3．海と空に包まれて

この古潭の地で大きな構想を描き、実業家な面もみせたが、その内面はどうだったか。次の言葉を読んでほしい。これは東京にいる天海への藤原の電話内容を、天海がメモを残していたものだ。肉声でもあり貴重な資料となるので、一部を紹介する。

「久しぶりに青空。本当に真っ青な空に、ドーンと横につながった雲。ドーナツが横に連なったような雲。

お弁当を買って、（古潭で一番高い）神社に登って、一時間半も空を見続ける。海と天と（えっ、それじゃ私の名前じゃない！）大気、気象、空、天、そして生命の海。一〇年間の予感が、今、この風景を目の当たりにして、自分の気持ちと感応し、やりたい気持ちがようやく成熟した。表現のエゴイズムがでてしまわないよう、自己の成熟を待つ必要があった。一年間一歩も古潭から出ずに、日が昇ってからくれるまで、一刻一刻、夏も冬も描き続けたい。このプロジェクトを七月に公表する。そこには多くの個人、各々のリアリティ、体験をもとにしたコミュニケーションが成立する」。

これは一九九五年六月二日の夜の電話という。当時天海が住んでいた西葛西への電話だった。（古潭で一番高い）は、天海の補足、（えっ、それじゃ私の名前じゃない！）は、天海の感慨の吐露だ。

藤原が古潭の海と空を新しい母と父として日々を暮らしていることが手にとるように分かる。これまであまり言ったことがない〈自己の成熟〉という言葉を口にするところに、藤原の心境の変化を感じる。ただ別な電話では、いつもとちがう一面をみせる。「生きる立場と／あらゆる存在の／地べたと歴史を／ほんの少しばかり／掘り起こす地下茎／それを知る 知らない のでは／痛切な何かが／違ってくるのではなかろうか」。ここでの〈痛切な何かが〉という言葉が、気になるところだ。別なところでは、尾崎放哉や種田山頭火の詩句に自分の心情を重ねている。他のメモをみると全部ではないが、ときどき〈痛切〉〈死〉の文字が散見される。さらに〈私は生まれてから何を知ったか〉と自己省察の言葉を吐いている。

こうした言葉の端はしから、私はふと表現者とは違う素顔の藤原の姿をみたと感じた。こうもいえるかもしれない。一人の人間としての藤原がそこにスッと立っていたと……。

こうした想いを抱きながら、焙煎に精を出し一杯の珈琲を通じて訪れた方と会話をしていたのだろう。そうした心境から、後半の静謐で透明な平面絵画が生まれたのだろう。何度も層を重ねられた空間。そこから生まれた明度の高い色相。

こうして絵筆を握り、絵画作品に戻ってきたわけだ。

それらもまたまちがいなく、藤原瞬のもう一つの、そして新しい自画像でもある。

類まれな前衛の旗手は、二〇一八年に蒼い、もう一つの宇宙に旅立った。

この私のささやかな論『藤原瞬——身体気象の彼方へ』は、北の地が生み育んだ異彩を放った一人の表現者への鎮魂の文である。藤原の霊に届け、と祈りつつ筆をおく。

＊この『藤原瞬—身体気象の彼方へ』は現在刊行準備中の『ドキュメント　藤原瞬の身体気象』のために書いた。さきにこの『ミクロコスモスⅠ・美のオディッセイ』におさめることにした。というのも『ミクロコスモスⅠ』が、ダダイズムや前衛芸術についての論考を軸にしているためである。ただ一部だが、文を付け足している。

Ⅲ・タナトスの図像

死を見つめる眼――アンドレア・マンテーニャ

1.〈死せるキリスト〉

かなり前になるが、数年間にわたって朝日カルチャーセンター（札幌）で「聖書の図像学」を担当したことがある。この講座では、聖書を主題にした絵画作品を取り上げながら、画家や彫刻家に着目しながら、そのつど作品を一つ一つアートリーディングするようにした。

二〇〇七年度の第一回に、アンドレア・マンテーニャ（Andrea Mantegna）の「死せるキリスト」(Cristo Morto）を取り上げた。

聖書をテキストにしながら、絵画や彫刻などに表現された図像との深い繋がりを探るというのが、この講座の企図ではある。ただこの回は、そうはいかなかった。なぜなら〈聖書のどこに、「死せるキリスト」の記述がありますか〉と問われれば、どうにも返答に窮してしまうからだ。

少し調べてみた。キリストの死の情景。その顔や体の状態がどうであったか。またゴルゴダの丘に集まった人が、どのようにキリストの死を嘆き悲しんだか、さらに母マリアは、イエスを抱きながら、言葉として何かを発したのであろうかと。ただそれは虚しい願いとなってしまった。

四つの「福音書」のなかで、〈十字架磔刑前後〉については一番詳しいと思われるテキストといわれるのが

「ヨハネによる福音書」だ。ただそれを読んでも、さほど事態はあまり変化しなかった。ここでもほとんど〈磔刑のシーン〉に限定されていた。〈十字架降下〉の後の状景描写は、すぐに墓への埋葬、そして〈復活のドラマ〉へと向かって駆け足となっていた。

つまり結論からいえば〈死せるキリスト〉に関する、はっきりとした記述がなかった。

ではなぜそうなったのであろうか。いろいろと推論はできる。神の子たるイエスの物語を記述する目的で書かれた聖書に、「悲惨なる死」の状景は相応しくなかったか。いや、そうともいえない。たしかに悲惨なドラマではあるが、イエスは人間の原罪のために死んだこと、つまり「贖罪の死」であることを告知するためには、細部にわたって描写してもいいはずだ。実際は、そうならずほとんど「非記述」となった。

そこには、そうならざるを得ない、重いわけがあったことに気づかねばならない。

その訳に触れるまえに、少し迂回しながら、「福音書」の成立と、その四つの福音書の差異を整理してみたい。

「福音書」自体の性格と成立の経緯が、この件に深く係わっている。

『新約聖書』（〈新しい契約〉の意）の最初部に、四つの「福音書」が置かれている。福音《ふくいん》とは、なかなか分かりづらいことばだ。「グッドニュース」、つまり神から発信された人間への「良き知らせ」のことを指す。イエスが神の子であり、人間の罪のために死んでいった。そこに神の愛がある。これが福音の真の意味である。

さて研究者によれば、いまのところ最初に書かれたのが「マルコによる福音書」という。ただ作者確定には、いたっていない。確定の問題は、全ての「福音書」に共通することだ。つまり個人名をあげて確定できるほど、作者名は明確ではないのだ。

「マルコによる福音書」の成立年は、西暦七〇年頃という。その後ほぼ同時期の、八〇年頃に「マタイ…」、「ルカ…」が書かれた。それでこの三つを「共観福音書」と呼んでいる。

最後に書かれたのが「ヨハネによる福音書」。成立年は九〇年代というから、すでにイエスが死んでから、すでにおおよそ六〇年近くたっている。

ではこれらの四つの「福音書」は、何を資料にしていたか。イエスの言動記録を集めた「Q資料」なるものを基礎にしている。もうひとつ、覚えておかねばならないのが、四つの「福音書」が正式に「正典」として認知されたのが四世紀、三九七年に開催されたカルタゴ会議であり、そこから外れたもの、認知されなかったものは「外典」「異端」として葬りさられていったことだ。ひょっとすれば、葬りさられた中に貴重なものがあったかもしれない。

本題に入っていきたい。「記述なし」「描写なし」のことだ。「Q資料」の基礎になったのは、「イエス語録」とよばれるもの。

当然にもその中心にあるのは、いつも寝食を共にして行動してきた一二人の弟子の「記憶」「言動」であった。ただ残念ながら、その弟子たちは、師たるイエスの死、その場には、全員不在であった。いや不在というのは正しくない。自分が弟子であることが判明すれば、イエスと同じく逮捕、処刑されるかもしれないと、方々に身を隠していた。師を裏切り逃げていた。そのためイエスの死を傍ではみていなかった。だから期待する記録があるはずもない。

それゆえにこそ、画家や彫刻家たちの出番となった。「記述なし」を埋める仕事を負った。あたかも自分がそこにいたかのように、想像力を働かせた。さらに聖書で記述していない部分を補完した。こうして言葉以上に、普遍的な力を帯びた、厖大な「聖なる図像」が誕生していった。

2．画家マンテーニャ

アンドレア・マンテーニャ（一四三一〜一五〇六）、この画家の美術史での位置とはどんなものか。そして彼の絵をひときわ個性化させたものとは何か触れてみたい。

私なりの見方を提示したい。個性化の要因として、いくつかを挙げてみる。

まずイタリアの北方の画家であること。この地には、同時代のフィレンツェに開花した理想主義とは異なるもの、つまり現実主義が厳然とあった。

この現実主義は、二つの眼をもっていた。ひとつは、浮いたところがなく、極めて冷厳に物事をみきわめる眼があったこと。フィレンツェでは、ネオ・プラトン主義が根をはり、美とは神から流れる光と考え、天上世界を崇高なものとして大いに賛美した。そのため、しぜんと甘美さ、華麗さ、優美さを大いに謳歌した。

しかしミラノ近郊の場では、鈍い光が注いだ。浮わついた感覚がなく、やや硬いという難点はあるが、対象をじっくりと見つめる、するどい感覚が芽生えた。

マンテーニャは、なかなか気の強い、現実主義の生き方をした。生まれは、北イタリアにある小村イソラ・

ディ・カルトゥーロ。父は、堅実な薬種業を生業としていた。マンテーニャが画業を修練したのは、パドヴァの地であった。

一応師は、スクワルチョーネといえるのであるが、彼とは激しく対立し、のちに裁判まで起こし独立する。独立裁判事件を起こしたのが、一七歳の時というから驚きだ。自分の才能を無駄にしないため、なんと親方を訴えた。当時としてはありえないこと。

「もう、立派に一人でやっていける」と決意したようだ。自信家の一面をみせる。彼の優れた才能を見抜いて、引き抜き自分の工房まで招いたのが、巨匠たるヤコポ・ベリーニだった。とすれば、この時すでにかなり天才的技量の持ち主であったようだ。

なんとマンテーニャは、ヤコポ・ベリーニの娘ニコシアと結婚する。ヤコポも、自分の後継者として認知していたようだ。一四六〇年には、マントヴァ宮廷に招かれて、一時、ローマで仕事をした以外は、ほぼこの地を拠点にして活動した。文字通りマントヴァ宮廷、ゴンザーガ家三代に仕えた。

信頼は厚く、またそのさまざまな要望に見事に応えた。画家としては最大の名誉である「騎士」の称号を戴いた。

マンテーニャの様式は、聖書や神話を主題にしながらも、絵にはやや冷たい光が差し、優れた空間構成をみせた。それは、後にニコラ・プッサンなどのフランス絵画にも多大な影響を与えた。

3．〈死せるキリスト〉の映像

この絵は、ミラノのブレラ美術館に置かれている。ナポレオンが設立に絡んでいるこの美術館には、ラファエロ、ピエロ・デラ・フランチェスカ、ヤコポ・ベリーニなどの名画が収蔵されている。このマンテーニャの作品もその一つ。

サイズを知っておくことが大切である。縦が六八センチ、横が八一センチ。やや横長の作品だ。板ではなく、キャンヴァスの上にテンペラで描かれている。布のザラザラ感を生かしつつ、かなり薄めに描いた。そのためイエスの釘で打たれた跡の皮膚のめくれも、肉体に穿たれた穴も、実に生々しく描かれることになった。いわばキャンヴァスという素材が、絵を個性化することに大きな役割を果たしたことになる。

絵をひときわ際立たせているものがある。独自な空間思考だ。これを短縮遠近法という。この斬新な空間づくり。私の眼と魂は鷲掴みにされた。なんということであろうか。イエスの身体を足元から捉え、両手の手の傷をみせながら顔を捉えていく。あまりに激しいリアリズム。脇には、深く悲しみに暮れる母マリアを描いている。

上から、死せるキリストを俯瞰するこの視座。

私はブレラ美術館で、この作品を前にしてこんなことも感じた。墓地でみられる棺の上に置かれた彫刻を意識したのかもしれない、と。どうにもこうにも棺の上に置かれた彫刻体に見えてきてしょうがなかった。ではここに現存するのは何か。はたして聖書のドラマの再現か。はたまたどこの家でも起こる悲しみのドラマを描いたのか。いや断じてちがう。〈死せるキリスト〉という聖なる主題を描きながら、その主題を超えていったのだ。つまりこう言い切れる。ドラマ性に堕することなく、生々しい死そのものを描いているのだと。

その体を包んだ布の感触が、さらに悲しみの情感を強めてくる。

短縮遠近法、つまり空間短縮法の手法は、きわめて現代的な意味あいを持ち始める。小説で描かれたシーンを、そのまま忠実に再現したかにもみえてくるのだ。そんなリアル感がある。〈皮膚のめくれ〉や〈肉体に穿たれた穴〉が、時空を超えて聲を発するのだ。

私は、これまで様々な美術館で様々な名画の前に立ってきたが、マンテーニャの〈死せるキリスト〉だけは、違っていた。重く腹に響くものがあった。それはうねりながら渦となり私の内で底流し、冷厳なる言葉と化していった。

ここにあるもの。ここに震えているもの。それは死という実存する事象。圧倒するほどの磁力を伴っている。

それにより添うようにして、死体の皮膚が醸し出す匂いが立ち込めてくる……。この死という絶対的なドラマ。この絵には、匂い、ドラマ、マチエール（絵肌）、そしてそれらが混在した聲がなり響いている。この絵の前に立つと、いつしか時間の速度は一気に遅くなり、ここがミラノの美術館であることを忘れるほどだった。

周辺が暗くなり、誰の姿もみえなくなる。残されたのは自分だけ。聲を殺してこの絵と対話する。なんと厳粛な時間であろうか。自分の眼の前には、キリストが横わたっている。この悲哀さを超えたリアルさ、この言葉を無化するような無常な死の姿。

この空間短縮法は、さらに迫真性を帯びさせた。胴体部が狭くなり、足元と顔が狭まってみえる。これは他の画家が思いつかないことだった。ほとんど唐突ながら、私はこのローアングルのカメラアイに、日本の映画監督小津安二郎と同質のものを感じたほどだ。

とすれば、ここに映画監督としてのマンテーニャが存在すると。そんな斬新な視点がここにはあるにちがいない。

〈死せるキリスト〉をめぐる詩想

1. 死の形象

悲しみのキリスト。これは伝統的なモティーフの一つである。代表的なキリスト教的な図像でもある。それ以上に、何か心の襞に触れるものを含んでいる。人の悲しみを十字架の上で味わい尽くしたイエスこそ、悲しみの極みを知っている。

多くの悲しみの図像をみてきた。その悲しみを忘れないために、よく聖書を開いてみる。磔刑のシーンを読み、その場にいる自分を想像してみる。

何人かの弟子、つまり福音書家は、こぞってこの磔刑シーンを劇的に描いている。ただ気付くことがある。十字架の人々、兵士や群衆の姿などはよく描いている。が、キリストの内心の描写は少ない。死に至る時間の経過は描いているが、イエスの心の動きに筆を走らせていない。

愛する師の悲惨な死に立ちあいながら、彼らは沈黙するのみだ。いや〈立ちあいながら〉といったのはまちがいだ。多くの弟子達は、その場から逃げ惑っていたではないか。不在の弟子は、間接的情報に基づいて書いている。それゆえであろうか。文学的にいえば、事実の積み上げと状景描写はリアルだが、肝心の主人公のイエス、その内心へのアプローチが弱いといえる。

ゴルゴダ(骸骨の丘)に立った木の十字架。そこに三人の男が磔となっていた。二人は強盗などの重犯罪者。極悪人の中央に無実のイエス。イエスの沈黙は異様である。死がどんどん近づくがまだ沈黙は続く。だんだんと身体は衰弱へ走る。体重が両手と足にかかってくる。釘は食い込み、裂け目が生じる。死だけが悠然と行進する。ゆるやかに、そして確実に死は降りてくる。ここで初めてイエスは沈黙を破る。

「エリ、エリ、ラマ、サバクタニ」。

短い言葉だった。それ以上は何も発しなかった。それはアラム語だった。「わが神、わが神、なぜ私を見捨てたまうのですか?」ということ。この言葉は当時の人たちが普通に話す言語だった。とすれば、その場にいた者は、その意味を解したことになる。このアラム語は、その後も二〇〇〇年以上使われている。

この反問する言葉。自らの生、そのものを否定するような神への叫び。これは反問という範疇をはみ出しているかもしれない。なぜなら自らに絶望の杭を打ち込んでもいるからだ。苦悶を飲み込むイエス。肉の苦痛を耐える新しいアダム。自分の全てを神の意志に従わせた男。その男が最後に力を振り絞って口にしたこの言葉。

そこに人間と神のハザマで苦悩する、イエスの姿がある。人間としての弱さの露呈にもみえる。いや神への「叫び」にも感じる。両義性のあるこの発話。永遠の謎かもしれない。それほどまでに重いモノを孕んでいる言葉だ。

イエスの死により、受難のドラマが閉じられる。ではイエスの死後において、福音書家はどうイエスの言葉を記録したのか。

「マタイによる福音書」では、復活したイエスは「平安あれ」「すべて造られたものに福音をのべつたえよ……」と発した。「ルカによる福音書」では少し様相がちがう。

エルサレムから七マイルばかり離れたエマオという小村で、二人の弟子が復活したイエスに出合うシーンを描いた。イエスは二人と共に歩きはじめた。が、二人はイエスということに気付かない。クレオパともう一人の男は、ナザレで起こった事件について話をする。ナザレのイエスという預言者を、祭司長や役人らが十字架に架けたという出来事を……。すると、イエスは「歩きながら互いに語りあっているその話は、なんのことなのか」と訊きただす。

「ルカによる福音書」の記述は、さらに不思議だ。このエマオの途上のイエスとの出会いには、異次元のオーラが漂っている。解釈は多種ある。こんな見方もある。弟子が心の眼を閉じていたため、イエスを識別できなかったという。

少し、イエスの十字架上での言葉と死後の言葉を対比してみた。

どうしてこのイエスの言葉、その記述に拘ってきたか。ひとえに〈十字架上のイエス〉と〈復活のイエス〉の間に、〈死せるキリスト〉が存するからだ。

そこには〈十字架のキリスト〉や〈復活のイエス〉よりも、厳正かつ真正のイエスが生々しく息づいている。死せるキリストを抱く母マリアなどを描いた「ピエタ」像がみせる哀切さとは、質的に異なる死の厳粛さが屹立している。かなり大胆にいえば、〈死せるキリスト〉をどう捉えいかに表現するか、そこにおいてこそ、その美術家の神髄が立ち込めてくるのだ。

もう一つわけがある。生きた身体や復活のイエスが発する言葉よりも、静かに、そして雄弁に語りだす磁力を帯びたものがあると考えたからだ。

ここに特異な画風と空間構成をみせたルネサンス期の画家がいる。トスカーナ地方やヴェネツィア地方のルネサンス的色彩や空間構成とは異質の、やや冷たい、冬の空気にみちあふれた北方色の濃い作風。画家の名は、アンドレア・マンテーニャという。

この画家の傑作に「死せるキリスト」像がある。

ルネサンスの陽が射す、人間と神が一体化した絵画。たとえばウンブリア画派（一三世紀から一四世紀）のジオット。また燦然と光輝くシモーネ・マルティーニの「受胎告知」も先駆的な美を放っている。それらに鳴り響いている中世の芳香、神的なものと人間的なものが融合した絵画空間はとてもいい。美術家の個性が、時空の山脈をこえて、迫ってくる。

ただしそうしたやや天の苑に通じる感慨は、マンテーニャの「死せるキリスト」の前でバッサリと断ち切られる。この一枚の絵画は、一気に現代にまでジャンプしてくる。三段跳びの様ではなく弾丸の如くに……。現代、それも混迷する二〇世紀に生きる我々にみせるために描かれたと想えるほどだ。こういう時空をこえて心の棲みかに降りたつ作品と出会うこと。それは何ものにも勝る。そしてその時は、生半可な知識は不要となる。

たとえば、ルーブル美術館の一隅におかれた「アビニョンのピエタ」だ。横に長い、死せるキリストが、エビのように硬直し、そり反っている。哀切のゾーンをこえてくる。聖母らが、その細くやせたイエスの身体を支えている。そこには胸に迫る悲しみの音が低く鳴っている。荘厳な奏楽でなく、心の襞に触れてくるオーボエの音。

なんという荘厳なる悲しみのドラマであろうか。

現代は、二回にわたる悲惨な世界大戦を体験した。夥しい死の群れ、それも無辜の民の死を生みだした。さらにその後の局地紛争や宗教や民族対立による憎悪によるテロ。死は、路上の石のように投げ捨てられた。耳を澄まし、聴かねばならない。歴史の薄い膜の下に、呻く聲を。なんと現代という時代相は、死相にみちていることか。腐敗した骸。堆積した死のマッス。死霊が累々とした群れを成す。この死の相を、その醜い相貌から眼をそむけてはいけない。そして累々の死者の一人が自分であるという、この心性を抱くことができなければいけない。それができなければ、感情をもたない機械人形以下となる。

つまりキリストの亡骸は、われわれの悲惨な刻(とき)が生み出した死そのものだ。

マンテーニャの同時代の画家や彫刻家たちは、ほぼ死せるキリストを描く時、「ピエタ」を主題にした。大きな視点でみれば、このマンテーニャの作品も「ピエタ」を主題にしているといって間違いではないが、それに収まらないものがある。

新しい発見があった。ここには「ピエタ」の哀切さが掻き消えていると……。キリストの亡骸が、ややぶっきらぼうに眼前に投げ出されている。悲惨な直截的表現。となると、ある人は「いや、これはイエスの亡骸ではない」と漏らしたかもしれない。「果たしてこれは宗教画だろうか」と疑問を挟む者がいたかもしれない。ひょっとして「この絵には、救済はない。むしろ非キリスト教絵画」と苛立つ者もいたかもしれない。

ここには、内省的という言葉では言い表すことができないことが存する。ここには金色の光輝の輪もない。慈光の形象もない。ただ暗質な音だけが鳴り響いているばかりだ。この絵の暗さを心が持ちこたえることはできない質の音だ。地の底から、その闇の極地から襲ってくる慟哭の叫び。ではここには、いったい何が現存するのであろうか。こう想い至った。まちがいなく自らの息子の悲惨な死を受け入れ難いまま、嘆くしかできない母マリアがここにいる。

さらに母マリアは、現代のマリアと通底する。戦争や虐殺やテロで夫や息子を亡くした夥しい母のことだ。いつの世も母は、無言の亡骸の前では無力だ。

マンテーニャの「死せるキリスト」の前で、わたしたちはどうしたらいいのか。自らの眼前に放置された亡骸から、最後の肉声を聞こうとしているマリア。そのマリアの心情に少しでも近づくことではないか。絵の前から立ち去るのを少し遅らせて、マリアの母としての切れ切れの呻き、その沈黙の聲に耳をそばたてること。それがこの絵を見ることではないか。

2. 沈潜する絵画

この画家は、このタブローを、目の細かいキャンバスに沈んだ色調で描きだした。沈潜した色のトーンに彩られた絵画。そこに朽ちた樹のように横たわるキリスト。見るものの視線にちょうど符合するように画面上に描かれている。そのためキリストの亡骸を、下から、つまり足元からみることになる。異色な、足から俯瞰するという構図となる。

この足元からの視線。それは徐々にせりあがってゆく。視線は大きな大陸のような腹部をのぼり、一番悲劇的記号（シーニュ）である相貌に突き当たり、視線はそこで凍結する。血の気を失い、見ることが耐えがたい苦痛を伴ってくる。長く乱れた髪。苦痛に歪む表情に目が注がれる。その無名性に驚きながら、「誰だ、この無残な肉体を曝すのは」と呟きたくなる。即物的な男の死。それから目をそらし逃げ出したくなる。

この特異な構図。足から俯瞰し、空間をアレンジする。これを、遠近法を踏まえた「短縮法」で描いた。空間短縮法という理知的な手法。それを用いることで、この絵画は、哀切を遥かに超える直截な、リアルな亡骸を美術史に残すことになった。

実は、「死せるキリスト」は数奇な運命をたどる。

この作品は、一七世紀にローマに入った。さらにどういうルートか不明だが、フランスのルイ一四世の手元に渡った。ようやく一九世紀になり、ミラノのブレラ美術館に収まったという。長い旅をしてきた作品だ。

＊

マンテーニャという名の画家。相貌を少し覗いてみる。生年は一四三〇年か三一年といわれる。パドヴァとヴィチェンツァの近くにある小村イーゾラ・ディ・カルトゥーロが生地。同時代人を探してみる。ヴェネツィア派の巨匠ジョヴァンニ・ベリーニ（生年一四三〇年）がいる。またこの頃、大きな宗教的出来事があった。一四三一年にバーゼルで宗教会議が開かれ、平和の回復と、教会の改革について一四三七年まで討議した。一四三一年には英仏間の百年戦争が終結に近づいた。ジャンヌ・ダルクは、英軍に捕らえられ処刑された。この女性は、シャルル七世を助け、分裂したフランス国内を統一した。だが不思議な力をもつこの女性に魔女の烙印がおされた。

この様に時は、まだ中世の幕の中。迷信と狂信が理性に勝っていた。が、新しい波も生まれていた。民族意識もゆっくりと国家意識と結びつきながら、これまでにないスタイルで成長しはじめていた。ただ大きくみれば封建制度はまだ民衆の自由を奪い縛りあげていた。

そんな時代に、マンテーニャは、一四五六年からマントヴァのゴンザーガ侯ルドヴィーコ三世に招かれ、宮廷画家の地位に就いた。滞在は一四六〇年から一五〇六年となった。彼の没年には、中世世界の厚い壁を自壊させる事件が巻き起こった。いわゆる贖宥状の発行だ。勅命を出したのはローマ教皇ユリウス二世。サン・ピエトロ寺院の改築基金を調達するためだった。全キリスト教世界に修復不可の亀裂をきたした。その後教皇庁の権威は凋落し、プロテスタントが誕生してくる。

当時の世界の政治、宗教、社会の動向を寸描してみた。それを念頭において再び、マンテーニャの絵画を想起してみるとき、「死せるキリスト」は、時代性を大きく抜きんでていることに気付く。異色な作家であることがわかる。この作品に留まらない。彼の画風の変遷を俯瞰してみても、異色性は色褪せることはない。特異な空間構成や現実重視の眼は卓越している。たしかに一四八〇年以後は、描く身体は丸みと優美さを兼ね備え、異教的なテーマをうまく取り入れているが……。

こうしてみるとこの「死せるキリスト」は、その変節・変容に入る直前に位置しているといえる。

この画家が亡くなった年には、彼のアトリにあった。一四八〇年頃の作が、考えてみればアトリエにおかれていたということ、不思議だ。とすれば最後まで手放すことはなかったということか。それとも加筆のためか。愛着のためか。受け入れ先がなかったか。それは謎のままだ。憶測めいたことをいう。この画家は、みずからの遺作のつもりで手元においていたとしたら……。死の床に就いた時、七六歳(七五歳説もある)という高齢になっていた。自らの死の象徴として手元におき、筆を動かしていたとしたら……。あくまで仮説はあるが、どこか憶測では済ませることはできないはずだ。そう感じさせるものが、絵の内部に潜んでいるからだ。

この「死せるキリスト」のリアリズム。その厳粛な死を見つめる恐ろしいまでの眼の凄さ。一度手前の母マリア像を除いてみる。

するとそこには、〈死せるキリスト〉ではなく、無名の一人の男の死骸がぶっきらぼうにあるのみ。投げ出された死骸。多くのことを暗示する。死の絶対性、その実存的な痛みを、語りだしてくれる。その呻きにちかい聲が生々しく聞こえてくる。

ロヒールの哀歌

1．「七つの秘跡の祭壇画」

ベルギーのアントウェルペンの王立美術館で、ロヒール・ファン・デル・ウェイデンと出会った。フランドル絵画を飾る各時代毎の巨匠達が勢ぞろいしているのも、この美術館の魅力である。十五世紀絵画では、ファン・エイク、ファン・デル・ヴェイデン、ファン・デル・グース、メムリンクとダヴィッド、十六世紀絵画では、ボッス、ブリューゲル、メッツィス（メッツ）など、十七世紀絵画では、ルーベンス、ファン・ダイク、ヨルダーンスなどとつぎつぎと登場するが、その画家群像の全容がここでみられるという訳である。

絵画の中に感性や感情をもり込んだ画家。それがロヒールの優れた功績だ。この美術館には、中央パネルは二〇〇×九七という大きな「七つの秘跡の祭壇画」がある。

カトリックの主要な儀礼の場面から、七つ選びとりそれを題材にしたもの。この絵画の卓越性は、幾世紀かの時間をこえて、この聖堂内で十字架磔刑があたかもおこなわれているかの様なリアリズムを発している。

ロヒールの絵画空間は、とても優れている。狭い空間の中に人物配置をすることで、卓越した緊張感を醸し出す演出には、感服する。空間構成の力を熟思しているにとどまらず、実に的確に人間心理を知り尽くした心理学者でもあると思った。もうひとつの特質は、内心の外化を身体表現であらわすところにある。それを、簡単にいえば、泣き所を押さえた表現といえる。

ある評論家は、それを「感情の共鳴する場としての風景」と呼んでいる。この〈感情の共鳴する場〉。それは、間違いなくロヒールだけが創造できたものだ。悲嘆のあまり力をうしなって倒れるマリア。悲しみを堪え、涙を隠して顔をそむけるマグラダのマリアなど。感情の高揚が、衣服の彫刻的な表現と出会いつつ、悲嘆の身体表現と絶妙な調和をしている。

2.「悲しみの聖母」

この画家の略歴を手短に紹介しておく。一三九九年(一四〇〇)にトゥルネに生まれ、一四二七年には、カンパンの弟子となり修業を積んでいる。一四三五年には、ブリュッセルに移住し、一四六四年にブリュッセルで死を迎えている。

ネーデルラント絵画は、この画家を抜かしては語れないといわれ、ヤン・ファン・エイクの後継者としても名声を高め、これだけの技量をもっている大家でありながら、その実像はさだかではない。その理由のひとつは、この画家は、作品に自らのサインをしていないためという。年記と署名のある作品は、皆無に近いというから驚きである。

調査によれば、かろうじてスペイン王室に送った目録の中に四点の作品(その内の三点が現存している)が含まれておりそれが彼の作品の基準となっているときく。それはどういうことかというと、この四点が、他の作品がロヒールの作品の実作であるかという判定基準となっていることを意味する。作品が作品を判定する。こんなこともあるのだ。

ロヒールの絵画をみていると、キリスト教音楽にみられる「悲しみの聖母」の主題を思い出さずにいられない。中世以来語りつづけられた〈スタバト・マーテル〉。息子イエスの死を全身で味わう母マリア。つまり悲しみの聖母の主題。神の子としてのイエスと息子としてのイエスという両義性に心は無残にもひきさかれながら、ひとりこの両義性を無言で引き受けていくマリアであるが、ここではひたすら母として、悲しみに暮れている。なぜこんなにも、ロヒールの哀歌にこだわっているのか。

というのも、私達は、本当の哀歌を歌うことを忘れているように思えるからである。数多くの子どもが飢えで苦しみ、また民族紛争によりおおくの大地がひとびとの血をのみこんでいる。この瞬間も多くの母が、死せる息子を嘆き悲しんでいるのではないか。

すでに、十七世紀にファン・マンデルは、『絵画の書』（一六〇四年）において、「ロヒールは悲しみや喜びや怒りなどの心のすべての動きを表現することによって、ネーデルラント絵画に多大な貢献をした」と評価しているほどだ。当時の十七世紀初頭の人たちにとっても、彼の哀歌とその涙は、痛切に心をゆり動かしたにちがいない。その中には、戦いや病気や事故により、みずからの子供をなくした母もふくまれていたはずである。無数の母の不変的な涙。世界中で流される哀歌の響き。それが、ロヒールのこの作品と共鳴しているのではないか。

実際のところ、私の耳には、この絵の前でパレストリーナの「スターバト・マーテル」の音を聴いたような気がしたが、それは幻ではなかった。

札幌に初雪が降った一〇月九日、その「スターバト・マーテル」の曲を聞くことができた。それを聴きながら、やはりあの時に、耳に聞こえていた響きは、これだったと想ったほどだ。

札幌の音楽ホール・キタラのリサイタルホール（小ホール）で、それは、イギリスの声楽アカペラグループ、プロカンツォーネ・アンティカ演奏会の最後に演奏された。

対訳を参照しながら、詩の内容を心で砕きながら聞いたが、それによると、「スターバト・マーテル」は、〈聖母マリアの七つの苦しみの祝日のセクエンツィア〉と題されていることが分かった。「悲しみに沈めるみ母は涙にくれて、／み子が掛かりたまえる／十字架のもとにたたずみたまいぬ。／嘆き悲しみ、／苦しめるみ子の魂を／剣が貫きたり。／おお、神のひとり子の／祝福されしみ母は／いかに悲しく打ち砕かれたまいしか。／尊きみ子の苦しみを嘆き悲しみ、／うち震えたまいぬ。」

この訳は、なんと秀逸のことか。古語体が全体の曲調ととてもマッチしている。詩は、さらに母マリアの人間的な苦しみに共感しつつ、哀感を含み、言葉に霊力をこめつつマリアの信仰を賛美する。いわく、〈愛の泉なるみ母よ〉〈聖なるみ母よ〉〈乙女の中のすぐれたる乙女よ〉と高揚しつつ、最後には、「おお乙女よ／審判の日に、／火をつけられ、熱せられるわれを／御身によりて守らせたまえ。」と祈りが捧げられるが、特に感銘を受けたところは、マリアの死と苦悩を共有せんとする受苦の姿勢である。〈み子の御傷をもってわれを傷つけ〉と歌われる。この曲につき動かされながら、私は、「七つの秘跡の祭壇画」のことを、いま一度おもい描いていた。

ロヒールの聖母達の悲嘆が、強く見るものの内心（特に感情として）に切り込んでくるのは、この受苦の表現ではないのか。マリアの受苦を介在しつつ、みずからもこの苦しみを共有しようとする。これが、ロヒールの絵画性の本質ではないのか。そんなことをおもわせられた一夜であった。

いろいろと、ロヒールのことを調べていたが、世界中にちらばっているロヒールの再会ができたらとても素敵なことではないかと思うようになった。まだ見ぬロヒールの作品との出会い。それは、別離の作品との出会いをもとめる旅になりそうである。

「聖母子とジャン・グロの肖像」は、この画家が特別につくり出した形式である二連画形式を具有している。それは、寄進者たるものとその人物が礼拝する聖像が対になりつつ、二枚の絵板に描かれたものをいう。現在の私達には、礼拝する人物の方が残されている。それを理解しないと、ただの貴族の肖像にすぎないと思われるかもしれないが、そうではない。ほとんどの場合は、その人物像は、心から祈りをささげる姿勢で、斜めに描かれることがおおい。

ロヒールの肖像画は、これまた狭い空間を巧みに活かしつつ、その被写体の表情や衣服などを克明に再現してくれる。片方には聖母子、片方は手をあわせるジャン・グロなる男が描かれている。ただ、これは現在、聖母子は、彼の出生地ベルギーのトゥルネー美術館に在り、ジャン・グロの方はアメリカのシカゴ美術館に所蔵されている。画集などの紙上での出会いなら簡単ではあるが、実際はそうはならない。

二人は、大西洋を隔てて対話しているからである。シカゴ美術館の一部屋に飾られたジャン・グロは、今もベルギーの地に向かって手を合わせていることになる。

この二人の本当の出会いをつくるためには、両方をひとつの壁に、特に右にジャン・グロを配置し、左には、聖母子を隣合わせておく必要がある。そんな出会いが実現したらなんと素敵なことだろうか。もしも、それが実現できるとするならば、やはり彼の出生地トゥルネではないだろうか。かりに一四〇〇年生まれとすれば、二〇〇〇年がちょうど生誕六〇〇年祭となる。どこかの美術館でそんな構想を実現してくれないだろうか。

＊初誌：「21ACT」（54号・札幌時計台ギャラリー・一九九七年）

みずからを遺棄したエゴン・シーレ

1．苦悩の花

エゴン・シーレ（Egon Schiele　一八九〇〜一九一八）、それは苦悩の花だ。この苦悩の血が滲んだ絵画。それを直視すると、いつも胸が苦しくなる。だからこの苦悩の花を論じることは避けたかった。ただ避けたい感情と、やはり見なければないという感情が縺れていた。そんな感情の渦を抱えながら、秋の鎌倉へ急いだ。

鶴岡八幡宮の境内に、その脇に隠れるようにして神奈川県立近代美術館がある。鶴岡八幡宮への参道は、親子づれの家族、若い男女のカップル、陽気な観光客などにより、賑わっていた。特に七五三のお祝いの参詣が目立った。この賑わいは、まさに平和日本を謳歌するように映った。その群衆は、安定と逸楽を好む中流意識に支えられた蟻のようにみえた。

いましも訪れようとしている「エゴン・シーレとウィーンの世紀末展」（一九八六年）の世界とは、なんと疎遠なことかと肌で感じつつ、美術館に入るのを躊躇った。それでもまだ見ぬウィーン、あのハプスブルク家を象徴する燦然と輝く金色の都に咲いた狂い花が、発する匂いに誘われて足を踏み入れた。

世紀末ウィーンの画家の作品の中で、まず眼に飛び込んできたのは、アルフレート・クビーンの暗い幻想風のヴィジョンだった。そこには底知れぬ闇が現存した。無意識の淵に棲む名の知れぬ怪物、それらが吐き出すものが漂っていた。引き込ませる魔力があった。一言でいえば、それは現代のゴヤの幻視に近かった。〈心の薄暗がりの中に浮かびあがる形象を描きたい〉という、そんなクビーンの言葉を裏付けるように〈逆らい難い衝動〉が蠢いていた。全く暗い。どこにでもいる動植物が、別な生物として動きまわっている。そしていつしか人の心に不安の種を撒いていく。隠花のようなクビーンの闇については、また機会があったらしっかりと論じてみたい。

会場には、シーレ、クリムト、ココシュカ、ゲルトレルなどの作品が一五〇点並んだ。その中でもシーレの作品が三分の一を占めた。

まずシーレの痙攣する身体、あの荒々しいタッチが発する内在力について、さらにその不安を喚起する線の震えについて語っておきたい。

シーレとの出会い。それは身体の痙攣との出会いであった。ではなぜ、シーレの身体は、ゴツゴツと化し、歪み、痙攣するのであろうか。

シーレには、腐敗し濁した時代への強い反発があった。グスタフ・クリムトの耽美的な、そしてどこか夢見るような美と対峙しなければならなかった。たしかにクリムトの絵画から、絹の感触(肌合い)が伝わってくるし、その甘美な美は、天上へと通じるものを含んでいる。

まちがいなく、クリムトの絵画空間には、上昇する魂、その飛翔を促すものが存した。シーレは、そうした貴族的な高踏主義を唾棄し、彼岸に橋渡しをするものに盾ついた。つまり愉悦する身体ではなく、むしろ対極にある地上の現実で苦悶する身体に拘った。少々対比していえば、クリムトの絵画が発する愉悦の感覚を醸し出す絹の感触を嫌い、シーレは、より痙攣を伴う線に語らせようとした。

少しシーレ体験の実相を語ってみたい。「自己観察者Ⅱ」（Selbstseher Ⅱ 一九一一年）を凝視する。すると不思議なことに、これまで自分を支えていた軸が崩れていく感覚に襲われた。私が見ているのは、虚像なのか、実像なのか不明となった。そして自分とは何者かわからなくなった。「坐る裸の男」（Sitzender männlicher Akt 一九一〇年）は、脚部が切断され性器はむき出しとなり、言い知れぬ苦悩の臨在を語りはじめた。身体が発する痛みが晒されていた。

「死せる母Ⅰ」（Tote Mutter Ⅰ 一九一〇年）は小さく〈小板絵（ブレッテール）〉だ。そこに慟哭にちかい祈りの聲が潜んでいた。押し寄せる死への不安が立ち込めていた。「盲目の母」（Blinde Mutter 一九一四年）の表現主義的作風は、なかなか逞しさも示している。盲目の母、そのデフォルメされた身体は白い塊と化していた。この盲目の母を主題にした作品からは、どんなにも苦しくても絶望をこえて、生きようとする母の逞しさが迫ってくるのだった。

シーレが味わった不安と苦悩。一方で傲慢な心性や飽くなき気迫を振り回した。そして、哀惜の余韻さえ奪うほどの生の昏さを見つめながら、暗い闇を払いのけようとした。

シーレの生には、死が連続した。父の死、師的存在でもあるクリムトの死、スペイン風邪による妊娠六ヶ月の妻エディット・ハルムスの死が続いた。シーレの死への不安。これは確かにこの画家が抱えていた宿命だ。

この展覧会のカタログに「危うい生命の環」と題して、美術評論家水沢勉の論考が載った。ここで水沢は、シーレには決定的な〈心理的外傷（トラウマ）〉があり、それは父アドルフの病と異常の死だとのべている。

父は、駅長だった。梅毒に罹り、母にもうつした。長女は一〇歳で死んだ。父親は、晩年になり梅毒が進行し、脳を冒され妄想に苦しんだという。水沢は、シュテファン・ツヴァイクの『昨日の世界』を引用し、当時のウィーンには、六、七軒毎に皮膚科や性病専門医の看板があったという。

どうもシーレが描く主題と病的気質とには、かなり密な関係があったようだ。「黄色いクッションと横たわる裸の男」（一九一〇年）などにみられる肉体への蔑視。そこには性を忌み嫌う意識が入り込んでいるとおもえてならない。ここには、この時代に蔓延した性病の猛威からくる性への、つまり〈欲望の器官〉としての肉体への蔑視が影を落としているのではないか。

当時猛威を振るったスペイン風邪によりシーレ自身も死の床に就いた。

フランク・ウィットフォードは、『EGON　SCHIELE』（八重樫春樹訳・講談社・一九八一年）において、一章〈夢あふれる都〉を一九一八年一〇月三一日から始めた。この日は、シーレが死んだ日でもあり、オーストリア＝ハンガリー帝国が死の宣告をうけることになる会議が開催された日でもある。ウィットフォードは、この帝国を〈打ちのめされた巨人〉とのべている。七〇〇年続いたハプスブルク家の帝国の死と、四日前に罹ったインフルエンザによる個人の死を対比的に描いた。

シーレの死は、クリムトの死の八ヶ月後のこと。僅か二八歳であった。この時代には、もう一つの死があった。永遠に続くと思われたハプスブルク家の没落である。この王家の死、その終焉は、ヨーロッパ世界の姿を大きく変動させた。

シーレは、最後に〈闘いは終わった。いかねばならない。僕の絵は世界中の美術館に展示されることになるだろう〉と語ったという。ただこの予言はすぐには成就しなかった。

シーレにとっては、悪しき時代が到来した。隣国ドイツで独裁者ヒトラーが台頭し、シーレ達の作品は退廃芸術の烙印が押された。そのためシーレの復権は、一九六〇年まで待たねばならなかった。

2. シーレの眼

シーレには、悲惨な生がこびりついていた。ただそれだけを強調すぎると、シーレの実像を歪ませることになる。シーレは、クリムトらのウィーン分離派に迎えいれられたし、亡くなる年には、オーストリア＝ハンガリー帝国陸軍美術館に勤務しているからだ。公的な立場も与えられていたのだ。

それでも拭っても払っても心に取り憑くものがあった。それはこの世界の悲惨さだった。悲惨な生を凝視する眼。それは風景画などにも生きている。樹、細い枝にはそれが生動する。枝は鋭く細り、ほとんど人の腕のようにもみえるほどだ。

一番悲惨なのは、人体だ。私はこんな感慨を抱いたほどだ。〈シーレ、この長く引き伸ばされた骨と皮の人体、なぜこんなにも痛々しいのか〉と。ロシアの作曲家チャイコフスキーに、遺作というべき「悲愴」（第六交響曲）がある。その第四楽章は、まさに哀切にみちている。ただ悲惨ではない。どこか内心の嵐を鎮め、静かに海の上に設えた死の床にそっと導いてくれる力がある。しかしシーレには、それがないのだ。全ては悲哀にいかず悲惨さのまま留まるのだ。

シーレは悲惨な生の背後に、黒い死神が立つことを知っていたようだ。だがずっしりと重く圧し掛かってくるものから逃げようとはしなかった。それが先に紹介したクビーンと違う。あえて虚的なものや仮想的なものを眼から排除した。むしろ現実が孕む悲惨さが、眼に襲いかかることを望んだ。

悲惨極まりない事件がある。それは世にいう一九一二年四月に起こった「ノイレングバッハ事件」というもの。未成年者誘拐の罪に問われた。さらに猥褻な絵を広めたという理由で三日間投獄。結果として二四日間拘留された。

この事件に際して、ある自画像が描かれた。「刑務所での自画像」（一九一二年）だ。いうまでもなく刑務所では描けない。刑務所から出てから描いた。汚点となった「ノイレングバッハ事件」。不名誉な烙印。その忌まわしい体験を踏まえて鏡に自己を曝すシーレ。

この自画像が興味ぶかい。シーレは、鏡の前で様々なポーズをとり、それを写真に残し絵に使っている。この鏡を使う方法。やや自己演出する意識も感じられる。が、それ以上に、ある一つの意識の傾向が作用しているようだ。自己分裂の気質が絡んでいるように映る。激する自我に対して、沈みこむ自我。突出する自我に対して、後退する自我。その裂かれたハザマに立って揺れるシーレ。あるべき自己を探して、鏡の中の自我に問いかける。シーレは、こうした行為の反復を通じて、どうにかバランスを取っているようだ。

そういえば、シーレがよく描いていた二重肖像画のスタイルは、そのことをよく示しているともいえる。つまり一方で自己を解体しながら、他方で統一したものを探す。分裂した自己をどうにかして一つにしようとする。

その時、対象を見つめる眼光は鋭い刃を伴う。全身で対象に立ち向かい、筆致は激しい息づかいとなる。そのため曖昧な線が立ち入る余地はまるでなくなる。それに代わって、ひたすら線は岩石のように硬くなるのだった。

私は、会場で一枚の絵画の前で立ち尽くした。私が絵に近づいたのではない。絵の方から近づいてきて、グッと胸を捕まえられた。何か得体の知れないものが、私を翻弄した。すぐに掴まえられたまま、身動きができなくなった。それは先にも紹介した「自己観察者Ⅱ」という作品だった。

この作品は、いかにも異様でもある。線的な描写が捨てられているからではない。内心が外で出ているからだ。ペインティングが凄いのだ。表現主義的な荒々しいタッチ。油絵具という物質の迸り。厚塗りの重厚さ。そしてなによりもまして、心の叫びとしての筆致が蠢いている。

さらに描かれた二人の像に惹きつけられた。画像をみてみる。前には赤い顔の男が立つ。黒い眉毛がつりあがり、激しい表情の男だ。その背後に死せる男。つまり幽鬼と化したもう一人の男が立つ。赤い血を持つシーレと、灰色の血をもつシーレだ。ここには相反するものに、引き裂かれる自我が描かれているのだ。そんな二重肖像画だ。

この絵には、シーレのある潜在的意識がひそかに息をしていることに気付いた。その隠されたもの、それは何か。引き裂かれたものを繋ぎ止めようとする、そんな絶望的な指向だ。たしかにシーレの絵画世界からは、身体の激しい痙攣の方が目につくが、決してそれだけではない。もう一人の自分と一体化したいと願う、そんな想念が暗い河となって流れているのだ。

「回心Ｉ」(Bekehrung Ｉ一九一二年)という作品がある。二人の女と一人の男が、身をかがめてよりあう。一九一〇年作の「死せる母Ｉ」も、死せる母といのちをもつ子供のモチーフである。ここにはユーゲントシュティール特有の〈渦巻〉の構図が影を落としている。そこでは幻想への逃避を逸脱する下降する視線がある。シーレの冷厳な視線は、他の画家のようにはならない。この過酷な現実から眼をそむけることはない。クリムトが描く抱擁する男女像から逃れ、閉塞した状況にとどまろうとする。それはシーレの過酷な生に根をはる思想から生まれでたものだ。それは新しい酒は、古い革袋を破るという思想だ。どんなに冷酷なバッシングを受けても、たじろぐことなく嵐の中を歩くシーレだ。

こうしてシーレの絵画においては、苦悩と身体とが分かちがたく一体化する。クリムトの甘い男女の抱擁は虚的であり、それをのりこえるところから新しいものが生まれると考えた。

どこにもない、たった一つの自らの身体。その身体が孕んだ苦悩。シーレは、ひと一倍それに拘った。そして描くことで、自らを磔刑に処した。ためらうことなく、いやむしろある意志を抱きながら、身体の叫びに寄り添ったのだ。

シーレの身体が痙攣するわけは、まさに抱擁しても充足できない〈生〉の痛さを、抱えていたからだ。とどのつまり自らの生を抱擁の最中においても、確かなものにできなかったからに違いない。あえていえば痛々しいまでに激しい足掻き、それをみずからの身体を通じて味わおうとした。シーレのざわめく身体性。それが重い震動を伴いながら、私たちの精神に迫ってくるのだ。

まさにシーレの痙攣する身体は、私の身体でもあり、貴方の身体でもあるのだ。それゆえこんな言い方もできるのだ。〈性〉というタブーを赤裸々に描くことで、偽善なもの、高尚なものに汚泥を塗り、それによりバッシングを受けることを使命とした、と。

この意識的な暴逆的振る舞い。あえて社会の余計者になろうとする態度。はじめから、敗北者を任じる、その傲慢にもみえる自我意識。矛盾にみちた厄介な、それゆえにとても忘れられない画家だった。

3．シーレの赤

シーレの色彩。それはシーレにとって、象徴的な徴（しるし）となった。まさに生の記号だった。シーレの赤、それもややくすんだ赤がいい。それに、なんとなく心が惹かれていくのだ。シーレの赤には、病み、鬱積した感情が溜っている。あのクリムトは、象徴的に青を駆使した。それと真っ向から対峙した。神秘性と憂鬱性を帯びた青。クリムトは、この青を偏愛した。

しかしシーレは、青を殺し、この赤を愛した。いうまでもなく太陽が燦燦と輝くような赤ではない。あくまでくすんでいる。ひたすらシーレの内面とぴったり合致する赤だ。だから重いのだ。だからこそ、この赤に心が締め付けられるのだ。

シーレの赤。これについては画家、小説家のコンラート・キートライバーは、「エゴン・シーレ」（『ドイツの世紀末・ウィーン―聖なる春』・国書刊行会・池内紀編）で、こう指摘する。〈色が突如、意味をおびる。赤は行為、青は円環運動の死滅、黄はつなぎの色、つまるところは狂人のとまる一点〉と。このようにしてシーレは〈色彩の連記法を駆使しながら、面上にはじきとばした〉という。

さらにウィーン幻想派を指導したウィーン美術学校教授ギュータールスローは、〈一つの人像や、一本の線や、一つの色の罪と背徳と猥褻が、それぞれいま一つの意味を持っている〉と評し、それは〈記号〉であり〈暗号〉だとも分析した。

私には、赤といえば「悲しみの女」(Trauende Frau 一九一二年)が印象的だ。ヴァリーの頭部に、隠れるようなシーレ自身のやや黒い頭。その間の赤。そして枯れたバラの一本。この赤は、血のようにみえるほどだ。また「啓示」(Offenbarung)にみられる赤は、なんと晦渋にみちた赤だろうか。

このようにシーレの赤は、どこか暗調でくすんだ内面が沁み込んだ赤だ。色彩には、感情を喚起するだけでなく、やや大きくみれば、この時代の相貌《かお》が吐き出す息をかなり濃密に含んでいる。ではどんな息なのか。一言でいえばその息は、爛熟しながら異臭を放つウィーンにはびこる旧体制が吐き出すものだった。

運命の時、一九一八年、この年にシーレは死ぬ。それだけではない。老いた巨象の死、オーストリア＝ハンガリー帝国という虚的な大伽藍の末期が重なった。

この大伽藍の死に寄り添うようにして、シーレは性を赤裸々に描いた。徹底して抱擁の美、つまり合体する愉悦を唾棄しながら、猥褻なポーズや自慰さえも描いた。十字架にかかった身体ならば、救済につながる宗教的なテーマとなるのだが……。

断じてしてはいけないこと、ひたすら自堕落なポーズや、男女の交合や恥部をみせる裸体に拘った。いや、それで終わらない。その描かれた身体は、なんと見るものを挑発するのだった。

だが間違ってはいけない。いくら性を描いていても、いかに感情を扇動する赤を使っても、その裏には悲惨な現実主義が通奏底音として響いているのだから。

成就しない愉悦。それを味わい尽くした男。それがエゴン・シーレだった。

世紀末ウィーン。凋落の都ウィーン。そこに棲みながら、巨大都市ウィーンの片隅で最大の哀歌をうたった。引き裂かれた自我を抱えながら、暴逆にも性をもてあそんだ。そんな反逆者であるシーレ。そのみじめなシーレの身体。それは言い知れぬ磁力を帯びて、いまなお見るものを翻弄するのだ。

そして遅まきながら知ることになる。では一体何を知るのか。いや何を知るべきなのか。それは、シーレはみずからを遺棄したことを。と同時にさらにシーレの身体は、自分の身体であることを知り唖然とするのだ。

アンゼルム・キーファー——知の翼

1　あまりにドイツ的な……

京都国立近代美術館で「キーファー展」が開催された。そのオープニングに立ち会うことができた。清楚な感性をみせる槇文彦による建築の空間を、キーファー自身が特に好んで、開催を願ったという。会場には、この展覧会を企画し、展示に至るまでの責任をせおっているマーク・ローゼンタール氏が同席していた。ところで、主催者も挨拶でのべていたが、キーファー熱というものが、特に戦後育ちの若者におおくみられるという。各地でキーファーシンドロームというべき現象がおこり、あまりにドイツ的、あまりに政治的といえる作品とじっくりと対話しているという。これは、現代美術の世界では珍しいことであり、ひとつの事件でもある。

その理由には、全身全霊で、ストレートに直球をビシビシと投げ込んでいる熱気が、作品の表面から、またその広大なサイズから感じられるためであろう。また、難解なコンセプトを仕組む観念的作品とはちがって、基本的に表現主義の系譜に属するので、感覚的に理解できることが大きいのかもしれない。

初期の水彩画、彫刻、絵画も含めて約七〇点で構成しているが、私にとってもズッシリとお腹にこたえる重量感のあるものであった。

現代のドイツ史の文脈をおさえておかないと足元がすくわれてしまう政治的内容が、ギッシリと詰まっているが、それがさらに暗喩や晦渋な記号や神話物語の味付けがたっぷりとされているので、意味はいっそう複層化されてしまう。

しかし、彼の作品と出会う時、そうしたこと一切が不要となる。コンピューター世代は、虚像ばかりに順化させられてしまい鈍っていた野生の感覚が、突如として目覚めさせられるのである。シュミレーションされない現実が、肉声で厳然と立ち表われたのである。子供が、突如闇のなかで、怪物フランケンシュタインに出会ったようなものであろう。

われわれは、美術史の文脈で理解するとき、「彼はフォルマリスムに惑溺してきた絵画を救済し、再びその創世記の世界へと解き放った、時代の志士とでもいうべき芸術家」（カタログに収録された主催者側の挨拶）ということになるし、また「悩める現在の世界を芸術の形式そのものの中に組み込む可能性があることを伝えている」（美術評論家多木浩二）という視点に出会うのである。

ではどのように〈芸術の形式〉が改変させられ、〈創世記の世界〉が現出しているのであろうか。思想的な表現で総括すれば、二〇世紀という時代をタナトス（死）が充満した〈世界〉として凝視し、それらを神話の〈創世記の世界〉と接続させようとする歴史観に彩られていることになる。

あえて、こういう言い方が許容されるならば、〈絵画〉を美の器（装置）とすることなく、狂乱とさえいえるほどのフィールドを構築してある種の葬儀場を形成させるということが可能であると、いいたげである。

実際のところ、私は〈絵画〉をみているのではなく、むしろ一つの葬儀に立ち会わせられているという感じさえさせられた。また、別な言い方をすれば、ドイツという国家の犯した罪状が赤裸々に告発されている「法廷の場」に遭遇させられているのかもしれない。

2 葬儀場の情景

キーファーは語る。「私が描いた建物は犯罪や権力に結びついている。マチスのような無害な絵画に興味がない。……初期の作品では自分自身に問いを投げかけようとした。私はファシストであろうか？と。それは簡単には答えられない。権威、競争、優越性……これは他の人同様に私自身の一面である。正しい道を選ばなければならない。が、自らひとつの局面で規定するのは単純すぎる。私はまず経験を描いて、そこから答えを見つけたかったのだ」（「キーファー自身によるキーファー」『ユリイカ』青土社・一九八九年七月号）。〈マチスのような無害な絵画〉を拒否するとは、純粋に視覚的な快楽を否定するということであろうか。この言葉は、かなり彼の絵画志向の本質を突いている。

ではまず、その非マチス的な〈有害な作品〉と対面することにしよう。

一歩を踏み出してその作品に直面すると、強くわれわれの心を雪崩のごとく駆り立てるものが胸に迫ってくる。この性急な過剰な死の振舞いをみていると、おのずと彼の「戦略」が一体何を狙っているのか判明する。〈歴史を反復せよ〉と強制している。そして、この作品の喚起するイマージュを〈心に刻め〉と叫んでいるのだ。そこで、はじめて大変なところにきたと悔恨に責め立てられるのである。しかしどういう訳か逃げることも、無視することもできないのだ！なぜなら、作品のサイズが、それを不可能にするのだ。そうだ！気付くのが遅かったのだ。かれの広大なサイズは、見るものが簡単に逃げることができないように意図されているのだ。逃げるのをしばし止めて、もう少しこの葬儀場の情景を紹介しておきたい。

その死の記号をピックアップしてみよう。貼付られた髪の毛。灰をかぶった子供服。そして炭化した地面。それらが、グサリと眼と心をえぐる。そうした物たちだけではなく、描かれた建物も「知られざる画家」が描いたように、ナチスの御用建築家であるシュペーアが造った総督官邸の中庭が描かれていたり、また「アタノール」（オスローの銀行でありナチスはこの銀行の金を奪取しようとしたので、ノルウェー人は、それを森に隠したという）などである。それらを挙げていったらキリがない。すべては、このように死の予感に打ち震えるものばかり。それらを一層異様に彩《いろど》るのが、砂であり土であり、藁である。それらの物質が迫って来た。直立して動くのである。

こうした「暗黙知」とは対極にある生々しい〈触覚知〉とでもいいたいザラザラ感が存在しており、いままさにそれらから死のアウラを浴びていることをはじめて知る。

驚くことはない、死の記号ならまだ沢山ある。

神話から歴史上の人物に至るまですべて勢揃いしている。オーストリアの皇妃エリザベート（息子は自殺、妹が焼死すると憂鬱症にとらえられて、最後にはアナキストの手にかかって暗殺されたという悲劇の王妃）、フランス革命に死んだ女性闘士達、ワーグナーでもお馴染のグリュンヒルデなど、まだまだあるがこれまでにしておく。

「リリトの娘」（粗末な衣服と黒い髪であらわされている。リリトとはユダヤの世界創造の神話に登場する最初の女であるという）という作品の前では、どうしても、悲痛な声、叫びを幻のように聞いてしまい、背筋に悪寒が激しくはしった。

キーファーは、いくぶん誤解を承知でのべるならば、歴史を縦断し、独自のやり方でみずから死と慣れ親しんでいるようである。

3 鉛の色

一九四五年、つまり第三帝国の崩壊の年にうまれたキーファーは、癒されることのない民族の傷跡にさらに熱き刃をやきつけていく。

キーファーは「歴史は私にとって、石灰が燃えるようなものだ。それは物質のようなものだ。歴史はエネルギーの収納庫である」とのべる。このように、歴史をひとつの物質と認識するこの姿勢は、あきらかに神秘主義者としての自己表明である。

最初は法律家をめざしたが、ル・コルビジェのドミニコ会修道僧のための「ラ・トゥーレット修道院」という建築と出会い、芸術家を志したという。

最後に足早に、ではどのような歴史をどのように作品化（物質化）していったか、素材についてもふれつつのべておきたい。

素材論は、とても大切な彼の作品を理解する鍵となる。

彼は素材として特に鉛を多用している。多用どころか、聖なる物質として高く評価している。

では、なぜ鉛なのであろうか。

キーファーは、カバラ（ヘブライ語で伝承の意）や中世以来の魔術である錬金術に興味をもっているという。その錬金術では下位な物質として鉛が位置付けられるという。その鉛に、特別な価値を帯びさせ、作品の素材として加工していくのであるが、この物質の冷たい光沢や、不思議な皮膚感覚を死の印として引用しているのである。それが絶妙にキマッているのだ。

会場で私は彼の作品に出会えたことは、一体いかなる関係（リエゾン）をもつのか、深く考えさせられていた。毎日飛び込んでくるニュースは、あいもかわらず、政治や民族の抗争劇ばかりである。ロシアでの政争（エリツィンと反エリツィン）や東欧での民族対立、そしてアラブとイスラエル。ではこうした時に、芸術には一体何ができるのか。死に曝されている人にとって芸術はなんの用がはたせるのか。そんなことを思うとひどく無力感におそわれた。しかし、キーファーの作品をみていると、不思議と気持ちが落ち着くのである。苛立ちや焦りは、鎮静化させられる。なぜならこの鉛の色彩は、こころを沈静化させ、さらに祈念する心を付与してくれるからである。

鉛は、苦悩の色彩である。またメランコリアの色彩である。それが、われわれの心の苦悩と関係を結ぶとき、時代の苦悩と叫びが、聖痕として記述されている生きた歴史（作品）が、不思議なイメージの喚起力となって、あたらしい力と知を授与してくれるのである。

＊初誌：「２１ＡＣＴ」（28号・札幌時計台ギャラリー・一九九三年）

香月泰男のシベリア

『香月泰男展―〈私の〉シベリア、そして〈私の〉地球』をみた。香月は一九一一年（明治四四）に山口県三隅村に生まれた。東京藝術大学を卒業した。その後、北海道に来て、旧制倶知安中学校に美術教師として赴任した。北国の地では、〈夜の雲〉の恐ろしい存在感におそれ、また冬の厳しさにかなり苦しめられたようだ。国画会にも落選するなど香月にとってはあまり良い思い出のなかった一年半のようだった。

その後下関高等女学校に美術教師として赴任している。藤家婦美子と結婚した。この時期は、長男や長女にも恵まれ安定した生活となった。また福島繁太郎や梅原龍三郎と知りあい大きな刺激となった。

今回の展覧会は、没後三〇年を記念したもので、〈シベリア・シリーズ〉全五七点を中心に、さらに陶画、テラコッタ、〈おもちゃ〉と呼んだ小彫刻などが並んだ。

またしりべしミュージアムロード三館共同で「香月泰男～あたたかな　まなざし～」が開催された。

そのシベリア・シリーズが黒い大きな棍棒となって、私の浮ついた感覚を撃った。よく戦後時間の風化など声高にいわれているが、そんなことを云々することが、いかに無駄な論議に過ぎないかを知らされた。香月がシベリアの収容所で見たもの、いや見なければならなかったもの、それが重い現実としてグイグイと私の戦後に関する浮ついた意識を崩壊させてしまうのには、さほど時間はかからなかった。

絵の中の時空が、鉛のような言語となって、つまり重い実存となって観る者を包囲してしまう。絵の中に入ると、絶対的な沈黙が風となって襲い、みずからが収容所に収監されたような奇妙な現実感覚を味わってしまう。香月が「他者」ではなく、「自己」に変化してしまうのである。

さらにあたかも自分がいま、シベリアに収容され、仲間の死を目撃しているかのように思えてくる。人は、これを「絵画の力」というかもしれない。ただすぐに分ることではあるが、この絵画は異常な状景から生み出されたものであり、香月という個人の体験であることは間違いないが、それをはるかに飛び越えて集団の意識を集約したものであることを知らされる。

画家の眼が、普遍性を持ちはじめてくるのは、こうした個の体験を越えて集団の実存を負った時からである。もはやこれは香月のシベリアに留まることなく、雄弁に同じ時空を生きた者（集団の個）の無言の叫び、その言語化となる。一九四五年。香月が所属した大隊はソ連軍により武装解除を命じられ、安東から奉天へ。そこには一五〇〇名の兵士がいた。シベリア送りとなる。さらに香月ら二五〇名はセーヤ収容所に送られた。火力発電のための森林伐採の過酷な労働を耐えた。約一割が衰弱死した。

これは香月の大隊のことであるが、アジアの至るところの収容所で日本兵は同様の体験をしていた。いや日本兵だけではなかった。戦争という地獄は、こうした悲惨な現実を夥しくつくり出してきた。香月の絵画が普遍性を帯びてくるのは、そうした戦争の現実を私なりの言葉でいえば、極限の生を送った者の側から、そこで見出した内在の眼で冷厳にみているからである。

香月がなぜこんなにも渾身の力をこめて、「シベリア・シリーズ」を描かねばならなかったか。香月は一方で戦後は、故郷の山口で平穏な身辺を描きながら、戦後において眼窩の奥に仕舞い込んできたものを再び拱り出し、キャンバスの上に曝した。それはみずからの生きる意味をふたたび確かめようとした行為ではなかったか。

香月の「シベリア・シリーズ」の絵画性とは一体いかなるものであろうか。その黒い絵画とは何か。そのことをしばし見てみたい。香月の「シベリア・シリーズ」を個性化するのは、圧倒的な黒だ。この重厚なる黒のマチエール。香月はシベリアの壁をどうみせるかに苦心した。砂、灰、泥、セメントをたっぷりと絵具に混ぜ、さらに雲母もいれた。画家ブラックの絵をみて、そこに砂を混ぜていることを知り、それがヒントとなった。また松炭も入れて黒い絵具を作り出した。香月が好んだ、制作の中から習得した言葉がある。「一瞬一生」。この言葉からも分るように、書でもするように描きながら、ひたすら一瞬を大切にして、そこに生の光輝を込めた。

この現代の黒い絵、私には、ゴヤの「黒い絵」に匹敵すると思えてならない。耳が聞こえなくなった老いたゴヤ。自らの食堂の壁におどろおどろしい絵を描いたゴヤ。この狂気ともいえる所業。しかしそこには、闇に隠された欲望を剥ぎ取り、人間の内部を赤裸々に白昼に曝す力がある。

ゴヤの黒い絵は、そんな絵だ。一方の香月の黒い絵には、おどろおどろしいものは何もない。あるのは骸骨のような男の顔。個性をなくした記号のような顔。それが全て。故郷への帰還を唯一の望みにして、日々の苦悩を忘れようとした男の実存だけがある。香月は「乗客」という作品についてこう語っている。

「シベリアを西へ三〇〇キロ、シーラに着く。更に零下三〇度の悪路を八〇キロ。吹きさらしのトラックでセーヤ収容所へ向かう。防寒服を通す寒さと疲労、それは死神を同乗させた地獄への道としか考えられなかった」。

シベリアの黒い大地。それをのみこんだかのような黒い絵画は、その苦悩を越えてきた画家が、いかに生をみつめてきたかを物語る血の通った「言葉の書」でもある。

私が最近感動した本にユダヤ教神学者ヘッシェルが書いた『神と人間のあいだ』（森泉弘次訳）がある。この神学者は、ポーランドにおいてナチスに迫害された体験をもっていた。死を見つめながら、独自な思想を確立した。それを一言でいえば、希望の神学である。人間の悲惨な運命を憂い、警告し、世界を救済するために憂慮する神が臨在することを明らかにした。この憂慮する神。この視座はなんと優れていることか。

ヘッシェルは、九歳で父を亡くし、ホロコーストで母と三人の姉を殺された。そんな悲惨な地獄を目撃しながら、その思想は希望に満ちている。同じく同様の地獄の日々を過ごしていた香月。香月の絵画にも同質な「憂える神」の眼がひそんでいる。だからどんなに悲惨であってもどこか救いの光を注いでくれる。

＊初誌：「２１ＡＣＴ」（96号・札幌時計台ギャラリー・二〇〇四年）

「沖縄戦の図」——丸木位里・丸木俊

1．六月二三日の日没

日本で一番アメリカの基地が多い沖縄。その沖縄本島の宜野湾市にとても小さな美術館がある。個人の経営による佐喜眞《さきま》美術館という。

二〇〇五年秋にそこを訪れた。その日は、隣接の上原児童公園ではなにやら集まりがあり、音楽も聞こえかなりの賑わいをみせていた。開館に合わせて行ったが、まだ扉は閉じたまま。館長の佐喜眞道夫が、みずから来て鍵を開けるようだ。扉が開くまで、建物周辺をみて廻った。そこには、一八世紀頃のものといわれる巨大な、不思議な形をした「亀甲墓」（先祖を祀ったもの）もある。

美術館の屋上からは、米軍の普天間基地が見えるとのことだったので、コンクリートの階段を登った。眼前には、そこだけかなりの空間がスッポリとえぐり切り取られて、滑走路が広がっていた。

どこにでもあるモダンな建物にみえるが、ある想いが込められている。建物全体（設計は真喜志好一）が、六月二三日の太陽の日没線に合わせて設計されている。六月二三日、それは、沖縄の人が、「鉄の暴風」と名付ける地獄のような沖縄戦が終った日のこと。

沖縄では、現在この日を、戦没者を「慰霊する日」として守っている。

考えてみれば、この日没を見ることが出来た人、見ることなく亡くなった人がいる。つまり一九四五年六月二三日は、生死を分けた日であった。本来であれば、この日から、戦争から平和に大きく転換するはずであった。しかし残念ながら、沖縄はこの日を境にして、日本（本土）から切り離され、アメリカに占領され、さらに返還後も「基地の町」となってしまった。

この美術館の階段は、その日没線に向けて立っている。だが今も屋上から見えるのは、安らぎと平和とは反対の、基地の光景。ここに立ちながら、とても複雑なものを感じた。

さて佐喜眞は、ここを「心が落ちついて、もの想う場」にするため、コレクションを開始した。コレクションのテーマは「生と死」「苦悩と救済」「人間と戦争」という。館内には、上野誠、ドイツの画家ケーテ・コルヴィッツ、ジョルジュ・ルオー、草間彌生などが展示されているが、一番の見所は丸木位里、俊さんの「沖縄戦の図」。

ある時、佐喜眞は丸木夫妻と出会い、夫妻から「沖縄戦の図を、ぜひとも沖縄に置きたい。」という願いを聞いた。考えてみれば、この「沖縄戦の図を、沖縄に」の言葉は、当たり前にも見えるが、そう簡単ではない。というのも、丸木夫妻の作品は、その現場に置かれていない場合が多い。描かれた歴史的な場に置くこと（現場に返すこと）、そんな当然のことが、政治的な問題と絡むため、いまの日本ではとても難しいのも事実である。

一九九二年に普天間基地の一部が返還され、それもあって、一九九四年の開館にあたって、佐喜眞はなにより、「沖縄戦の図」を置く空間を最も大切にして、美術館を作った。

2. 聲の証言図

「原爆の図」の作者として国際的にも著名な丸木位里・俊夫妻が、精根込めて作成したのが、「沖縄戦の図」であった。

縦四m、横八・五mもある大作で、一九八四年に完成した。なかなか直視に耐えることができない、悲劇の真実がそこには描かれている。

画面中央で逆さになっている若い娘は、スパイ容疑の拷問によって狂い、日本兵の竹槍によって殺された。画面には、鋭くとがった竹槍が娘の頭に向いて次に起こる悲劇を予感させている。

私は、この作品の前で、これは生々しい人間の「聲の証言図」という感慨を抱いた。というのも、絵の中の人がいましもこっちを向いて、「これから、私の体験を語ります」「どのようにして、肉親を殺したか、しっかりと聞いてください」と、すぐにでも語り出しそうであったからだ。

なんと沢山の聲が詰まった絵であることか！それもそのはずで、丸木夫妻は、生き残った人に協力してもらい、その悲惨な現場に共に立ち、ポーズをとってもらい、その生の聲を絵画にした。

その中には、肉親に手をかけ、「集団死」を経験した金城重明さんや、ずいせん学徒隊として奉仕した宮城巳知子さんなどの聲も反映しているという。

当時一六歳の金城少年は、渡嘉敷で両親や弟妹のいのちを奪うことになる。金城少年は、孤児となり、戦後だいぶたってから、沈黙を破り重い口を開き、この家族を殺害したという体験を語り始めた。

金城さんは、みずからの体験を回顧しながら、かつて「集団自決」という言葉を使っていたが、それは「自決」と表現するものではなかった、むしろ日本軍の命令による「集団死」というべきものであると強くのべ、平和の大切さと歴史の修正を訴えている。

私自身は、学生達と共に沖縄の地でじかにこの二人の「体験」を聞いているので、とても感慨深かった。丸木夫妻は、「あの絵は、沖縄戦を体験された沖縄の人々と私たちの共同製作です」と語ったという。いろんな絵があるが、それゆえこの「沖縄戦の図」は、いわば生きた「証言図」（つまり「聲の図」）でもある。

丸木夫妻は、絵の中に言葉を残している。

「恥かしめを受けぬ前に死ね／手りゅうだんをください／鎌で鍬でカミソリでやれ／親は子を夫は妻を／若ものはとしよりを／エメラルドの海は紅に／集団自決とは／手を下さない虐殺である」

人物の配置や空間構図の取り方など、とてもダイナミックである。この夫妻の創造力は凄い。また「手を下さない虐殺」とは、なんという重いが、真実な言葉であることかと強く感じた。

ここには、もう一つの聲がある。それを聞かねばならない。

ただひたすら再びこの悲惨な体験が起こらないため、平和を祈る力強い聲でもある。ここに描かれている無名の群像のフォルムは、そうした祈りの姿勢を取りながら、実に大きな聲で語り始めるのである。

その真実の聲は、米軍の飛行機などの騒音で決してかき消されることはない。

＊初誌：「２１ＡＣＴ」（１０２号・札幌時計台ギャラリー・二〇〇五年）

Ⅳ・眼の胎動

批評事始め

1. 時計台ギャラリーのこと

かつて札幌には、たくさんの画廊がひしめいていた。特に中央区は、画廊の激戦区だった。少し思い出してみたい。今はなき画廊も含めて記してみる。クラーク画廊、ＮＤＡ画廊、ギャラリー・タピオ、大同ギャラリー、ギャラリーレティィナ、エルム画廊、時計台ギャラリー、道新ギャラリー、ギャラリー大通美術館、さいとうギャラリー、維新堂画廊、富貴堂画廊、大丸画廊（現・大丸藤井セントラルスカイホール）、丸善画廊、ギャラリーユリイカ、北海道画廊、コンチネンタルギャラリー、アートスペース２０１、ギャラリーMIYASHITA、ト・オン・カフェ、ギャラリー犬養、さらに丸井今井デパートにはクレオギャラリーがあり、紀伊國屋書店にも画廊が併設されていた。ふりかえつてみて、狭いゾーンによくこんなにあったことに驚くばかりだ。また短期間だったがＳＴＶエントランススペースも存在した。

その中で一番古い歴史を刻んでいたのが時計台ギャラリーだった。多くの美術家にとってこの時計台ギャラリーで個展やグループ展をするのが、ある種のステータスとなっていた。新作をひっさげ個展を開き、またグループ展に出品し、互いに競いあっていた。また地方に住む方にとっても、特別な画廊となっていた。オープニングパーティには、多くのメンバーが集まり、酒を交わしながら作品をめぐっていいあったものだ。

みんな貧しかったが、大きな夢をもっていた。「いい作品をかきたい、のこしたい」と懸命だった。そのひたむきさには、嘘はなかった。みんな純粋に燃えていた。いま振り返ってみて、とてもいい時代だったと、つくづく思う。

私自身が、毎週のように足を運び、作品を通じて先輩美術家と語りあい、そこから大きな刺激をえたし、さまざまな学びをさせてもらった。さらにオーナーには個人的にもいろいろとお世話になった。

最初は時計台画廊といった。当時のオーナーは荒巻芳。芳は、茨城の水戸市の出身で、小樽で荒巻組（土建業）を経営していた。小樽では名の知れた実業家の一人だった。小樽出身の画家國松登は、幼い時、手宮から高島方面に抜ける〈地割り〉の開通式に父の手に連れられ、うす暗い路を通ったことを記憶している。この工事を担当したのが荒巻組であった。

芳は一九六六年になり、札幌に事務所が入った「北建ビル」を建て、その二階に画廊を開設した。が、すぐに一階にAB二室の画廊を開いた。一九六九年には建物全体の名称も「時計台文化会館」とした。芳は、自ら絵筆を握り、チャーチル会のメンバーでもあつた。何度か、彼の油絵をみたことがある。また熱心に可能性をひめた若い画家をサポートしていた。

父・芳の跡を継いだのが、荒巻義雄だった。のちに画廊名は、時計台ギャラリーと名称をかえ、さらに地下にオーク画材を併設した。

荒巻義雄は早稲田大学第一文学部で心理学をおさめ、さらに北海学園大学短期大学（土木科）で学んでいる。なにより詩人、SF作家、伝奇小説家、評論家として名を成している。他の物書きとはちがい東京にはいかずに、じっくりと札幌に腰を据え、物書きと画廊経営という二足の草鞋を履いた。画廊があるビル内に仕事場をもち、常に新作に挑んでいた。その中には新ジャンルを開いた〈伝奇ロマン〉や、シミュレーション型の「紺碧の艦隊」シリーズなどがある。

一方、ダリなどのシュルレアリスムやマルセル・デュシャンなどの現代美術にも精通し、独自な見方で美術家の作品を批評していた。実に頭の柔らかい方だった。私もこの画廊で、荒巻義雄とはいろいろな芸術談義に華を咲かせた。荒巻氏は、執筆に疲れた頭を鎮めるために、画廊の隣にあったロックフォールカフェでお茶を飲んでいたが、よくご一緒させてもらった。また伝奇ロマンの一冊には、ある美術評論家として登場させてもらい、ほんの少しミケランジェロの「モーゼ」像について語らせてもらったこともある。

この画廊は、経営者としてだけでなく、とても大事な仕事を行った。一九七〇年には企画展「現代版画のフロンティア」展を開催した。そこには靉嘔（あいおう）、横尾忠則、木村光佑、黒崎彰など、一六名八〇作品が並んだ。こうしてなかなか接することができなかった日本の第一線で活躍している美術家の作品などをみせてくれた。それは道内の美術家の眼を肥やし、また美術愛好家の鑑賞眼を豊かなものにすることに大いに寄与していた。

2.「21ACT」のこと

この画廊は、さらにとても画期的な仕事を行った。それは美術家達を支援したことだ。それが数回実施した時計台文化会館美術大賞展だった。民間の画廊が作家を選定し、展覧会を開催し、審査をして優れた作品には賞を贈ってサポートした。道内では先駆的な試みだった。第一回展は一九七四年の五周年記念展。第二回展は一九七五年、第三回展は一九七六年に開催した。ただ芳の逝去に伴い、大賞展はその後しばらく中断することになった。

その後、二代目に就任した荒巻義雄は、中断していた大賞展を再開した。荒巻は、この画廊を単なる展示空間としては考えていなかった。画廊を、美術家達と共に、〈美とは何か〉〈独創とは何か〉などを共に論じる場と考えていたようだ。だからこそ、場所の利だけでなく、美術家はこの画廊で個展をすることを一つの目標にして制作に励んでいた。

いま振りかえってみて、画家や彫刻家などが長年の営為を辿りながら開催した「自選展」や「回顧展」などは、その美術家が何をめざして歩んできたかを知ることができる絶好な機会となった。そしてグループ展を組みながらも、なれ合いを避けながら、互いの作品を厳しく批評しあう姿には、とても感動したこともあった。その中でも、私の記憶に鮮明に刻まれたのがグループ「玄の会」だった。またパリ在住の蛯子善悦や洒落たエスプリを感じさせる小野州一などのタブローなどは、絵画の芳醇さをたっぷりと味あわせてくれた。毎年のように新作を発表した小川原脩や伏木田光夫、さらに深遠な光を追求した野本醇などの作品と出会うのは、何ものにもかえられない歓びがあった。

このように多くの優れた作品から、眼福を受けたことも大きいが、と同時に、至高の美とは普遍的で永続するものであることを知ることになった。

開廊二五周年記念となる一九九四年に第四回展を開催した。この第四回展では、私は少々手伝いをさせていただいた。荒巻義雄と相談し、時計台ギャラリーで個展を開いたことがある五〇歳以下の美術家を選んだ。結果として七〇名の参加を得た。五〇歳以下としたのは、ここで選ばれたメンバーが、道内の美術界の次の担い手になってほしいという意図があったからだ。

審査は、中央から三木多聞(当時・国立国際美術館館長)を招聘し、道内から國松登、小川原脩、一原有徳、竹岡和田男、吉田豪介、岩淵啓介、柴橋伴夫、荒巻義雄が行った。全館を使っての展示となった。まさにこれは公的な美術館でもできなかった偉業だった。私は、さらに賞の審査、図録制作についてアドバイスをさせていただいた。その図録に「過去をふりかえりつつ」と文を寄せてもらった。かなり長くなるが再録しておきたい。ただし文には少し記憶ちがいの所もあったので、補足と修正をしながら記しておきたい。

＊

「もう足かけ二〇年近くの年月が流れたことになるのであろうか。現代詩の世界で、前衛的意識をベースにして詩作を行っていた私が、はっきりと美術に興味をもちはじめたのは、北海道教育大学札幌分校に入学し、大学の男子寮紫藻寮に入り、その寮生仲間に特設美術科の学生も混じっており、空き部屋をアトリエ替わりに使って制作している姿をみていた頃からであろうか。

むろん、生地岩内では多くの画家を輩出させており、絵はとても身近に存在していたから、しぜんの成り行きだったかもしれない。実際に伝統ある道展では、岩内在住や出身の画家達が多く出品し、一時岩内派と呼ばれ小樽派と競うほどだった。

一〇代から書き続けていたのが現代詩であった。大学入学後も、グリークラブ（男性合唱団）に属しながらも、詩作を続けていた。同年代の仲間と同人誌を発行した。みんな実験的な詩を競っていた。こんなこともあった。学内を超えた詩人仲間と、詩の朗読会や詩画展など喫茶店で開いていた。よく喫茶店などに集まりワイワイガヤガヤやっていた。

北海道教育大学札幌分校の学内には、詩人が沢山いた。中村太郎や東村有三らは同人誌「新詩帳」や「腔《すきま》」などを発行していた。「腔」は、詩と評論を軸としていた。私もこの「腔」に関わり、詩を発表した。

そんな時期に学外で知り合ったのが、詩人の熊谷政江だった。当時、藤女子短期大学の学生だった。彼女はのちに小説に転じて、藤堂志津子としてあざやかなデビューをして直木賞をかちとった。

その後それぞれが大学を卒業し、自分の道を歩みはじめた。それは「腔《すきま》」分裂というべき状況を生みだした。

私は、個人詩誌「ＮＵ」を主宰しつつ、少し後になるが美術評論めいたものを書き始めた。この「ＮＵ」第二号（一九七四年）に載せた「聖アントワーヌ幻想」という小論が、荒巻義雄の眼にとまり、そのまま「２１ＡＣＴ」（時計台文化会館発行）に転載ということになった。二ページをわざわざ割いてくれた。美術評論家としての実質上のデビューをこの「２１ＡＣＴ」紙上で飾った。その後は、「２１ＡＣＴ」にアートコラムを長く書くことになった。いま考えるとこの画廊とは、何か不思議な縁で結ばれていたようだ。

このあと、私は新しく詩と批評を志向する『熱月』（テルミドール）に参画し、次第に詩作から美術評論の方にギアチェンジしていった。

『熱月』で本格的な美術評論を展開した。この『熱月』については、別に論じておきたい。足元の道内在住の現代美術家の仕事を批評の対象とした。アトリエを訪れ、インタビューを行った。一原有徳、杉山留美子、花田和治、山田芳夫、岡部昌生を対象とした。できるだけ新しい実験、新しい試行をしっかり紹介し、その跡づけをしようとした。

この『熱月』ではじめて展覧会批評を行った。最初は、道内の美術家が自主企画した「12陵空間展」だった。なぜ「12陵空間展」だったのか。いくつか理由がある。表現はきわめて〈個的〉なものであり、なにより〈個〉において突出すべきものという自分なりの思念があったからだ。また道内があまりに、公募展中心に動いていることに疑問を感じていたことも、「12陵空間展」を選んだことの一因だった。もちろんいうまでもなく「12陵空間」のメンバーが、一人一人優れた仕事を残していたからであった。

これまで私は、長年にわたり展覧会を自主企画し、状況の活性化を目指している。たった一人で作家を選んで、「立体の地平展」「ペーパーワーク展」「抽象の現在展」などを開催した。そしてできるだけ若手の育成、および同時代という意識を共有するメンバーの仕事をフォローしてきた。これが批評家の任務であると考えた。なぜなら、同時代の美術家と共同戦線を構築し、系統的に一人の美術家の仕事（作品づくり）を評論することが、きわめて重要であるからだ。

もう一つ道内の閉鎖状況（いわば後進性）をつくりだす要因には、物心両面でのサポート（後援）のあまりに少ないことにある。アメリカでは、企業が充分なる知見と資金使用を芸術全般におこなうことがあたりまえになっているが、日本企業全体にもいえることであるが、まだそのレベルには達していないのは誠に残念ではある。

その意味でも今回の大賞展は、一つの企業（ギャラリー）が企画したわけであり、大いに評価されるべきことであろう。充分その企画の素晴らしさを評価しつつ、一層の美術界の活発を願って、独自な企画の組織化や、さらに道内の美術家の仕事を跡づけてゆく論集の発行など、二一世紀を展望するとりくみをさらに期待するものである」。

＊

私は、三年に一度の「立体の地平展」や隔年開催だった「抽象の現在展」を開催した。これらの企画展で、ささやかであっても道内に新しいムーブメントを生みだすことができたのも時計台ギャラリーからのサポートがあったことが大きい。

さらにこのギャラリーは、アートコラムや展覧会批評などをのせた「２１ＡＣＴ」を発行していた。「２１ＡＣＴ」に、私にとって記念的な小論「聖アントワーヌ幻想」が載った。私の個人詩誌「ＮＵ」からの転載だった。いま読んでみると、やや文体が硬く、詩的感覚が強い作品であるが、誤字は直しつつも原文を生かしつつ、不足の箇所に少し手をいれながら記してみたい。

「聖アントワーヌ幻想」

〈イブの林檎〉には、神秘的ビジョンが帯びている。この林檎は、画家ルネ・マグリットの顔の前に停止し、科学者ニュートンの視界に飛び込んであの万有引力を立証していく。

しかしイブの所有した林檎こそ、味をもった物質として最初のものとなった。イブが禁断の木の実をその舌で味わった―喰べ始めた瞬間、口腔にあまずっぱい味が広がっていった。林檎はイブの舌で砕かれてゆく。そのかわり〈消えない種子〉を植え付けてしまう。あまずっぱい味は、体内の奥深く浸透し、魔的なエロチズムと絆を結んでいく。その新しく得た欲望感覚はしだいに増幅しながら、無限に永久運動を続ける。こうもいえる。食とエロスは不可欠の位置にあると。そしてエロスは、死と親密な関係を結ぶことになる。だからジョルジュ・バタイユ流に定義すれば、〈死に至るまで　生を認証する〉ことこそが、エロチズムの源泉となるのだ。

自己の肉体を通じてのみ、快楽を内実化でき、自己自身を検証できる聖なる労働となる。―常に見ることを止めず、喰べつづけること。なぜなら喰べつづけることとは、〈私的所有すること〉なのだから……。

現代の神秘的予言者ベルジャーエフは、〈終末に向かって進むときこそ積極的意味をもつ〉と告げる。つまり欲望はアメーバ状に変形、増殖しながら、都市をくいちぎり、風景を「消化」し、土は罪の滴りを吸っていく。そして爛熟した都市の崩壊は、ソドムとゴモラが辿った同じ帰結に至ることになる。こうして欲望は、終末という時間に向かって、エンドレスに時計のゼンマイを巻きつづけるわけだ。

＊

パトモス島のヨハネが書いた「黙示録」は、実に巨大な怪物、ヤヌスとしての欲望権力を裁き壇にひきずり出す。全て地上に君臨するものは「大いなるバビロン」、淫婦どもの母として呪われるべき運命を背負う。姦淫の酒、宝石の装飾品、聖徒の血をのみほしながら、悪魔的座に龍（サタン）が坐し統治する。聖徒と予言者は、みじめな奇蹟をひたすらまちながら、現実の混沌とした非ユートピアの地上の歴史状況に縛りつけられ、ひたすら「幻」という幕屋にとじこもり、恍惚として自己の予言を成就せねばならない。

聖アントワーヌは肉体を晒しながら、悪魔の誘惑の囮となるのだった。

聖アントワーヌは、多くの文学者や画家達に大きな影響を与えた。悪魔の誘惑に苦しむアントワーヌ像は、画家達の想像力を逞しくさせた。彼らは、一度自らが悪魔の誘惑の囮となり、絵筆を動かした。聖アントワーヌは、欲望（リビドー）の虜囚として、終末というその一瞬が到来するまで果てしない迷宮（ラビュリントス）を放浪しなければならないのだ。

＊

ここからいくつかの〈聖アントワーヌの誘惑〉の図像をみていきたい。

北方の陰鬱性を画面いっぱいに描きながら、画家グリューネバルトは、〈イーゼンハイムの祭壇画〉にキリスト磔刑図と共に聖アントワーヌを冷たい北方の森に配置した。なんとエジプトの砂漠のイメージから遠く湿って、岩石は黒というよりメランコリを帯びた灰色となっていることか。官能性はみじんもない。〈グリューネバルトのアントワーヌは巨大な河馬の鼻づらが、彼にくさい息を吹きかけ甲殻類の胴をした凶悪な鳥と杖とロザリオを握ったその手にかぶりつく〉（東野芳明『グロッタの画家』・「聖アントワーヌの誘惑」より）

聖アントワーヌは、完全に無気力なまま怪物に圧倒され、勝利はのぞめない。

『ボヴァリー夫人』の著者ギュスターヴ・フローベールは〈私の全生涯を代表する作品だ〉として『聖アントワーヌの誘惑』（一八七四年）を残している。

この劇の場面で象徴的なのは、豪奢に着飾った古代の美女の典型シバの女王を登場させて、聖アントワーヌにこう言い寄らせていることだ。〈もし、あなたが私の肩に指を触れたら、燃える火の様に脈が打つ。ほんの少しでも私の体を抱きすくめたら、一つの大国を征服するよりも、もっと強い満足感をえるでしょうよ。口唇を頂だい。私の接吻は、心にとろけるような果実の味があるの……〉。これは文学者フローベールらしい誘惑の仕方である。

一方、美の錯乱者シャルル・ボードレールは、〈呪われた女達〉において、華麗な文体（タッチ）で女達に接近させる。聖アントワーヌの眠りに、緋に染まる裸の乳房が熔岩のように現れ出た。聖人は、物の怪の気配に満ちた岩のはざまの道をたどりながら、尼僧の様に足どりが重く、そしてゆるやかに歩いていったと。

さてネーデルランド（オランダ）の幻想画家ヒエロニムス・ボッスは冷たく輝く色彩と神秘的な灰色の宝石にも似たトーンで独自の誘惑の類型を構築した。

画家マルティン・ショーンガウアは『黄金聖人伝』という書物から聖アントワーヌ像を引っ張ってきた。聖アントワーヌがエジプトの砂漠に修道院を開き、やや得意になっていると、主の使いが彼を天上につり上げた。そこに悪魔達が攻撃したという。その醜悪極まりない獣達は、性的シンボルを予見させた。そんなサタンの末裔でもある。

サタンは攻撃的な姿勢で、あらゆる手管を尽くした。その魔的なエネルギーは角、歯、爪にこめられ、ゆがんだ表情は怪奇性を帯びてくる。怪奇性は激しくなり、禿鷹、狼、犬、河馬、昆虫などが、聖アントワーヌの頭髪をむしり、棍棒でたたきつけ、僧衣をひっぱった。

画家ショーンガウアに比べると、ネーデルランドの画家ボッスは、有名な「快楽の園」において、性を暗喩させてより気味悪い終末への序奏を描いた。三つのパネルの内、右パネルでは、水浴したままの姿で豊潤な裸身を聖アントワーヌへ見せびらかして、視線をうばおうとしている。

ボッスの空間では、全体に言い知れぬ「哄笑」が響き渡っている。殻の卵や空を飛ぶ魚は、中世以降からつづく性的象徴そのものでもあるという。

さらに他の画家による聖アントワーヌの誘惑の図像を辿ってみる。ここにドイツのアルブレヒト・デューラーの銅版画「黙示録」の連作がある。放縦な欲望の化身たる龍は、大天使ミカエルの剣で喉を突き刺されている。

＊

D・H・ロレンスは、『現代人は愛しうるか―アポカリプス論』で、醜悪なる龍の魔力におちるのは常に女であり男が縛《いまし》めを解いてくれるまでは逃れる力はないとのべる。

「見たまえ、ときに我々の内部の上に躍りかかってくるあの突発的な激怒、情熱的な人間の内にひそむ、燃えるがごとく激しい憤り、それは龍の力でもある。いや、熾烈な欲念、放恣な性の感情、烈しい飢渇……あらゆる種類の欲望、これらの突然の発作も又、おなじものなのである」（福田恆存訳）。

小説家ロレンスは、龍たちの解剖を行い、女を〈熾烈な欲念〉〈放恣な性〉の虜になった〈現代のイブ〉の化身、つまり女を〈欲望の所有〉として描きだしている。その欲望は、内部から湧き続ける憤怒、そして意識に巣くう欲望の洞窟（グロッタ）は、不死性をもちながら、なんでも飲み込み、満足することを知らないと。

では、こうした悪魔や性の欲望の化身となった怪物の醜悪さをどうみたらいいのか。どんな現代的な意味が隠されているのであるか。少し思索してみる。

興味ぶかいことに、あのJ・P・サルトルは、醜悪さそのものについて、『ヴェネツィアの幽閉者』においてこんな言説を披瀝する。「醜さとは一つの予言である。その中には、何ともいえぬ過激な要素があって、否定を恐怖にまで持っていこうとする」と。こうして鋭く醜悪なるものの本質をときあかした。たしかに醜悪さとは、恐怖心をかきたてるものだ。

視点をかえてみる。キリスト教絵画において描かれた悪魔などの〈醜悪さ〉、さらに中世から続く疫病などによる死者の腐敗した肉体などは、仏教画の、たとえば聖衆来迎図寺蔵の「六道絵」のうちの〈人道不浄相〉と呼ばれる、あの地獄の醜さと同通しないか。「六道絵」では、時間的経過を盛り込みつつ、川辺に置き去られた美女の肉体は、鳥、野干達《のぎつね》により、くさり、蛆がわき、死体は食いちぎられ、最後に無残にも血が大地にしみこみ、最後に白骨と化していく。

どうも人は、極楽という非在のユートピアよりも、その対極にある地獄の様相のリアルの方に想像力をかきたてられるようだ。人は、非在のものを描くとすると、いかにも陳腐なものになってしまう。それに対して地獄を描くとなると、俄然画家達の筆力は迫力を増すようだ。

この〈醜さ〉が洪水のように押し寄せてくる物語がある。旧約聖書に登場するヨブの物語である。

神の試練を受け、皮膚病に侵されたヨブの身体。その病に冒された肉体が醜さを増していくのは、まさに神の栄光をあらわすためであった。反美学的な醜さは、神の栄光を示すというのだ。

その神の試練に苦悩する姿。それは、カウカーソス山上で神の罰を永劫に受け続け、くる日もくる日も、大鷲についばまれる火の簒奪者プロメテウスの姿と重なってくる。

＊

鮮烈な終末ビジョンを描くのが、パトモス島のヨハネだ。迫害され、流刑地パトモス島で、壮大なビジョンをみた。まさにおこるべきこと、ひたすら待望していたビジョン。これは夢幻（フェイク）でもなく、まして や幻影（イリュージョン）でもなく、『旧約聖書』の予言者エゼキエルが幻視したものと同質の、まさにおこるべきことのビジョンだった。

パトモス島のヨハネは、死の種子を刈り取り、黒い不妊の土地に豊潤の泉を注ぎ、ついに「時間の死」をみた。そこには時間の屍体が横たわり、その終末の光景は限りなく美しいのだ。それは戦慄的光景となる。その時、ファウスト博士の次の言葉、「瞬間よ、お前は何と美しいのか！」は成就する。

かの呪われた龍、悪魔の化身は、年を経た蛇となり捕られて、千年の間、底知れぬ無の深淵に幽閉され、その入り口はがっちりと封印される。

「アルファでありオメガである者」は「七」という完全数を使い審いてゆく。つまり封印、霊、着物などが登場する。そして神の激しい怒りにみちた「七」つの鉢を、地に傾ける。すると不思議なことが起こる。

獣の刻印をもつものは、悪性のできものができ、海は死人の血と化し、水の源は血に染まり、太陽はその烈しい炎でやきつくし、生命の木が植えてある大ユウフラテス川は枯れ、罪あるものは闇の中で苦痛に耐えかね舌をかむ。

ただまだ終わりではない。封印がほどけ始める情景が続く。そこに四人の騎士が舞い降りる。蒼ざめた馬に乗った騎士の登場により、ようやく肉体的、欲望的自己は終焉をむかえる。

こうして人間の意識の深奥に根をはっていた龍が自己崩壊してゆく。

最後にシュルレアリストのサルバドール・ダリに登場をねがう。ダリは、どろどろとした欲望のカオスにイメージの基底を置きながら、聖アントワーヌを描いた。食肉の画家は、終末という時間の崖を乗り越え、さめた冷気さえも超越させて、なおも迫りくる誘惑に十字架をかざして裸で立ち向かう聖アントワーヌを描いた。その超空間は白昼の真空で、顕現する像は空間に削りとられている。

こうして夢という庭園の中で苦悩しつづける聖アントワーヌがつくられた。私は、サルバドール・ダリの聖アントワーヌにも魅せられている。なぜなら夢想すれば、私自身が画面の中の片隅にアントワーヌとなりうずくまっているのだから。

いずれにしても、審《さば》きの人、終末の到来により円環的時間は荘重に破壊され、ついに聖アントワーヌは、ようやく誘惑から解き放たれる。

＊

この「聖アントワーヌ幻想」を掲載した「２１ＡＣＴ」のページは、「新人発掘の頁」と銘うっていた。そこには「２１ＡＣＴ」は、二〇代の美術評論を求めています。振って投稿してください、とあった。私の後に、どうも投稿者はいなかったようだ。

それにしても、「聖アントワーヌ幻想」は、読み返してみても、キリスト教的図像のオンパレードで、一般の方には、かなりとっつきにくい文章であつたことは予想できる。

少し補足しておきたい。聖アントワーヌとは、カトリック世界では有名な聖人の一人だ。上エジプト出身で、若くして両親と死別した。豊かな財を捨てて、エジプトの砂漠で孤独な隠者の生活を送った。その禁欲的生活の中、奇怪な姿をした悪魔や女性の誘惑に晒される。のちに聖アントワーヌは、修道院を開設した。この荒野での誘惑の情景が、先にのべたように後世の文学者や画家達の想像力に火をつけたわけだ。

こうしてアトランダムに、画家達や小説家がかいた図像や文を辿ってみた。特に画家達は、その非現実な奇怪な像をいかに描いたか、そして人間の深層に潜む欲望とはいかに死滅しないものか、それを辿りながら、それがどのように終末論と結びついたかを書きたかったのである。

私は、小さい時から、『旧約聖書』の幻視物語や『新約聖書』の最後に置かれた歴史の終末を描いた「ヨハネの黙示録」を一つの文学作品として偏愛していた。そのことが下地になっていたようだ。幽閉されながらも、〈欲望の大帝国〉たるローマが、完全に滅ぶことを念じつつ、そこから獲得したビジョン。どんな他の黙示文学よりも、独創的ではないか。なによりその卓越した幻視力は類がないほどだ。一流の幻視文学の風格を充分にもっている。

＊

いま振りかってみても、やや表現がひとりよがりのところがあるが、それは若さ故のこととして容赦ねがいたい。

荒巻義雄は、作家を育てていくためには批評が大切であることを知っていたから、長年にわたり「２１ＡＣ

Ｔ」を発行した。この無償の行為は高く評価されるべきことだ。

美術家が創作した作品。その斬新さ、前衛さ、その価値を正しく跡づけること。それは批評の仕事である。美術家と批評家がいい緊張関係をたもっていること。それを目指したのが「２１ＡＣＴ」であった。

この紙面で私は、長年にわたりアートコラムと月評を担当させてもらった。そこでは題材は自由に選んで美術論を展開させてもらった。月評では、時計台ギャラリーで開催したグループ展や個展などのコメントをかいた。後半になり画室は増え七つとなった。だから月評をまとめるのに苦労した。

「２１ＡＣＴ」は、無料配布だったので、多くの市民も読んでくれた。これから編んでゆくことになる著作集「ミクロコスモス」シリーズにも、「２１ＡＣＴ」で書かせてもらった原稿を収録することになるだろう。私はかなり想いのまま原稿を書かせてもらったわけだ。それは私にとって大きな研鑽の場となっていたことはまちがいない。

残念ながら二〇一六年一二月に時計台ギャラリー、時計台文化会館、オーク画材がクローズとなり、それに伴い「２１ＡＣＴ」も姿を消してしまった。

ここで最多の個展（その数四二回）を開いたのが画家伏木田光夫だった。伏木田だけでなく、多くの美術家にとって素晴らしい発表の場が姿を消すことになった。多くの方がそのクローズを惜しんだ。忘れていたことがある。ここにアトリエが開設され、何人かの画家達が絵の教室を開いていた。そのアトリエもなくなってしまった。

建物の老朽化が一つの理由であった。多くの方々は、再建を願っていたが、そうはならなかった。再建はかなりの経費がかかることになる。一方で美術家達の高齢化も目立ってきた。年金生活者も増えた。これまでのようには、グループ展や個展を開くことが難しくなってきたことも事実である。

現在、時計台文化会館があった空間は、駐車場に姿を変えていた。空白となった空間は、虚しく一つの時代が終焉したことを、冷酷に知らせてくれるのだった。まだ私は心の中に、大きな空洞を抱え、それをまだ充分には埋められないでいる。

「ゆいまある」あれこれ

札幌の地で、とても小さな文化の核を組織した。名を「ゆいまある」とした。

それは昔から地域社会において農作業などをするときは、共同体のメンバーは、共に手を携えて行ったという。それは「ゆい」といわれた。沖縄でもそうしてきたという。それで共に手仕事で何かを行う意をこめて「ゆいまある」とした。組織したと、書いてみたが、組織というほどのものではなかった。

最初は四人で発足した。この「ゆいまある」が発足する経緯を少し説明する。一九七八年から七九年にかけて東京、京都、沖縄など全国一三ヶ所で開催した「ガウディ展」が絡んでいた。このガウディ展の仕掛け人が、北川フラムだった。当時日本中で、ガウディ熱が高まった。その熱は、建築、美術、哲学、宗教にまで広がり、さらにカタロニア文化にも関心をもつようになった。まさに大きな文化現象となっていた。

札幌で「ガウディ展」を開催されることになり、その下準備に斎藤芳広（イラストレーター）が来札した。私も、友人の建築家と共にこの「ガウディ展」の手伝いをすることになった。「ガウディ展」は、「札幌パルコ」で行い、さらに特別講演会を道新ホールで行うことになった。道新ホールでは、フランシスコ・アルバネダネが「ガウディとカタロニア建築—モダニスモまで」と題して、カタロニア語で講演をしてくれた。

私にとって、このガウディ体験は、とても貴重なものとなった。どうしても自分の眼でガウディ建築をみなければならないとバルセロナには二度ほど旅をすることになった。一度目のバルセロナ訪問で、不思議なことがあった。ガウディがデザインした「パルケ・グエル」に向かう途中で、全くの偶然に、道新ホールで講演してくれたアルバネダネと出会ったのだ。

道新ホールでは、私は席について講演を聞いていただけなので、面識はなかった。アルバネダネは、私達日本人グループをみて、「どこにいくのですか」と聲をかけてくれた。「これからパルケ・グエルへ向かうところです」というと、〈じゃいっしょに行きましょう〉と案内してくれた。そしてパルケ・グエルのことを説明してくれた。

路上で名刺を頂戴したが、そこにはフランシスク・アルバネダネとあった。カタロニア語では正しくは〈フランシスコ〉ではなく、〈フランシスク〉ということを教えてもらった。初めてのバルセロナで、何も連絡もしていないのに札幌で講演してくれたアルバネダネと出会った。これは奇跡というべきもの。何か、見えないものの力を感じた。ガウディが結んでくれた縁かもしれないとおもった。

話を元に戻す。そんなことで個人的にも斎藤芳広と親しくなった。斎藤が沖縄の民俗文化に関心を抱いていることも知った。「ガウディ展」終了後も、斎藤が札幌に残ることになり、広告代理店に勤務することになった。斎藤から沖縄の民俗文化を撮影している北村皆雄の存在を知らされた。北村皆雄は、一九四二年に長野生まれ、早稲田大学で第一文学部(演劇)を卒業。記録映画監督として、特に世界や日本に伝承されている祭儀などを映像に残そうとしている。日本映像民俗学の会の会員でもある。

北海道ではあまり知られていない沖縄の民俗文化に絞って何かやろうか、となった。結果として、伝手があるのならそれを使って北村皆雄のフイルムの上映会をやることになった。そのための組織づくりをした。

詩人中森敏夫にメンバーになってもらった。菱川善夫（北海学園大学教授・短歌評論家）には、お願いして代表になってもらった。こうして四人による「ゆいまある」が誕生した。ちょうどその頃、菱川よりシンポジュウム「同時代の表現者の課題」への参加を求められた。その案内チラシへの文には、こうあつた。少し長くなるが記しておきたい。

「一九七九年夏。七〇年代も終わりに近づきつつある今日、時代を腐爛させている風化・解体という危機的状況は、加速的に進行し、人間の内部をも激しく侵蝕しつつあります。こうしたとき、表現行為にかかわる者は、いかなる課題をみずからの裡に見出すべきなのか。とくに、八〇年代へむけての表現主体として、いかなる営為が必要なのか。

今、ジャンルを超えて問われているのは、この問いに応えるべき表現者としての自己定立にほかなりません。「現代短歌・北の会」では、こうした課題に挑戦すべく、左記のようなシンポジュムを企画いたします。ジャンルの枠をこえたこの大討論の磁場に、積極的に参加下さいますようご案内致します」。

「現代短歌・北の会」を主宰していたのが、菱川であった。この文脈からも伺うことができるように、菱川は、表現者の主体性を厳しく問いつつ、〈時代を腐爛させている風化・解体という危機的状況〉に抗していくべきと提言していた。このシンポジュムは、八月一八日、一九日と二日間にわたって札幌市教育文化会館で開催した。第一日はジャンル別問題提起。第二日は作品による問題提起と討論。

この時は、私も編集委員として参画していた『熱月』（テルミドール）のメンバー三人がパネラーとして参加した。笠井嗣夫と上林俊樹は「詩」のジャンルから、私は「美術」からの参加となった。

この様に、菱川は、「現代短歌・北の会」の運営や自らの短歌評論においても、表現の磁場をとても重要視していた。それもあり、まだ小さな存在であるが新しい文化核たる「ゆいまある」が目指す方向に賛意をしてくれて代表に就いていただいたわけだ。

こうして小さな文化核の最初の仕事が、「南島幻視行」、つまり「北村皆雄映像個展―映画による民俗学の夕べ」の開催だった。広報、券の販売、資料づくり、会場準備など全て手作業となった。私が、手作りでリーフレットを作成した。そこにこんな文を書いた。全文を記しておきたい。


「異邦の地、沖縄の文化は、未知なる領野をもち、民俗学においても日本文化の原初として考察すべき事象も数多くある、と言われております。その水先案内人として『海南小記』(柳田国男著)などがありますが、今回機会が与えられ、沖縄の神事においても特に異彩を放つ、久高島（くだかじま）・イザイホーと、西表島（いりおもてじま）古見《こみ》・アカマタの祭儀を、北村皆雄の作品を通して触れることになりました。

彼は映像民俗という新しい分野での仕事を精力的に取り組んでいますが、さらに遊行鬼という名でも『ドルメン』(季刊)などに論文や紀行文を載せております。その意味において、新鋭の研究家でもあります。

〈アカマタの歌〉は、豊穣を約束する祖先の霊が、ニイラの彼方から仮面仮装をして訪れる神事を映像化したものであり、この古見(こみ)は八重山群島の中の小さな部落で、「あの人(神のこと)は現れると涙がポロッと出て、本当になつかしいですよ」といわれるまでに、この祭儀は島民にとって至高のものとなっていると聞いております。

また〈神屋原の馬〉は、久高島で一二年毎に一度行われる祭りで、姉妹は兄弟の守護り神であるという〈おなり神信仰〉に基づいてものであり、この作品について「カメラワークは美しく、とくにナレーションがいつのまにかしだいにテンポをはやめて祝女の呪文のようになり、天地と草木がざわめくような映像のつみ重になるあたりは、小気味いい美しさをもっていた」(『同化と異化のはざまで』)と大城立裕が賛辞を送っている佳作であり、自主製作による処女作でもあります。

なお宮良高弘(札幌大学教授)は〈アカマタ〉の祭りの研究者として知られております。最近では、『沖縄婚姻史』(国書刊行会)を共著で発行され、この道の権威者でもあられます。「沖縄の祭りと神々の世界」と題してお話をしていただきます」。

映画「神屋原(カベール)の馬」は、一九六九年の作品で三四分。製作監督を北村皆雄が行い、音楽を小杉武久が担当した。語部を北林谷栄が行い、その独特の聲がこの映画をより魅力あふれるものにした。

映画「アカマタの歌」は、「海南小記序説」と冠が付されていた。〈ニイラ〉とは、海の彼方にある〈ニライカナイ〉という異ゾーンのこと。一九七三年の作品で、約九〇分のフイルムだった。製作は遊行鬼、監督は北村皆雄となっていた。音楽は沖縄出身の上地昇、そして語部は、鈴木瑞穂が担当した。

「アカマタの歌」は、三つの祭儀をテーマにしている。その三つとは「アカマタ」「シロマタ」「クロマタ」を指している。稲の豊作を齎す神として〈ニイラの彼方〉から来島し、その姿は、仮面をつけた仮装である。

宮良高弘は、西表島に残るもっとも大事な共同祭祀と神々の構造について講義してくれた。祭儀は本来秘密が原則なので、見聞した情報を外へ漏らすことは禁止されているという。研究者であっても、これを厳守しなければならないという。そのため宮良高弘は、その後この島に立ち入ることができなかったという。

もちろん北村の映像でも、女性が神になる儀礼などは秘密なので、撮影できていないが、まちがいなく民俗学的価値を持っているわけだ。特に女性が神になるという「イザイホー」という祭儀は、一二年に一回行われ、すべては伝承をベースにして行われるというから、とても貴重な記録となっているようだ。

この後、「ゆいまある」としてどんな活動をするか論議した。「南島幻視行」は、沖縄の民俗文化を考察するものであったが、今度は、北海道の足元に眼をむけた。

アイヌの踊りを素材にして作曲を展開している作曲家木村雅信とのコラボとなった。「ゆいまある」のメンバーそれぞれが、木村雅信とも親交があり、話はスムーズに進んだ。木村は、中国河北省石門市（現・石家荘市）で生まれ種子島で育った。南方の音楽にも詳しいこともわかった。東京藝術大学音楽学部作曲科で学んでいる。小倉朗に師事した。来札し、札幌大谷短期大学で教鞭をとった。札幌の音楽シーンを活性化するため、「札幌現代音楽展」を開催し、その代表を務めていた。

打ち合わせのため、木村の家にも行き、種子島で集めた貝殻などもみせてもらった。木村は詩人として詩誌「舟」「レアリテの会」同人で、詩集も刊行していた。

かなり前から、アイヌ舞曲を素材にして作曲していたが、全三三曲が完成したことを知った。そこで全三三曲の演奏会を企画した。単なるピアノ演奏会とはしなかった。演奏会名は、「三台のピアノによる交霊」

とした。副題に「アイヌの素材による舞曲―全三三曲」とした。ここに〈交霊〉という名辞をつけることになったのは、菱川からの提言であったと記憶している。四人の内、三人の名前に「夫」がついているので、作曲家木村雅信は、「君たちのこの〈ゆいまある〉は、〈三夫会〉（さんぷかい）である」と別称をつけた。とすれば、文化をサンバ（産婆）する〈さんぷかい〉となったわけだ。

演奏会は、NHK文化センター札幌教室五周年記念として賛助を戴いた。またこの演奏会は、木村自身の札幌第一三回の作品演奏会となった。厳寒の一月二三日に、音による交霊の儀礼が行われた。場は、札幌市教育文化会館小ホール。開演は一八時三〇分。ステージには、三台のピアノが置かれた。

第一部は、各地の「ウポポ」「リムセ」「雪の神のユーカラ」など一四曲。「雪の神のユーカラ」は、雪の状景を抒情的に描いていた。休憩をはさみ二部は、「鮭の神のユーカラ」から「ウポポ」まで一五曲。後半の「呪文・安産の祈り」では、ステージを暗転にすることで闇のなかで音が蠢くのを感じた。

全体に「踊り」「子守歌」「祈り」「動物の鳴き聲」などを主題にしており、まさにアイヌの方々のコスモロジー（宇宙観）を感受させてくれた。木村は、この作品について「手仕事の密度、エネルギー、記録性、そして質感を備えているがゆえに、現代芸術である」とのべているように、あくまで木村はアイヌの方々の歌や踊りを素材にして、現代作品へと昇華させていた。また菱川は、こう記した。「アイヌ音楽の模写でもなければ、旅人の印象記でもない。アイヌ民族の根源にあるものを掬いあげ、それを再構成して、尖鋭的な現代の音楽に組みたてた、純然たる創作である」。

演奏会のパンフレットは、私が担当し、デザインした。パンフレットの裏面には、舟を漕ぐときに使う、アイヌ民具を載せた。

演奏会曲目と併せて、木村の他に、〈ゆいまある〉メンバーと「南島幻視行」でお世話になった宮良高弘からのメッセージを掲載した。

ここで私の「聖なる自然との交感」を転載する。なお採録に際して一部、文を手直ししている。

＊

「この舞曲集が総体として提示（プレザンテ）するものは一つのコスモロジーの構築である。それは、単にアイヌ民族の創成した神と人間とのたぐいまれな詩的な叙事詩の再現のみならず、新しく、そこから現代音楽の活性化を汲み取ろうとする果敢な実験でもある。

音は、鈍く重い、律動は土に通底し重くはね返ってくる。そしてアイヌの人たちの踊りと歌の祭儀と同様、かれの紡ぎだす音は、しだいに波のようにうねり回転してゆく。さらに魂が高揚するとき、音が軽く飛ぶ。海面をとびはね、山を駆ける。つまり音は、地上と天界の階梯となるのである。

愛惜にみちたアイヌの祭儀空間、自然への限りなき讃美。生きているものへの畏怖と交感。そして生（いのち）がたどる明と暗の対比。この音による交感空間には、あざやかな生と死の色彩対比がひそんでいる。

暗夜の産屋にくりひろげられる生誕の劇。朝日をあびて生命をかぎりなく燃え上がらせて上流にかけのぼる鮭の雄姿。原生の森に木霊する郭公の聲。そして小鳥達の小合唱。それぞれにリズムがあり、歌が、そして生のドラマがある。

それらに、あたたかく音により光明を注ぎこんでゆく。この労作は、まちがいなく木村雅信の音世界において主要な地位をしめるであろう。

またこれは私の予感であるが、三三曲の演奏では、北の交感空間から、さらに南の潮の織りなす空間へと繋がっていくように思えてならない。音が連鎖し、垂直な空間構造を打ちたてるのだ。

アイヌの森羅万象の一つ一つに神をみる汎神の世界観は、同時にじつに人間臭い両義的世界をもかいまみせてくれる。こうした民俗と現代性（モダニテ）の結合。原始的な自然のダイナミズムと抒情性が織りなすコスモロジー。私は瞑想しながら、音の意味を探る旅から転じて、さらに深く音の開示する原初の風景をたどりはじめるのだった。

まさにこの舞曲集は、まちがいなく一つの聖なる自然との交感図でもあるのだ」。


この演奏会により、木村は一九八五年の市民芸術祭賞を受賞した。そこで「ゆいまわる」が聲をあげて、少人数ではあるが「祝う会」を「西の宮」で開催した。「ゆいまある」の最後のとりくみは、「石狩の鼻曲がり」の公演企画であった。

吉増剛造の「石狩のシーツ」をめぐって

「私達は、この惑星の一箇所にというか、一つの場所に生活していて、不思議な時と出会う」。
（吉増剛造『大病院脇に聳え立つ一本の巨樹への手紙』より）

1．三〇枚の銅板

吉増剛造の展覧会が完結した。

「石狩河口　坐ル」は、この詩人が、大きく美術家に変貌した記念すべき画期的展覧会となった。また会場となったテンポラリー・スペース（札幌）の一九九四年度の企画でも、ひときわ卓越したものであった。

テンポラリースペースを主宰する詩人中森敏夫の言葉を引用すれば、「記録的な猛暑の八月一日にはじまり、錦織る紅葉の秋一〇月二九日まで重層的に作品構成を重ねつつ、この間、石狩河口より界川源流そして夕張へと遡行し、四度の対話を経て、豊かに画廊空間を満たしつづけてまいりました。最終的に銅板に文字を打ち刻む作品は三〇枚近くとなり、三〇〇行の詩作品も完成しました。この一人の作家による一〇〇日近くにわたる持続とその完成された稀有な空間を、あらためて凝縮した展示としてご覧いただきたく、ご案内申し上げます」とのべているように、石狩の大地に吉増剛造の詩魂は、激しく燃え上がった。

北風の吹く一二月三日に、私は画廊のドアを開けた。森閑とした空間。直立する詩の象形。銅板の譜帳が、鐘を鳴らしていた。独自なスタイルで作品構成（インスタレーション）され、〈凝縮した展示〉の主役である三〇枚の銅板が、詩の霊を宿しつつ、風に舞うように在った。

墓銘碑のように、沈黙し、幟のように、少々はためいて……。

これは、はたして詩人の余技か。いやそうではない。イギリスの現代美術家であるジョン・アッグリーが、極北の地を訪れその場で太陽の光をもとめて、レンズをかざし、棄てられた木片に焦げた点を連鎖する行為によって、いまその時間と空間で生きていることを、最小限の点（焦げ）に残そうとしたように、この詩人は、非美術的な道具である言葉を、ひとつの言霊にして、打つ、穿つという或る種のパフォーマンス的所作により、これまでになかった未知の作品形式さえ生み出したのであった。

いや、これは北の大地が織りなした地理と歴史を自由連想のエンジンとして、詩の海をわたり、原初の川の母をもとめての紀行ではないのか。よく考えてみれば、この北の大地への紀行の先駆者は、松浦武四郎であったかもしれない。なぜなら、北の大地を、歩行しその特異な風土と歴史を見出しているからだ。さらにいえば、この地にすむアイヌの人たちと、彼は平等に付き合っていったからである。地理の調査という作業にとどまらず、この希代の探検家は、そこで生きている人たちの悲しみや怒りを感受したヒューマニストであったからだ。

さて、天井から吊るされたこの一枚一枚には、詩人の強いストロークによって穿たれた文字が、残されている。

このストロークは、この詩人が札幌、石狩、夕張がたどった歴史と空間に自分の身体を曝し、うずくまり、魂の皮膚で受信した詩句で刻んだものだ。

いや、それだけではない。一部の作品は、彼が旅行したアメリカのアリゾナまで移動し、そこでも刻まれたという。壁と手前には、推敲を重ねて遂に完結した詩句が原稿用紙の上に展示されていた。さらに画廊の入り口中央には、詩作品がファイルされていた。ファイルを乗せるテーブルがあり、それを一つ一つめくりつつ、ふと眼差しを上げれば銅板が、目に入ってくる。そうだ！このテーブルはある意味で指揮台の機能をもつのだ。

まなざしを広げると彼が感受した北の歴史と原初の風景が凝縮し、パノラマ的に世界が開示されてくるのを実感する。

そうだ！この場は、眼と文字の双方で、詩の発生の現場に立ち会う思考の現場なのだ。この詩人の精神と身体が発熱した軌跡を反芻しつつ、その獲得した高質な感性世界が、広大に展開するひとつの風景となっているようだ。

天から、さらにこの三〇枚の銅板から、不思議な声がきこえてくる。

「白いインクの一角獣」／「神窓記／頬杖……」／「唖者の塚へ」／「織姫」／「中国の一角獣」／「石狩の図書館」／「花火の家の入口で」／「死の舟」／「茴香の花」などの短い詩が刻まれた銅片がそこにある。

私の内部でこの〈一角獣〉が、詩的なイマージュとなって自由飛翔していくのを目撃した。パリのロマネスク美術の宝庫であるクリュニー美術館でみた、優美なる貴婦人と一角獣を主題にしたタピスリー（つづれ織）

の連作の図像が、心の扉をたたいた。ユニコーンは、獰猛な性格という伝説獣だが、高貴な婦人の前には、従順となるという。不思議なことに、ペルシヤや広くオリエント世界、さらには中国の文献にも登場する魔力を持つ伝説の獣を、この詩人は〈石狩のシーツ〉に光臨させようとしているのだ。

このように詩の断片が、ある時霊に満たされて読むものにもうひとつの旅へと導くことがあるのだ。しばし、私も至福な時間をこの言葉から過ごすことができた。

さらに私は、感性を裸にした。そして静かに内なる心に命じてみた。耳を澄ませ。まず思考の母に抱かれよ。そしてまず河の流れをたどれ。そして歩行せよ。私の眼よ。さらに風の音を聞き、近代の皮膜をひっくり返して、凛とした戦慄を、認知する〈爆心地〉に立て！と。なによりも不可視の歴史が、像（イマージュ）となってこの場所に立ち現れるまで。

そんな内なる声に鼓舞されつつ、その一つ一つと対話を続けた。

二年にわたる日本の地球の裏側にあたるブラジルから帰国したばかりのこの詩人が、彼の眼の一部ともなっていた写真にはよらないで、激しいストローク（手の振り）と打ち刻み、さらにエクリチュール（書くこと、書かれたものあるいは言葉）によって新しい表現態を生み出そうとしている。

詩人は、北の地においてみずからの近代に関する意識を、総洗いをさせられた体験をしたことを告白しつつ、みずからの詩のミューズとの蜜月劇を新たな舞台（シーツ）の上で造り出そうともがいている。

それにしてもなんという清楚な儀礼であることか。この詩人は、詩の宙《そら》の中で孫悟空のように軽く、古代と近代の境界線を超えてしまい、風となってたちあらわれる。古代中国の地にも跳び、さらにガウディの街バルセルナにまで立ち降りている。その帰路には、翼を休めに石狩の河に降り立ちつつ、自在な観念歩行をつづけている。そしてその銅板に、眼がみたもの全てを記述しているではないか。

2．接近する北海道

吉増剛造は、石を打つようにして刻み、記述する。

みるみる内に、地霊との交信により獲得されたその言葉は、ストロークの冷たい衣装を身にまといつつ銅板に影を形成していくことになる。

これを、稀《まれ》なるストロークとエクリチュールとの〈熱い結婚〉と呼ばずになんと表現できるか。吉増自身にとっても自らの内部にひそむ詩人と美術家の美しい結婚となった。

ところでいついかなるようにして、この詩人の内部に、北海道は住みはじめたのであろうか。探してみよう。

まず『黄金詩篇』（一九七〇年）に収録されている「北海道」（初誌〈the highschool life〉一九六九年）の中に立ち現れている。長編詩「石狩のシーツ」にしるされている時空〈北北東〉は、すでにこの詩集に記述されていた。

そこには、旅の動機が記されている。〈眼に手術刀〉を走らせることを決意し、月や墓地からはいだすことを日記にしるして冬の北海道へ行ったと。その冬の北海道で、実際訪れたのは、函館、留辺蘂、網走、釧路であり、そこでみたものは、今回のように廃れた近代が露出する鉱脈や母なる河への遡行の旅ではなかった。

むしろ、〈吹雪の津軽海峡が素晴らしいので　ぼくは舞うようにして海へ（投身自殺！）しばらく自己愛に酔った〉とのべるように荒々しい異風景に訳もなく開放感をあじわい、陶酔しているのであった。ここではっきりみずから〈自己愛〉と規定しているように、尊大な自我の思索の涯に、疲れた〈眼に手術刀〉をあてるべきところを、それに代わって、北の大地、無垢な自然の風景に、その眼を愛撫、浄化してもらっているのだ。

さらに「北海道」は、ある書物と、一人の人物を通して、吉増に急接近してきたようだ。

今回の長詩「石狩のシーツ」でもたった一行ではあるが、「浅市という美しい名の響きを聞いていた」というフレーズがある。浅市は、地名でもなく、ましてや市場のことでもない。ひとりの登山家のようだ。

吉増は、文芸雑誌『海』に、詩的随想を連載していたが、この時期に、浅市と遭遇したようだ。その運命的出会いをつぎのように語る。

「記述をさがし求めて歩く。山手線に乗り、原宿の東郷神社のそばにある渋谷図書館で、大島亮吉の記述に出会った日」という。それは大正九年に書かれた「再び石狩川の本流へ」という題の紀行文であった。だこの登山家については、「親しい友人が大島亮吉伝を準備しているとその名を聞いていた」とのべているから以前からかなり気になっていた存在らしい。

私はすぐに『海』の連載文を探し求めた。

だが、私の本棚には不在だった。北海道立図書館で探してもらった。その文の正式のタイトルは、『大病院脇に聳え立つ一本の巨樹への手紙』という。一九九一年一月号からの連載である。どういう訳かこの出会いについては、よほど衝撃的であったのか、別な号でも吉増は「渋谷中央図書館の、書物の樹間に、高校生の多い、雑誌類も置かれた開架室の一隅に、大島亮吉全集が置かれていた。その文字が立ってくるように見える記述を読む」と記している。それで本家本元の大島亮吉全集を調べることにした。再度、図書館員に依頼した。暫しの後、一冊の本が手もとに届けられた。残念ながら大島亮吉全集は不在とのこと。代わって古呆けた『日本山岳名著全集』（五巻・あかね書房・一九六二年）が眼の前にあった。冒頭部分に「石狩岳より石狩川に沿って」があった。途中に「再び石狩川の本流へ」が載っていた。

さて、この本の記述に目を落していくと、いろいろと私が彼の詩から理解していたことが、かなり間違いであることに気付いた。この人物を登山家とはおもっていなかった。てっきりアイヌ人の道案内人かと勝手に推察してしまい、時代もましてや大正九年とはおもわず、もっと過去の人と勘違いしていた。もうひとつの誤解は、彼の詩に登場する浅市とは、本名と思って早とちりしていた。正式には高橋浅市であることが判明した。なかなかの登山家でもあったようだ。

ではいったい大島亮吉とは、何者なのか。『日本山岳名著全集』の著者略歴でいえば、一八九九年に、東京芝に生まれ、大正二年には、慶応義塾商工部に入学し、そこで山岳部に入部したという。北アルプス縦断を行い、槍ヶ岳スキーや積雪期の穂高登山にも成功したが、大正一三年には、兵役に就いた。しかし、除隊後の昭和三年には、雪の穂高で、転落死をとげた。〈山に生き山に逝いた〉三〇歳という若きアルピニストの死であった。北海道登山は、大正九年のことというから、大島が二一歳の頃となる。

このように見て来るとどうも吉増剛造をして、一九九四年に石狩の地にいざなったのは、この大島亮吉の著作であったことがわかる。

ただすぐに川に触媒されつつ、すぐれた詩の論考を行っている吉増の諸作とは、ずいぶんと傾向が異なることに、それらと比較してみて改めて気づかされた。たとえば、詩集『草書で書かれた、川』(実は、実際しらべてみると、彼は「川の詩人」といえるほどに、川(河)を主題に詩をよんでいることに驚かされた)に収録された「老詩人」において、次のように歌っている。

多摩川／高麗川の／川口のむこうに／不思議な病院が立っている／川を渡ると／消える／

さらにその河に込められた〈怨み〉を歌ってゆく。そして〈小川〉の〈浅川〉〈秋川〉よ、と呼びかけつつ、〈虐殺された山川草木の〉〈精霊たち〉〈囁く声が聞こえくる〉とつづけた。

吉増は、当時住んでいた街にながれる二つの〈川〉の辿った歴史を透視した。そしてイメージをふくらませながら実景と合い和し、また反対に相反しつつ、この〈川〉の〈怨〉を、淡々と歌っていった。

さらに詩集『わが悪魔祓い』の「血の川くだり」では、〈川〉が詩的実験の素材ともなっていた。誤解をおそれずにいえば、どうも『大病院脇に聳え立つ一本の巨樹への手紙』自体が、大島亮吉のこの著作の記述に触発されて、成立したものであると理解できる。実際にこの詩的随想には、全編を点検してみても、大島亮吉に関する引用箇所が断然おおいのだ。かれにとって書物のある記述が、古今東西を問わず、不思議なことに思考の回路で、偶然に大爆発をさせるものらしい。吉増にとってのベアトリーチェが大島亮吉であったようだ。

「磅薄として暮れ」の章の冒頭に、一つの記述が現存する。具体的には次のように立ち現れている。

「磅薄として暮れ」、私は茫然と川面をみつめていた。「石狩岳より石狩川に沿って」歩いた人の眼に映じた景色。その視覚の痕跡である。

私は、地下の水流を求めて、都市を歩く。

少々説明をくわえてみたい。

「磅薄として暮れ」とは、「この荒涼たる無人の境地に突っ立って、赫々と燃える落日を満身に浴びた一人のアイヌが腕を組んでぼんやりし乍磅薄として暮れゆく静かな河の面を見詰めている」の情景描写から取られている。大島亮吉の文では、この情景は、一条の煙を目撃し「オヤジ」と叫ぶ浅市の声と共に、そこに行くと一人がふさがるように、悠然と立っていたとなっている。それが「磅薄として暮れ」を触媒の言語として、次の行にはこうある。

磅薄として暮れゆく／ミシシッピー河沿いの街。／五時四十分過ぎ／

と、自在な転換が、一行ごとに想像を絶する飛躍でおこなわれる。これが、この書物のある種の醍醐味であり、一面ではその文節的文の集積体が、この本の特性といえなくもない。そこにこの時期の吉増自身の詩的意識が、露呈しているのである。こんな見方もできるかも知れない。そこでは自然と都市が、まだ二元論の関係にあり、都市を負性の存在として認識していたといえると。

というのも、なにより都市の地下水流を求める地獄巡りの旅であったからだ。まだ無垢な自然への愕きが、所々に散見できる。詩集のタイトルともなっている巨樹のイマージュは、〈この暗い巨樹の欝々たる大森林の深い静けさのうちに吸い込まれる様〉に入り込んできたようだ。そこには〈身体の奥の奥〉で共振する何かがあったからであろう。ただ、この時は、大島亮吉という登山家が、石狩の源流を辿って無人の原野を〈歩いた人の眼に映じた景色〉を辿りつつ、彼は〈視覚の痕跡〉を、反復するために〈都市を歩く〉のであった。ここではまだ、北海道の大自然が、無垢な実体、神聖なる神として本能的な祖型を開示していざなうだけであった。

しかし、一九九四年の石狩への旅は、全くちがっていた。歩行は、より現実となり、風景は自分の眼前に在った。身体の奥に、すぐに海の潮が、押し寄せてきたし、なによりも風が在った。一番異なるのは、大島亮吉のように源流探索の登山はしなかったが、詩人の眼で、石狩川が海と接する場所に立ちながら、この川を遡及していったことだ。つまりこういえる。この川の始終点をみつめつつ視圏のパノラマを獲得し、冷酷な歴史さえも透視する霊力を獲得したと。

ただ、不思議なことがあるものだ。この詩人は、この時は、微塵も気付いていないかもしれないが、登破していった石狩川の上流で大島亮吉は、ひとりのアイヌと出会っていたことだ。そのアイヌは、山のオヤジ(熊)を追って忠別岳から狩猟を続けてヌタップヤムペツを降りてきたという。当然この地域からみて旭川アイヌの一人と出会ったのだ。大島亮吉は、このアイヌにとても人間的な魅力を感じて、次のように描写している。

「やがて軽く黙礼してその深い眼窩の底に湛えられた眼の柔和な稚気のある光のように、温和の調子で、とぎれとぎれ浅市の急迫な質問に濁音を混えない片言の日本語で答える」とある。

時空をこえて不思議な霊の導きにより、このような同質の〈深い眼窩の底に湛えられた眼の柔和な稚気のある光〉を宿したアイヌの彫刻家と、この詩人は、大島亮吉が出会った場所の近隣の音威子府で出会うことになるのだ。それは、今は亡き彫刻家砂澤ビッキであった。時空を超えて、つまり詩人は大島亮吉と同様の体験をすることになる。詩人は、この彫刻家と深く精神的な交友をおこない、彼の死後も、彼の作品を愛し、熱烈なオマージュ（賛美）をささげている。

大島亮吉がみた原始の森も、自然もみんな奪われてしまったが、砂澤ビッキは、この河の恵により育成した木で彫刻し、アイヌモシリの復権を願った。吉増は彼の創造した作品に、〈欝々たる大森林〉に聳える〈巨樹〉を目撃したのであった。まさしく時空をこえて、不思議な因縁を結んだ。妄想をいわせてもらう。（ひょっとしてこの〈巨樹〉こそ、彫刻家ビッキの予兆ではなかったのか？）

3．「フッサ、フッサ」

「（月や太陽の）ピラミッドを見上げるようにして立つサボテンに一瞬古代人の歓声が響き、そこの都市の雑踏が再現するかとおもわれていた」

〈『大病院脇に聳え立つ一本の巨樹への手紙』より〉

さて、この「石狩のシーツ」は、机上の思索作ではないということを、まず留意すべきである。石狩は、北海道中央部にある地名であり、河名であり、古くは国名でもあった。ただしアイヌ語では、諸説がある。ひとつは、「美しく作った川」、ひとつは、「鳥の尾羽で（矢のために）作る川」の二つが存在する。また回流川という性格がつよく、それは、この大きな川は蛇行がおおく、うねった形態についてのべているという。この川は、支流が一五七〇本もあるというから、文字通りこの大地形成の母であり、時々洪水をおこす凶暴な川でもあったようだ。

この地名となっている石狩町の歴史は、古く慶長年間にまでさかのぼるという。およそ一六世紀末から一七世紀初頭のことだ。北海道の歴史に即していえば、松前藩が、この地に交易のため石狩場所を設定したことにはじまるという。

吉増は、この地ではっきりと「フッサ」の音を聞く。

「フッサ、フッサ」の音があった。

では「フッサ、フッサ」とは何か。なにかの呪文なのか。それとも祈りの言葉なのか。

「フッサ、フッサ」、それは息だ。

呪文ではない。アイヌの人々の祈りのこもった治癒を祈願する声だ。

私の想念世界にその源流をたどれば、神と人との関係を、息でとらえた古代の聖書世界にまずたどりつく。〈神の息〉が臨在した。アダムを創造したように無から有を創造する息として。つまり息は、聖なる者が、吐く空気によって地にあるべきものを誕生させ、聖別させ、支配する威力をおびていくことになる。ある時は、シナイ山で、預言者モーゼに「十戒」を授与する〈炎の息〉として、絶対的な神性の息となってゆく。

対極的にみて、アイヌの人々は、神人同形の立場に立ちつつ、アニミズム（動物精霊信仰）という極めてナチュラルな視点をもっている。大自然と共生する思想に根ざしているアイヌの人たちは、とても優れた病理観をもっていた。そして、病を治癒することを、ある音で表現した。この音は、生あるものを慈しみ、心から流出する響きだ。そして、これがもっとも大切なことであるが、この詩人が、数ヶ月のあいだの旅をとおして、みずからの眼で目撃した死の像を葬礼する音となっていった。

みるがいい、この死の群れを！みるがいい、この死のイマージュの洪水を！みるがいい、近代の暗部に宙ぶらりんとなっている死の実像を！歴史から廃棄された多くの無名な物たちを！では、その死の像とはいったい何か。

この詩人はこう並べる。「牛頭」、「馬頭」の観音。「海市」。「女坑夫」。そして死セル季節。花々。「楓」と「密」。なにより河の死。まだ沢山ある。

日本で二番目にながいこの北の大地の母。遡行する石狩の河が、パノラマ風に展開するこの都市の死骸（むくろ）が、吉増の身体を「器《うつわ》」として一気に貫通して現出してくる。それらの死の記号を、そっとなぐさめる音が、この画廊空間に共振してきて、耳に鐘となって響いてくる。

さらに「フッサ、フッサ」は、海を渡る音でもある。幻視の水平線をめざし飛ぶ、リズムを伴いつつ……。

さらに、私的な感慨ではあるが、次のことをひとえに告白したくなった。

それは、私の母の姿であった。その年老いた、そして病多き母は、持病の心臓病に言葉を絶する苦しみを耐えつつ、私を慈しんでくれた。医者は母の心臓を「ひびの入った陶器」にたとえた。無理をすると、すぐに壊れると。よく風邪で寝込んだ時に、病をおして看病してくれた母の姿があった。私の蒲団の横にいて、母は、息を注いでくれた。熱が下がるように水枕を必至にかえてくれた。それは、母の「フッサ、フッサ」であった。そのようにして、愛するもののために、祈りつつ、息を吐くようにして献身することが、「フッサ、フッサ」ではないのか。

私のみならず、この詩人にとっても、「フッサ、フッサ」は、病の治癒をなす不思議な力の本源でもあった。このアイヌの言葉は、なんと母の子をみつめる慈愛の視線にみちあふれていることか。

この詩句が刻まれた銅板は、二列目の東端におかれていたが、すぐ横には、「夏の日のオール」があった。いつしか「フッサ、フッサ」の音は、次第にロールを漕ぐ音に変幻していた。そして、この画廊全体にみちあふれる音声となっていた。それはなにより、石狩や札幌に流れていた河が、埋められ死んでいったことを鎮魂するものであり、それればかりか、それらを蘇生させるものでもあった。さらに現代の病める人間への治癒の音声となっていた。

吉増剛造は、現代美術の領域をはるかにこえて、また詩の世界のゾーンを越え、北の風土に横たわる死の香りを嗅ぎ、みずからの言葉を舟にして、石狩川の末流まで透視して、さらに炭鉱の街夕張への道を発見したのである。それは、石炭の道であった。つまり日本の近代を支えた石炭産業の大拠点であった夕張の〈死に水〉をとらねばならなかった。〈女鉱夫〉という詩句が今度は、〈浅市〉に代わる言葉となって彼をもうひとつの旅へいざなうのであった。

はたして夕張の鉱山の暗き坑道でも、この詩人の耳に「フッサ、フッサ」の音が鳴り響いたのであろうか。

＊この文は、詩人・美術評論家としての私なりの吉増剛造の美術作品へのオマージュである。近年とみに、美術と詩神との美しい遭遇を希求しているこの詩人が、北の地でおこなった美術行為をここで記録する。この作品は詩誌『饗宴』(瀬戸正昭主宰）に発表した。今回再録にあたって一部修正と加筆を行った。

大野一雄——「石狩の鼻曲がり」

あのとき、石狩の浜での、四時二〇分から日没までの一時間三〇分余の時間は燃えるような焔であった。九月の風、ひんやりした冷気は、天空からの使者であった。

次第に暮れゆく風景は、自然が太古の時からおこなってきた〈生理〉のごとく、最後には壮大に、そしてオレンジに染まっていった。

なんという大自然の壮大なパノラマ絵巻であろうか。その自然が演じた劇的な営みが終焉したあたりから予想以上の早さで闇が急ぎ足で眼の前を通過していった。

あのとき、私の胎内で至高の価値をもつ光と闇のドラマがうねった。

そこで一体なにが生起したのか。明瞭なこと。それは幻にちかいドラマが現存していたことだけはまちがいない。

大野一雄と大野慶人、二人の白熱する身体と、それを鎮静させるかのような湾をなでる秋風があった。

この浜に立つと、刻(とき)が遡及して、はるか前の光景をみせてくれる。ここは北の大地に一歩をふみいれた人達の呼吸音が潜んでいる。

かつてここが交易の拠点であった。その栄枯の歴史をつたえる桟橋の残骸。そこに打たれた杭。いまもその周りには過去の亡霊が立ち騒いでいる。

それでも桟橋や杭らは、老いた姿を引きずりながら、硬い姿勢でこれから始まる宇宙との受胎劇をひとえに待っていた。

さらに眼を転じれば、その傍らに朽ちた樹の塊が、格好の舞台装置と化していた。

嗚呼、なんということか。身体の襞に、風が時空をこえてつめたく降下してきた。嗚呼、なんと美しいことか。貝の耳には潮のリズムが鳴り響いた。それらは絶え間なく、天空の呼吸と交声していた。

あのとき、大天使ミカエルの弟子である大野一雄によって「石狩の鼻曲がり」という弔い歌がうたわれた。そこに天上から妙なる音が降りた。それはウィーン少年合唱団の無垢な声に伴奏されつつ、優美な舞踏曲（ワルツ）を伴いつつ。さらに北の天空がつくりだす色彩が伴奏音となった。

音と霊験なる舞踏の一体化。それは静かに、石狩の大地にただよう地霊の鎮魂儀礼を執り行った。ひとえに死を賭けて子孫をのこすため、母なる川を遡行する鮭の霊の平安を祈念するものでもあった。

いやそれだけではない。アイヌの人たちへのレクイエム（鎮魂歌）でもあった。

あのとき、大野一雄は司祭と化した。舞踏は、弧絶にちかいモノローグともいえる肉体言語となり、その身体から発した言葉は、胎内よりひとつひとつ紡ぎだされていった。

ふと想う、あれは、儚い夢だったのか。それとも蜃気楼の如き幻影だったのか。

いやちがう。いまも眼の奥にしっかりと映像となって現存している。ときおり映写機は自動的に回転し、美しい映像をうつしはじめるのだ。そしてその映像はいまも激しく心の扉をたたくのだ。

まちがいなく「石狩の鼻曲がり」の霊は、媒体者二人の魂を奮いたたせた。そして激しく地震のごとく渦となって彼らの肉体を貫流していった。それに合わせて眠っていた土地の霊が、ここで開示された「舞踏詩」を祝した。

あのとき、舞踏という名の清冽な〈ポエジー〉の華が咲いたのだった。

それは私の精神の背骨に大反響してくる実存の血がにじむ〈ポエジー〉でもあった。

驚くべきことが起った。そこに未曾有の悲哀という屹立する塔が潮の匂いの衣装を纏いつつ、空にむかって風と和合したのだった。

踊り手大野慶人は、水平に移動し、大野一雄の身体は、流動し渦となり龍巻となった。

そしてあまりの恍惚に誘われて、大野慶人は聖テレサのように入水した。

ゆっくりと北のつめたき潮、その胎内に抱かれていった。

あのとき、大野一雄が、自分の体内にながれる北の血を味わい尽していたにちがいない。

記憶の淵に立ちながら、和人が侵略する以前の、先住民族のアイヌ人の平和で至福な時間へと遡及していった。

あのとき、大野は母なる海から川へと生命の道をひたすら歩む鮭の雄姿を自らの胎内において反復した。

鮭の壮大なる叙事詩、その激しいドラマを踊りのなかに包み込んだ。

＊

大野一雄は、貧しい漁師（あるいは無名の開拓貧民）のようにして登場してきた。舞い、最後に北の真空なる大気の彼方にむかう海と太陽と抱擁した。そうして彼方の記憶と一体化していった。

この地に住み生活し、貧しい人生を耐えた無名の群像達へのレクイエムであった。いやそれだけではない。かけがえのないたった一回の生と死を味わい尽くした鮭や馬などの動物達への鎮魂歌でもあった。大野慶一が海に入って太陽の光を浴びた、その瞬間、なぜかアルチュール・ランボーの詩句が海から発せられた。

「見っかったぞ。何がだ！永遠。太陽と手をとりあって行った海」

ふと、永遠という刻《とき》があるとすれば、いまここに臨在する恍惚とした瞬間かもしれないと呟いた。あのとき、やはり永遠という時空の襞《ひだ》に抱かれたのかもしれない。そういえば今年は、みずからの詩的感性の原野を切り拓いてくれたフランスの詩人ランボー没後百年の記念すべき年であることをおもいだした。不思議なことにランボーの霊が寄り添ってきた。しぼんでいた私の貧相な詩の感性は、ひさしぶりに開花させられた。海に潜んでいた詩神が、崇高な肉をおしげもなくみせてくれた。それに私は酩酊した。久しぶりに眼と心と皮膚が共に歓喜しつつ、詩だけがもつ味覚を堪能することができた。

その媒介者（司祭者）となったのが彼らの舞踏であった。

あのとき、人の肉体というよりは、精神が形となって優雅に踊っていたのである。あれは踊りではない。原初的な精神が、無垢な裸形となり流血のごとく現存していたのだ。

いや無垢な裸形だけではない。こう言い換えたい。それは巨大な宇宙卵、またはザクロの破裂であったと。

そんな精神の硬質な輝きを感じた。

*

大野一雄は、スペインの舞姫ラ・アルヘンチーナとの出会いによって、舞踏を開始したという。ラ・アルヘンチーナは、舞踏を絶対者への捧げもの（供儀）とする思想（生き方）の持ち主だった。彼女にとって、舞踏は精神の踊りであった。それ以外のものではない。

ラ・アルヘンチーナは、スペイン市民戦争が勃発したニュースを聞いて、その事件の本質に触れた。彼女の泉水のような純粋な魂は、それについていけなくなった。死の骸と化した。

フラメンコの踊りには、ドゥエンデが存在し、またスペイン文化の位相には、このドゥエンデが深くながれているといったのは、虐殺された詩人ガルシア・ロルカである。

ロルカは、各地のカンテ（唄）を収集しつつ、フラメンコの本質はカンテにあり、そのなかのカンテ・ホンド（深い唄）こそ価値のたかいものであると指摘をした。だからロルカの地では、舞踏は詩でもあり、カンテ・ホンドでもある。

とすればこういえるかもしれない。「石狩の鼻曲がり」は、石狩という名のカンテ・ホンドであると。まちがいなく、そうだ。

不思議な言葉であるドゥエンデとは、地面の下にひそむ魔物の力であるといわれる。地の霊とでもいうのであろうか。日本人が、どう真似てもつかみ切れないもの、それがドゥエンデだとよくいわれる。ただ間違いなく、大野一雄の舞踏の本質には、北方の霊が宿ったドゥエンデがひそんでおり、それが彼の身体を貫流して、あれほどのしなやかな舞踏をみせているのではないかと、想わざるをえない。

彼の舞踏は、自己への愛をおどるのはなく、つねに他者との絆を想定し、その場の形成には、他者への愛の香気が充満している。

八五歳という年齢でもあれだけの若々しい肢体を、ある意味では濃厚なそしてどこか清純なエロチシズムを発散する舞踏は、やはり尋常ではない。無垢の子供のような純粋さは、胎児回帰の志向、または訓練の賜物によって得られたものにちがいない。

いつもラ・アルヘンチーナの霊が降下し、身の隅に棲みながら泉水のような純粋な魂を注ぎ込んでいるにちがいない。

ラ・アルヘンチーナの精神と霊が、あの肉体と精神をつき動かしているのだ。

＊

この九月の石狩での芳醇な祝祭は、長い時間が経過してもその形象が失われることはない。むしろ強烈な芳香をはなってくる。さらに私の記憶の回路で、美しい衣装に身を包んだ哀歌となり、詩の感性となって体内に棲んでいる。

あのとき、幻視したものがある。一匹の鮭、孵化した卵が、その赤い血をながして天を焦がし、見ているもののすべての魂に返り血を浴びせていたことを！

＊一九九一年九月一五日、「ゆいまある」主催で大野一雄の舞踏「石狩の鼻曲がり」が石狩川河口・来札（らいさつ）の岸辺で行われた。これはその場に立ち会った一人として感じた感動を詩的断片として記録したものである。

ニライカナイの彼方へ――沖縄の祭儀空間

沖縄という空間は、三つの代表的祭りによって彩られている。

その一つは与那国の玉祭、二つに狩俣の祖神祭であり、三つに久高島のイザイホーだといわれている。狩俣は、宮古島の最北端にあり、その古い部落で、話によれば、うっそうと茂った森に女たちが、寝静まった夜に神が山に降りてくるのをまっており、ひたすら神歌を唱和しそれが夜の静寂に無限に響き合うという。それは異形の風景だといわれている。約二〇日間も山にこもって苦行を続け、塩のみを口にし、食を絶ち祈念するその姿は、想像しただけで異様である。

またイザイホーは、一二年に一度だけおこなわれ、ある一定年齢になるとこの儀式に参加することになる。神に仕えるための、一種の俗界から聖界へ入社する聖別の祭りであり、それを経たものは七〇歳まで巫女となる資格をえたことになるのだそうだ。

いずれにせよ共通しているのは、女のユニークな位置であり、つねに祭礼の中心的存在となり、女が神となっていき、または神に仕える階層を形成するということ。たとえば、イザイホーでは、姉妹がその家の兄弟を護りつづけるという風にして、現実の生活の場面にも生きて働き、いまでも兄弟達が海へ出て漁をするときには、その姉妹の月経の血で染めぬいた赤い布を必ず身につけてゆくそうである。

さらに姉妹らがこの祭礼により神となったことの報告は、つねに自分の親や夫ではなく、兄弟に対しておこなわれるしきたりという。

このことを、〈おなり神信仰〉と民俗学ではいうのだそうだが、この事象は私たちにとって一つの神話世界の原初を解き明かす手がかりになるはずである。これは明らかに、他の地において創世神話の始原に顕著に多くみられる兄姉神こそが世界の始まりをつくり出した、という事例に符合している。

海は開かれているし、潮により連続している。しかし、島は閉じられている。それゆえ、島は一つの閉鎖された宇宙をつくり、共同体世界をそれぞれがもつことになる。沖縄の島々に偏在する創成神話は古代文化の源流のもっとも〈太い部分〉として考察してゆかねばならないし、古代天皇制以前の純粋形態が、その一つ一つの儀礼の中に無言のままに隠されているのである。そのようにみることにより、次の事象はさらに強烈に古代神話の土俗性を物語るといえよう。

狩俣の祖神祭に登場する神女の服装は、たすきを斜め十字にかけ、手にはユンチルという木の葉をもち、両腰にはながい腰紐をつけている。民俗学者谷川健一らは、この風習は『古事記』の「天の岩戸」のところに登場するアメノウズメに酷似しており、さらにこの狩俣の創世神話が、蛇と女との婚姻、すなわち異類婚姻（人獣相姦）であることから、古代人の観念が、始原において、不合理、タブーの破壊をめざしており、むしろ私たちが考える以上に血なまぐさいものであり、明るい土俗性とでも表現できる自由さをもちえていたことを、これらは語っているとのべている。

さて、西表島、古見のアカマタの祭儀は、なぞめいた部分をもちながら、古代豊穣祭の典型をなしている。柳田国男は、南島こそ稲作民発生の地であり、日本文化の原基をなす常民像を鮮明に浮かび上らせたが、このアカマタの儀礼はニライカナイ、すなわちニイラピイトウの住む遥かかなたの海のむこうに在る空間を指向している。実は興味深いことにアカマタの祭りは、東北のナマハゲのそれとウリふたつのように類似していることである。

身に草木、葛をおおい、頭に稲穂をいただき、この神の出現が、豊作の予兆となる。そのとき、舟漕ぎの行事というものがあり、アカマタ、クロマタ、シロマタという三神が、それぞれ各御嶽へ巡礼し、口々に、ヘット、ハット、ヘット、ハット、ヤークリ、ホーホといって掛声をかけながらゆくのだそうだ。

このように舟を漕ぐのを、ユークイというが、それは未来のユー（豊穣）を願っていることだといわれている。

今回機会があり、「ゆいまある」として「南島幻視行—北村皆雄映像個展」という企画を実施してみて、私たちの精神の原風土がはっきりとしたかたちで映し出され、いままでベールに隠されていた秘部に光をあてることにより、少しではあるがそれがみえるようになってきたように想えてならない。

沖縄は辺境の地であるというイメージ(像)はまちがっており、日本文化の基底層をなしていることに、おそまきながら驚きかつ気付きはじめている。

沖縄は近い、という感慨を抱き、私は汲めども汲めどもつきない未知の井戸を発見したという感慨でいっぱいである。海の彼方、それは潮が豊かに混じり合う空間であり、文化が育まれて、それが潮に導かれて伝えられる。そんな海上の道が生まれる空間でもあるのだ。

＊初出：状況誌『プロヴォ-9』（一九七九年六月一〇日　編集・『熱月』編集委員会　発行所・闇舎）

あとがきにかえて――みずからの「凍土」をみつめて

この『ミクロコスモスI　美のオデイッセイ』では、私の批評の始まりについて少々ふれた。ただかなり省いていたことや不足があることに気付いたので、短く言葉を加えておきたい。

文化核「ゆいまある」と時計台ギャラリーが発行していた「21ACT」については言及したが、一番大事な『熱月』については、別稿で詳しく書くつもりであったが、ただそれだとやはり私の批評の機軸がぼやけてしまうことになってしまう。

さらにいえば、一個の表現者として時代の闇を凝視しながら、そこから何を汲みとりながら、いかにして書く根拠を見出していったか曖昧化することになりかねない。「政治の季節」が凋落するなか、その翳が私の身体の中でどう揺曳していたか、それについても触れておかねばならないだろう。

当時私は、現代詩の新地平を切り拓くという意志を抱いていた。これまでの詩の様式そのものを変革しようとした。行や句読点の形式を廃し、新しい言語の組み合わせを試行した。ダダでもなくシュールでもないものを目指した。個人詩誌『NU』を主宰した。その第一号に書いたのが四篇からなる「毒物化した日常」だった。冒頭においた「朝露(I)」、その最初の数行は「海豚／がビロードの海面をジャンプ　楓の／手はゆっくりとシーツを掴み朝が噴き上げる　　」とある。

この「毒物化した日常」が、詩人の笠井嗣夫の眼にとまった。笠井は、詩集『飢餓のまつり』(一九六七年・北書房)を出し、先鋭的な批評眼で情況を撃っていた。笠井は、道内の若手詩人を選抜して北海道新鋭詩人作品集『狼火《のろし》』(一九七三年)を編んでくれた。私はその中の一人となった。

その後も笠井との交友は続いた。笠井は新しいスタイルの雑誌『熱月』(テルミドール)を企画した。当時北海道では、伝統ある文芸誌『北方文芸』が存在していた。『熱月』は、発刊にあたり、既成の雑誌との差異化を図った。より時代情況を透視し、それぞれの書き手がみずからの表現の根拠を問うことをめざした。名は、フランス革命時に制定した革命暦、その中の「七月(テルミドール)」から採った。同人制をとらなかった。メンバーは全員編集委員となり、編集内容などを合議で決め、合評会を行い、外部からの寄稿を積極的に歓迎した。また文学講演会や舞踏公演などにも協力した。詩的韻律と表現をめぐる考察や評論家を囲んで座談会なども実施しそれを採録した。特に思い出深い文学講演会がある。一九七六年五月に、埴谷雄高の終生のライフワーク『死霊』第五章刊行を記念して北大クラーク会館で講演会が行なわれた。吉本隆明、秋山駿、小川国夫らが来札した。『熱月』として実行委員会に名を連ねた。この時吉本は、腕まくりをしながら、死霊の文学性について発熱した言辞を残した。クラーク会館は満席となり、壇上まで人で埋まった。この講演会では、混迷する悪しき情況に抗して、一個の表現者として何をすべきかと問われた。

私はこの『熱月』では、詩作と並行して美術評論をスタートさせた。結果として『熱月』は一一号でピリオドを打ったが、私は沢山の忘れられない体験をした。

さらに状況誌『プロヴォ』を発行した。『熱月』の編集人としてもすぐれた手腕をみせた上林俊樹の企案だった。編集を熱月編集委員会が行い、闇舎が発行した。『プロヴォ』は、『熱月』の別冊的存在であるが、多彩な論を掲載した。結果としてマイナス一〇から始めてマイナス五まで、つまり六号発行した。私は三本の文を載せた。「壁との対話」「混沌としたあがき――ヴォルスの写真」「ニライカナイの彼方へ　沖縄の祭儀空間」である。本書には「混沌としたあがき――ヴォルスの写真」「ニライカナイの彼方へ　沖縄の祭儀空間」を採録した。

また『熱月』は、『白夜叢書』刊行を企画した。編集委員それぞれの著作を共同で出版するということにした。私は、この叢書の一冊としてこれまでの美術評論を集めた『ピエールの沈黙』を出すことができた。ただ種々の事情が重なり、当初に計画した全ての本を出版できなかった。

いま振り返ってみて『熱月』での活動は、未熟な自分を省察しながら、より根源的なものを目指して歩むとの大切さを知ることができた。

ここで『熱月』に言及したのは、私の詩作と批評表現が屹立した磁場を見つめ直すことで、いま喪失してしまっている「血の熱さ」を回復するためである。いまは死語となっている「異議申し立て」「主体性論」「知の反乱」だが、これらのコンセプトは不変のはずだ。どんなに悪しき刻《とき》であっても、人は自分の主体を賭して行動しなければならないはずだ。世界に蔓延する虚や欺瞞には、「異議申し立て」の聲をあげねばならないのだ。

またニヒリズム（虚無主義）という言葉も辞典の片隅で悶えていないか。人は、世界の欺瞞や闇の深さに抗して立ち向かおうとしても挫折を味わい深く絶望することもが多い。敗北のくり返しに疲弊し、ニヒリズムに陥ることもある。だがいまこそ軽薄な知を拒絶し、真のニヒリズムを全身で味わうべきではないのか。そこから何かこれまでとはちがうものが見えてくるのではないか。

はっきりいえることがある。やはり机上での省察の作業に汗をかくよりも、緩んだ精神に鞭を撃たねばならないのではないか。そして「精神の凍土」に立ち戻ることから始めなければならないと。みずからの「精神の凍土」を深く見つめたのは、文学仲間と語りあった『熱月』での数年間であった。「凍土」は不毛性と同義ではない。しばれる冬を耐える「凍土」。それに熱い息を吹きかけ溶かしていくこと。情況に抗していくこと、そして絶えず書き続けること。そのことを『熱月』が教えてくれたのだから、たゆまずに『ミクロコスモスⅡ』の編集にむけて気をいれていきたい。

Mikrokosmos I

柴橋 伴夫（しばはし・ともお）

1947年岩内生まれ。札幌在住。詩人・美術評論家。北海道美術ペンクラブ同人、荒井記念美術館理事、ギャラリー杣人館長、美術批評誌「美術ペン」編集人、文化塾サッポロ・アートラボ代表。［北の聲アート賞］選考委員・事務局長。主たる著作として詩集『冬の透視図』（NU工房）/『狼火　北海道新鋭詩人作品集』（共著　北海道編集センター）/ 美術論集『ピエールの沈黙』（白馬書房）/『北海道の現代芸術』（共著　札幌学院大学公開講座）/ 美術論集『風の彫刻』・評伝『風の王——砂澤ビッキの世界』・評伝『青のフーガ　難波田龍起』・美術論集『北のコンチェルト I　II』・シリーズ小画集『北のアーティスト ドキュメント』（以上　響文社）/ 旅行記『イタリア、プロヴァンスへの旅』（北海道出版企画センター）/ 評伝『聖なるルネサンス　安田侃』・評伝『夢見る少年　イサム・ノグチ』・評伝『海のアリア　中野北溟』・シリーズ小画集『北の聲』監修・『迷宮の人　砂澤ビッキ』（以上　共同文化社）/ 評伝『太陽を掴んだ男　岡本太郎』・『雑文の巨人《マエストロ》　草森紳一』・美術評論集成『アウラの方へ』（以上　未知谷）/『生の岸辺　伊福部昭の風景』・『前衛のランナー　勅使河原蒼風と勅使河原宏』・詩の葉『荒野へ』（以上　藤田印刷エクセレントブックス）/ 佐藤庫之介書論集『書の宙（そら）へ』（中西出版）編集委員。

ミクロコスモス I——「美のオディッセイ」

2022年11月24日　第1刷発行

著　者　柴橋 伴夫　SHIBAHASHI Tomoo
発行人　藤田 卓也　Fujita Takuya
発行所　藤田印刷エクセレントブックス
〒085-0042　北海道釧路市若草町3－1
TEL 0154-22-4165　FAX 0154-22-2546
装　丁　NU工房
ロゴデザイン　市川 義一
印　刷　藤田印刷株式会社
製　本　石田製本株式会社

ISBN 978-4-86538-145-0 C0070